최강 단원별 연산

계산박사 POWER

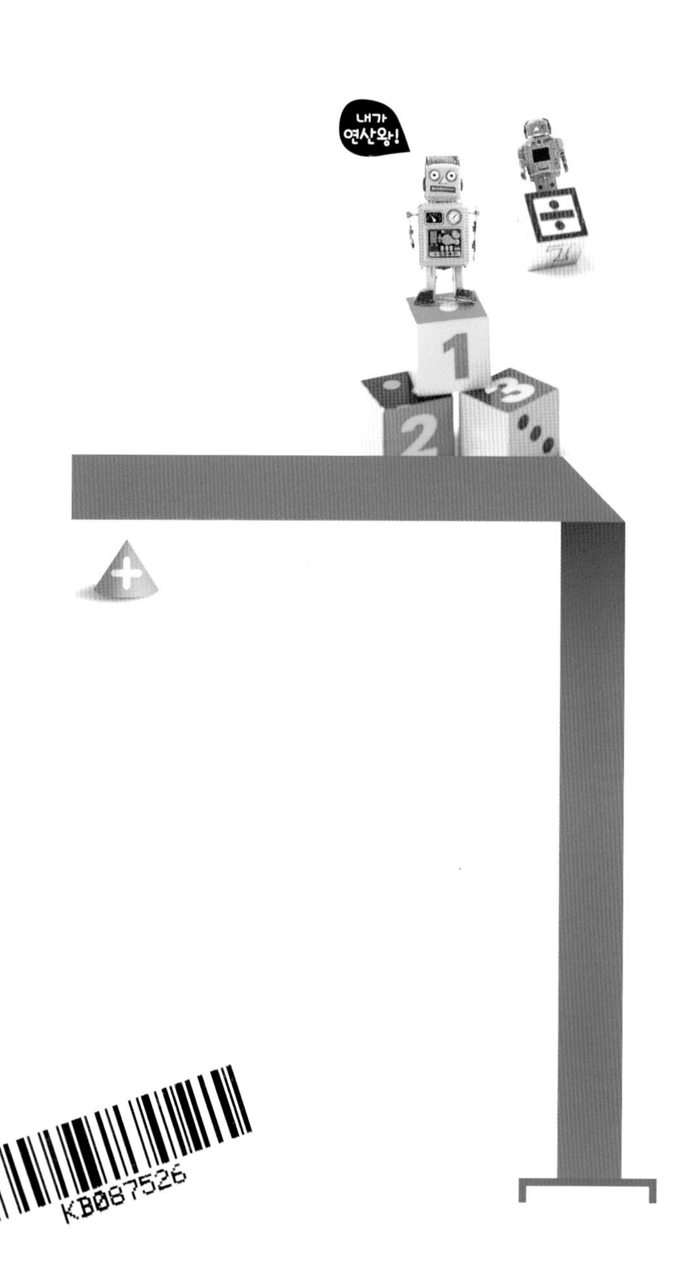

KB087526

12 단계

최강 단원별 연산

계산박사

POWER

계산박사 **하나**면 **충분**하다!

POWER 01
교과서 단원에 맞춘 연산 교재

POWER 02
연산 유형 완벽 마스터

POWER 03
재미 UP! 연산 학습

12단계

최강 단원별 연산

계산박사 만의 남다른 특징

1 교과서 단원에 맞춘 연산 학습

교과서 주요 내용을 단원별로 세분화하여 교과서에 나오는 연산 문제를 반복 연습할 수 있어요.

❶ 대표 문제를 통해 개념을 이해해 보세요.

❷ 배운 내용을 아래 문제에서 연습해 보세요.

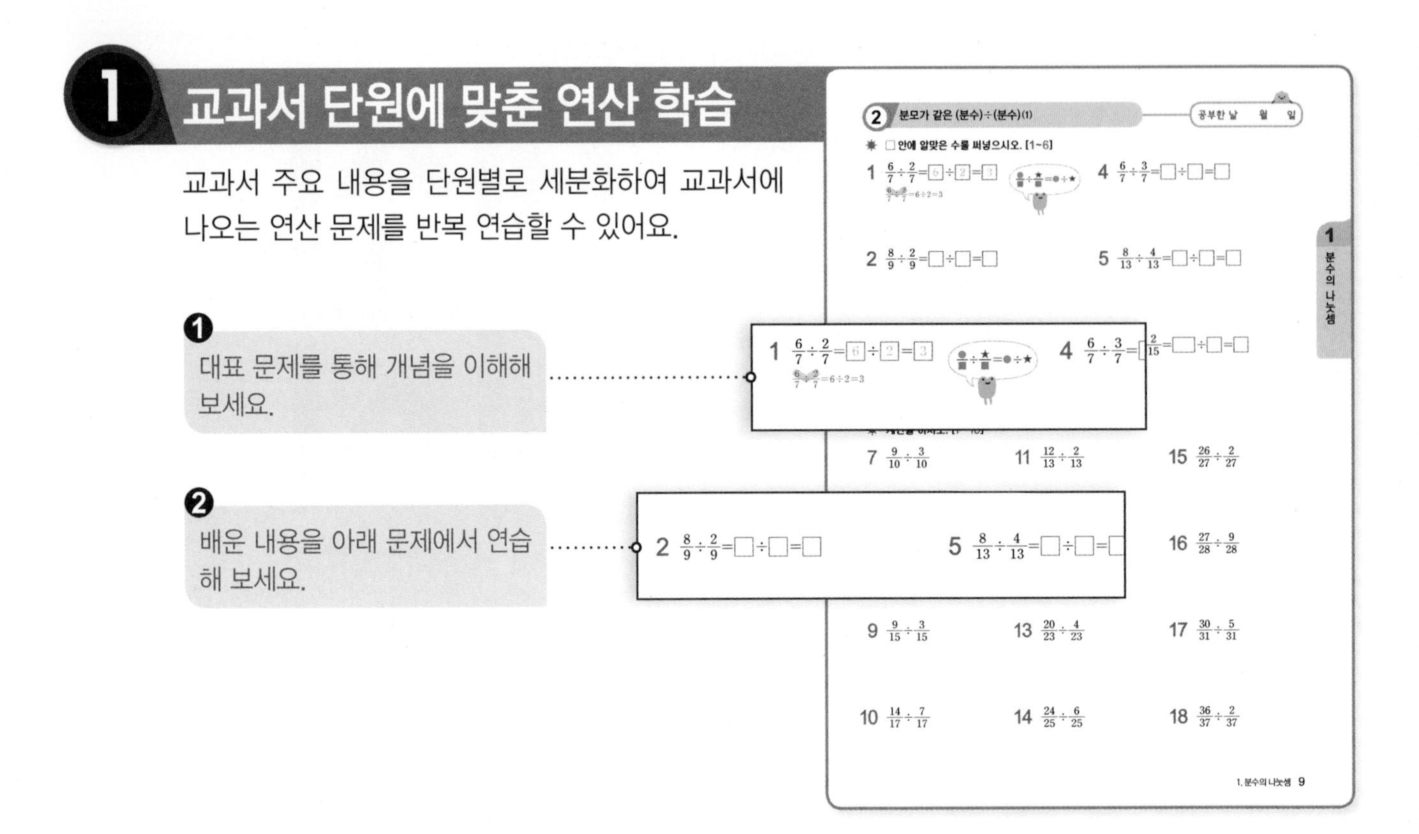

2 무료 모바일 러닝

QR 코드를 찍어 보세요.
문제 생성기 가 무료로 제공됩니다.

문제 생성기 같은 유형의 여러 문제를 더 풀어 볼 수 있어요.

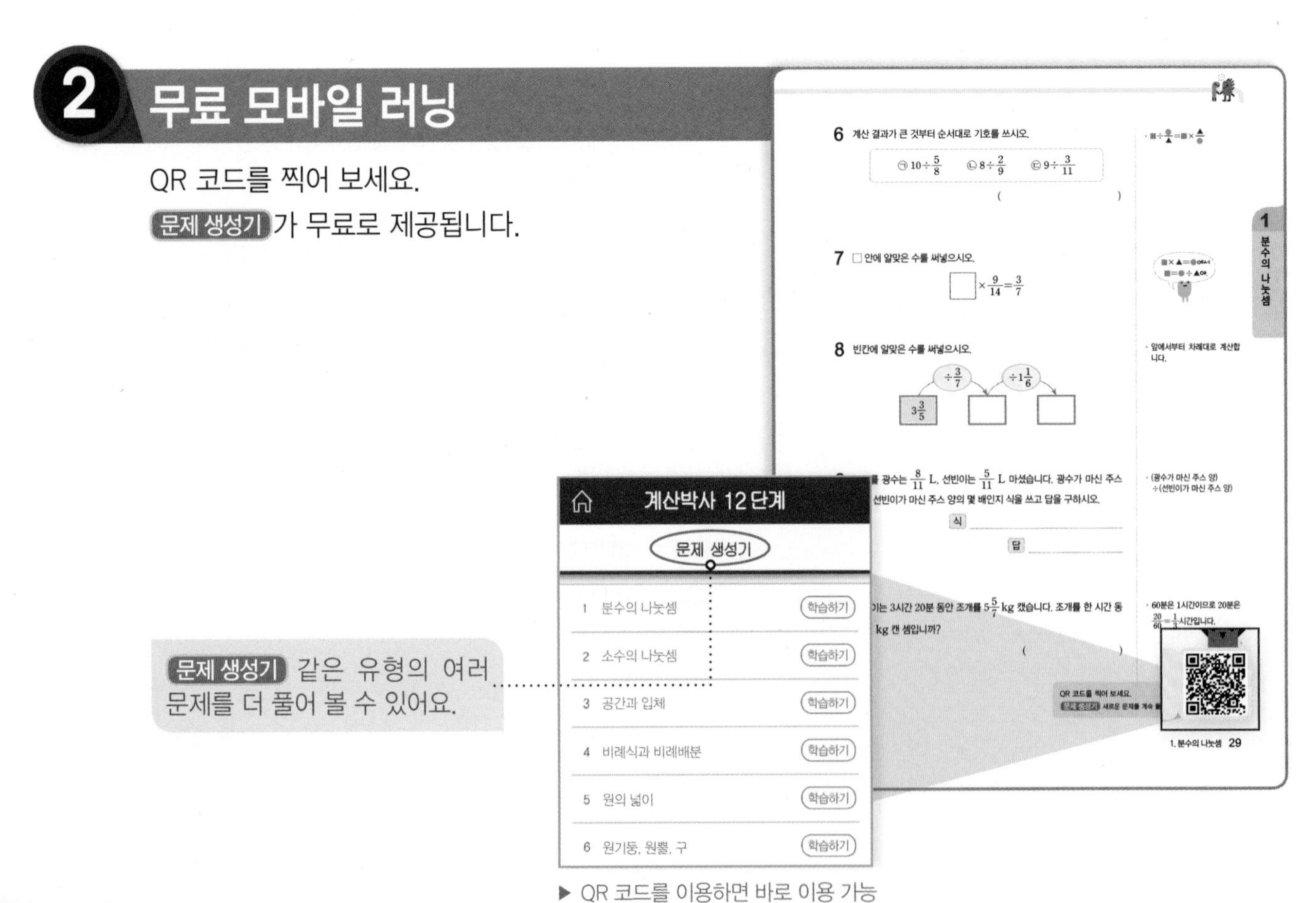

▶ QR 코드를 이용하면 바로 이용 가능

12단계

차례

1 분수의 나눗셈

제1화 화성인과의 만남

산에 오니까 너무 좋다.
어~ 저기 뭐가 있어.

안녕~
으악! 문어가 말을 한다!

문어라니. 난 화성에서 온 화성인이야.
외계인이잖아!

난 지구인들의 생활을 연구하러 왔지.
신기하다.

근데 여기서 뭐하고 있어?
남은 연료 6/7 L를 한 곳에 2/7 L씩 나누어 넣으려고…….

그럼 몇 곳에 나누어 넣을 수 있지?
나눗셈을 해보면 알지.
6/7÷2/7=6÷2=3(곳)

와! 너 똑똑하구나.
후후~ 이 정도는 기본이야.
또 잘난 척이다.

근데 너 혼자 왔어?
응. 우린 각자 여행을 해.

이미 배운 내용	이번에 배울 내용	앞으로 배울 내용
[6-1 분수의 나눗셈] • (자연수)÷(자연수) • (분수)÷(자연수)를 곱셈으로 나타내기 • (가분수)÷(자연수) • (대분수)÷(자연수)	• (분수)÷(분수) • (자연수)÷(분수) • (분수)÷(분수)를 (분수)×(분수)로 나타내기 • 분수의 나눗셈 계산하기	[6-2 소수의 나눗셈] • (소수)÷(소수) • (자연수)÷(소수) • 몫을 반올림하여 나타내기 • 나누어 주고 남는 양 알아보기

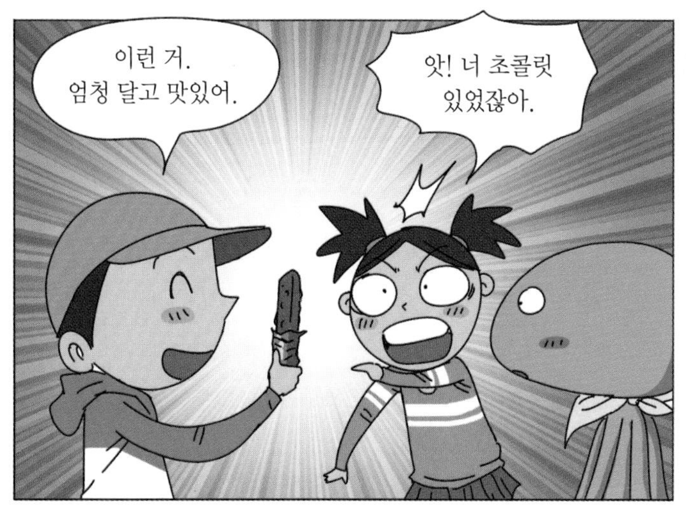

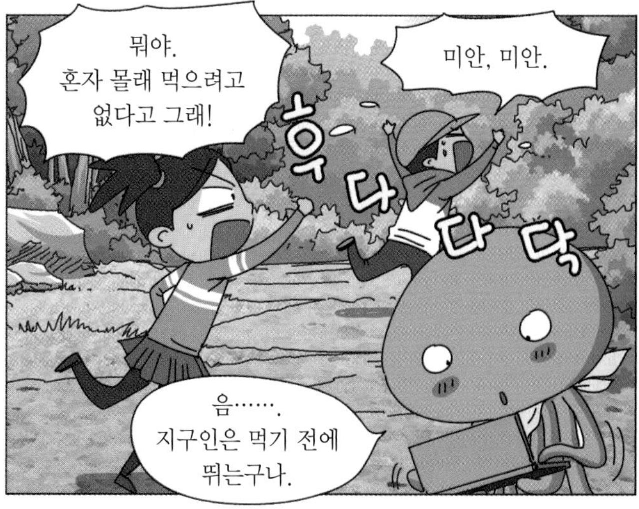

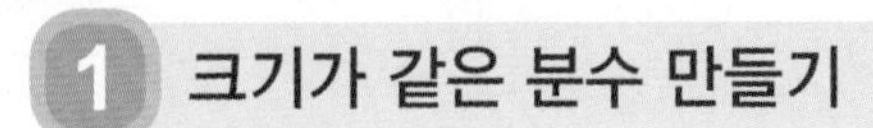

1 크기가 같은 분수 만들기

✸ □ 안에 알맞은 수를 써넣으시오.

1 $\frac{3}{4}=\frac{\boxed{6}}{8}$

$\frac{3}{4}=\frac{3\times2}{4\times2}=\frac{6}{8}$

분모와 분자에 0이 아닌 같은 수를 곱하거나 분모와 분자를 0이 아닌 같은 수로 나누어 크기가 같은 분수를 만들어 봐.

2 $\frac{2}{5}=\frac{\square}{10}$

3 $\frac{5}{6}=\frac{\square}{18}$

4 $\frac{3}{7}=\frac{\square}{21}$

5 $\frac{\square}{9}=\frac{8}{18}$

6 $\frac{\square}{10}=\frac{14}{20}$

7 $\frac{\square}{12}=\frac{21}{36}$

8 $\frac{3}{7}=\frac{6}{\square}$

9 $\frac{5}{8}=\frac{15}{\square}$

10 $\frac{7}{11}=\frac{21}{\square}$

11 $\frac{6}{\square}=\frac{12}{22}$

12 $\frac{5}{\square}=\frac{10}{44}$

13 $\frac{7}{\square}=\frac{21}{48}$

2 (진분수)×(진분수), (대분수)×(자연수)

✸ 계산을 하시오. [1~5]

1 $\frac{3}{8}\times\frac{1}{6}=\frac{1}{16}$

$\frac{\overset{1}{\cancel{3}}}{8}\times\frac{1}{\underset{2}{\cancel{6}}}=\frac{1}{16}$

약분이 되면 약분한 후 분자는 분자끼리, 분모는 분모끼리 곱하면 돼.

2 $\frac{2}{5}\times\frac{1}{2}$

3 $\frac{1}{6}\times\frac{3}{4}$

4 $\frac{5}{6}\times\frac{9}{10}$

5 $\frac{16}{21}\times\frac{3}{8}$

✸ 계산을 하시오. [6~9]

6 $1\frac{2}{5}\times5=7$

$1\frac{2}{5}\times5=\frac{7}{\underset{1}{\cancel{5}}}\times\overset{1}{\cancel{5}}=7$

대분수를 가분수로 고쳐 약분이 되면 약분하여 계산하면 돼.

7 $3\frac{1}{6}\times2$

8 $2\frac{5}{9}\times6$

9 $10\frac{1}{5}\times3$

3 (자연수)÷(자연수)

✹ □ 안에 알맞은 수를 써넣으시오. [1~8]

1 $5 \div 8 = \frac{\boxed{5}}{\boxed{8}}$

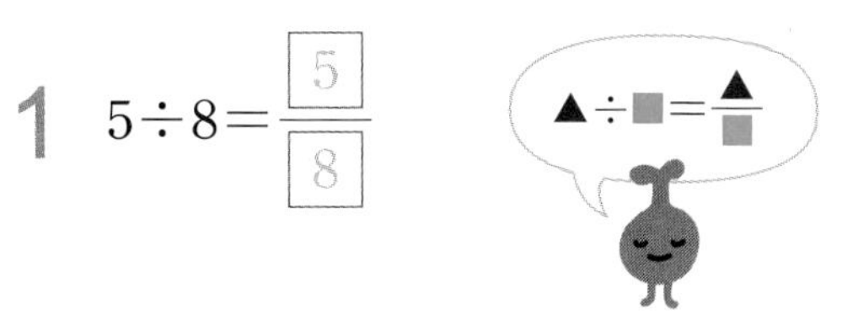

2 $5 \div 6 = \frac{\square}{\square}$

3 $6 \div 7 = \frac{\square}{\square}$

4 $8 \div 11 = \frac{\square}{\square}$

5 $9 \div 14 = \frac{\square}{\square}$

6 $8 \div 3 = \frac{\square}{\square} = \square\frac{\square}{\square}$

7 $17 \div 5 = \frac{\square}{\square} = \square\frac{\square}{\square}$

8 $23 \div 16 = \frac{\square}{\square} = \square\frac{\square}{\square}$

✹ 몫을 분수로 나타내시오. [9~14]

9 $5 \div 9$

12 $18 \div 11$

10 $12 \div 13$

13 $10 \div 3$

11 $19 \div 22$

14 $9 \div 2$

4 (진분수)÷(자연수), (대분수)÷(자연수)

✹ □ 안에 알맞은 수를 써넣으시오. [1~4]

1 $\frac{2}{5} \div 3 = \frac{2}{5 \times \boxed{3}} = \frac{\boxed{2}}{\boxed{15}}$

2 $\frac{4}{7} \div 5 = \frac{4}{7 \times \square} = \frac{\square}{\square}$

3 $2\frac{1}{2} \div 3 = \frac{\square}{2} \div 3 = \frac{\square}{2 \times \square} = \frac{\square}{\square}$

4 $1\frac{7}{8} \div 6 = \frac{\square}{8} \div 6 = \frac{\square}{8 \times \square}$

$= \frac{\square}{48} = \frac{\square}{16}$

✹ 계산을 하시오. [5~10]

5 $\frac{5}{8} \div 3$

8 $5\frac{2}{3} \div 7$

6 $\frac{7}{12} \div 9$

9 $3\frac{8}{9} \div 4$

7 $\frac{7}{12} \div 4$

10 $2\frac{7}{10} \div 3$

1 분수의 나눗셈

1 분모가 같은 (분수)÷(단위분수)

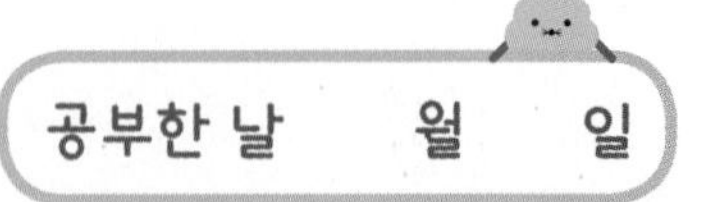

☀ □ 안에 알맞은 수를 써넣으시오. [1~6]

1 $\frac{2}{3}\div\frac{1}{3}=\boxed{2}\div\boxed{1}=\boxed{2}$

$\frac{2}{3}\div\frac{1}{3}=2\div1=2$

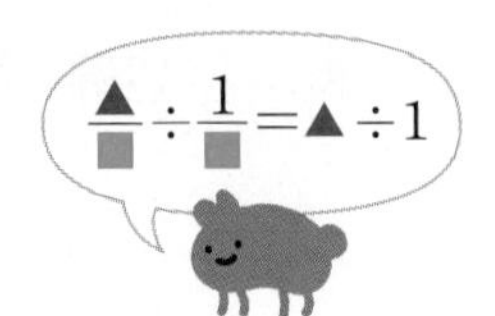

4 $\frac{6}{7}\div\frac{1}{7}=\square\div\square=\square$

2 $\frac{3}{5}\div\frac{1}{5}=\square\div\square=\square$

5 $\frac{5}{7}\div\frac{1}{7}=\square\div\square=\square$

3 $\frac{5}{6}\div\frac{1}{6}=\square\div\square=\square$

6 $\frac{8}{9}\div\frac{1}{9}=\square\div\square=\square$

☀ 계산을 하시오. [7~18]

7 $\frac{3}{4}\div\frac{1}{4}$

11 $\frac{14}{15}\div\frac{1}{15}$

15 $\frac{19}{25}\div\frac{1}{25}$

8 $\frac{5}{8}\div\frac{1}{8}$

12 $\frac{11}{12}\div\frac{1}{12}$

16 $\frac{23}{30}\div\frac{1}{30}$

9 $\frac{10}{11}\div\frac{1}{11}$

13 $\frac{17}{20}\div\frac{1}{20}$

17 $\frac{27}{35}\div\frac{1}{35}$

10 $\frac{9}{10}\div\frac{1}{10}$

14 $\frac{19}{21}\div\frac{1}{21}$

18 $\frac{31}{40}\div\frac{1}{40}$

2 분모가 같은 (분수)÷(분수)(1)

공부한 날 월 일

✹ □ 안에 알맞은 수를 써넣으시오. [1~6]

1 $\frac{6}{7}\div\frac{2}{7}=\boxed{6}\div\boxed{2}=\boxed{3}$

$\frac{6}{7}\div\frac{2}{7}=6\div2=3$

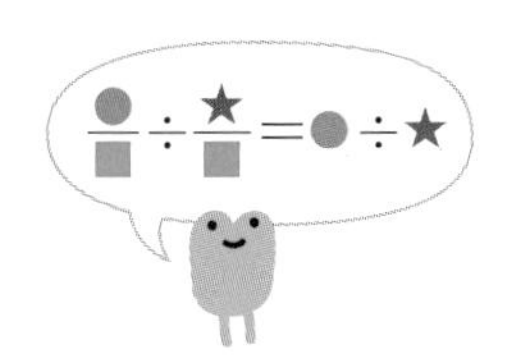

2 $\frac{8}{9}\div\frac{2}{9}=\square\div\square=\square$

3 $\frac{4}{5}\div\frac{2}{5}=\square\div\square=\square$

4 $\frac{6}{7}\div\frac{3}{7}=\square\div\square=\square$

5 $\frac{8}{13}\div\frac{4}{13}=\square\div\square=\square$

6 $\frac{14}{15}\div\frac{2}{15}=\square\div\square=\square$

✹ 계산을 하시오. [7~18]

7 $\frac{9}{10}\div\frac{3}{10}$

8 $\frac{10}{11}\div\frac{2}{11}$

9 $\frac{9}{15}\div\frac{3}{15}$

10 $\frac{14}{17}\div\frac{7}{17}$

11 $\frac{12}{13}\div\frac{2}{13}$

12 $\frac{15}{16}\div\frac{5}{16}$

13 $\frac{20}{23}\div\frac{4}{23}$

14 $\frac{24}{25}\div\frac{6}{25}$

15 $\frac{26}{27}\div\frac{2}{27}$

16 $\frac{27}{28}\div\frac{9}{28}$

17 $\frac{30}{31}\div\frac{5}{31}$

18 $\frac{36}{37}\div\frac{2}{37}$

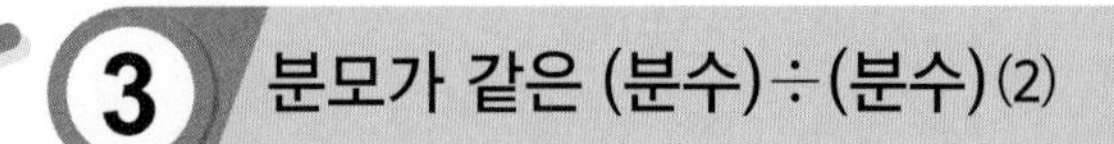

3 분모가 같은 (분수)÷(분수)(2)

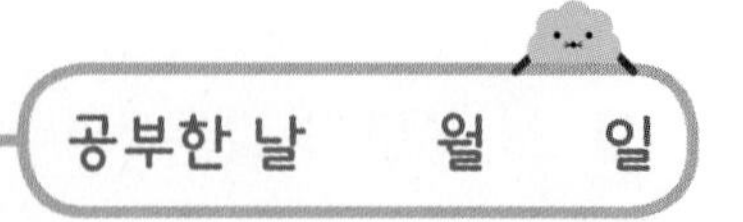

□ 안에 알맞은 수를 써넣으시오. [1~6]

1 $\frac{3}{5}\div\frac{2}{5}=\boxed{3}\div\boxed{2}=\frac{\boxed{3}}{\boxed{2}}=\boxed{1}\frac{\boxed{1}}{\boxed{2}}$

$\frac{3}{5}\div\frac{2}{5}=3\div2=\frac{3}{2}=1\frac{1}{2}$

$\frac{▲}{■}\div\frac{●}{■}$
$=▲\div●$
$=\frac{▲}{●}$

4 $\frac{9}{10}\div\frac{4}{10}=\square\div\square=\frac{\square}{\square}=\square\frac{\square}{\square}$

2 $\frac{5}{8}\div\frac{2}{8}=\square\div\square=\frac{\square}{\square}=\square\frac{\square}{\square}$

5 $\frac{10}{11}\div\frac{3}{11}=\square\div\square=\frac{\square}{\square}=\square\frac{\square}{\square}$

3 $\frac{7}{9}\div\frac{3}{9}=\square\div\square=\frac{\square}{\square}=\square\frac{\square}{\square}$

6 $\frac{11}{12}\div\frac{5}{12}=\square\div\square=\frac{\square}{\square}=\square\frac{\square}{\square}$

계산을 하시오. [7~18]

7 $\frac{5}{7}\div\frac{3}{7}$

11 $\frac{10}{11}\div\frac{7}{11}$

15 $\frac{16}{17}\div\frac{7}{17}$

8 $\frac{7}{8}\div\frac{3}{8}$

12 $\frac{13}{15}\div\frac{6}{15}$

16 $\frac{21}{23}\div\frac{4}{23}$

9 $\frac{8}{9}\div\frac{5}{9}$

13 $\frac{12}{13}\div\frac{5}{13}$

17 $\frac{25}{27}\div\frac{4}{27}$

10 $\frac{9}{10}\div\frac{7}{10}$

14 $\frac{15}{19}\div\frac{4}{19}$

18 $\frac{29}{31}\div\frac{12}{31}$

4 분모가 다른 (분수)÷(분수)(1)

공부한 날 월 일

☀ □ 안에 알맞은 수를 써넣으시오. [1~6]

1 $\frac{3}{4}\div\frac{3}{8}=\frac{\boxed{6}}{8}\div\frac{\boxed{3}}{8}$
$=\boxed{6}\div\boxed{3}=\boxed{2}$

$\frac{3}{4}\div\frac{3}{8}=\frac{6}{8}\div\frac{3}{8}=6\div3=2$

분모가 다른
분수의 나눗셈은 분모를
같게 통분하여 분자끼리
나누어 계산해.

4 $\frac{4}{5}\div\frac{2}{15}=\frac{\square}{15}\div\frac{\square}{15}$
$=\square\div\square=\square$

2 $\frac{1}{4}\div\frac{1}{12}=\frac{\square}{12}\div\frac{\square}{12}$
$=\square\div\square=\square$

5 $\frac{4}{5}\div\frac{6}{15}=\frac{\square}{15}\div\frac{\square}{15}$
$=\square\div\square=\square$

3 $\frac{4}{7}\div\frac{1}{14}=\frac{\square}{14}\div\frac{\square}{14}$
$=\square\div\square=\square$

6 $\frac{2}{3}\div\frac{2}{21}=\frac{\square}{21}\div\frac{\square}{21}$
$=\square\div\square=\square$

☀ 계산을 하시오. [7~18]

7 $\frac{3}{7}\div\frac{1}{21}$

11 $\frac{5}{8}\div\frac{1}{24}$

15 $\frac{8}{14}\div\frac{2}{7}$

8 $\frac{5}{6}\div\frac{5}{24}$

12 $\frac{2}{3}\div\frac{3}{18}$

16 $\frac{4}{7}\div\frac{2}{21}$

9 $\frac{2}{5}\div\frac{2}{15}$

13 $\frac{6}{15}\div\frac{1}{5}$

17 $\frac{9}{12}\div\frac{9}{48}$

10 $\frac{7}{12}\div\frac{7}{36}$

14 $\frac{18}{33}\div\frac{2}{11}$

18 $\frac{28}{34}\div\frac{7}{17}$

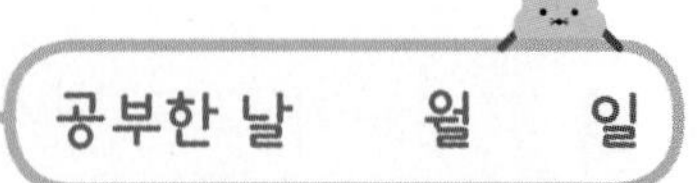

5 분모가 다른 (분수)÷(분수) (2)

공부한 날 월 일

✹ □ 안에 알맞은 수를 써넣으시오. [1~6]

1 $\frac{3}{4}\div\frac{2}{3}=\frac{\boxed{9}}{12}\div\frac{\boxed{8}}{12}=\boxed{9}\div\boxed{8}$

$=\frac{\boxed{9}}{\boxed{8}}=\boxed{1}\frac{\boxed{1}}{\boxed{8}}$

$\frac{3}{4}\div\frac{2}{3}=\frac{9}{12}\div\frac{8}{12}=9\div8=\frac{9}{8}=1\frac{1}{8}$

분모가 다른
분수의 나눗셈은
분모를 같게 통분하여
(자연수)÷(자연수)로
나타내어 봐.

2 $\frac{5}{10}\div\frac{1}{5}=\frac{\square}{10}\div\frac{\square}{10}=\square\div\square$

$=\frac{\square}{\square}=\square\frac{\square}{\square}$

3 $\frac{7}{8}\div\frac{5}{6}=\frac{\square}{24}\div\frac{\square}{24}=\square\div\square$

$=\frac{\square}{\square}=\square\frac{\square}{\square}$

4 $\frac{5}{6}\div\frac{3}{4}=\frac{\square}{12}\div\frac{\square}{12}=\square\div\square$

$=\frac{\square}{\square}=\square\frac{\square}{\square}$

5 $\frac{4}{7}\div\frac{1}{3}=\frac{\square}{21}\div\frac{\square}{21}=\square\div\square$

$=\frac{\square}{\square}=\square\frac{\square}{\square}$

6 $\frac{5}{8}\div\frac{2}{5}=\frac{\square}{40}\div\frac{\square}{40}=\square\div\square$

$=\frac{\square}{\square}=\square\frac{\square}{\square}$

✹ 계산을 하시오. [7~18]

7 $\frac{8}{9}\div\frac{3}{7}$

8 $\frac{7}{9}\div\frac{4}{5}$

9 $\frac{7}{10}\div\frac{2}{5}$

10 $\frac{5}{7}\div\frac{4}{9}$

11 $\frac{2}{5}\div\frac{3}{7}$

12 $\frac{4}{5}\div\frac{1}{4}$

13 $\frac{9}{10}\div\frac{7}{9}$

14 $\frac{19}{30}\div\frac{4}{15}$

15 $\frac{8}{9}\div\frac{5}{6}$

16 $\frac{13}{16}\div\frac{7}{12}$

17 $\frac{9}{14}\div\frac{5}{12}$

18 $\frac{11}{15}\div\frac{5}{12}$

6 (자연수)÷(분수)

✸ □ 안에 알맞은 수를 써넣으시오. [1~6]

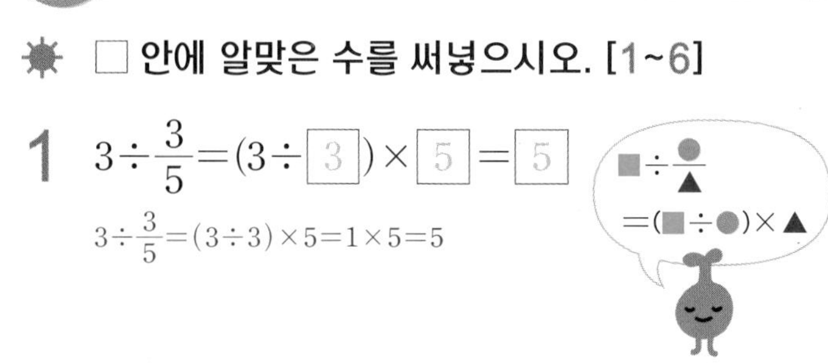

1 $3\div\frac{3}{5}=(3\div\boxed{3})\times\boxed{5}=\boxed{5}$

$3\div\frac{3}{5}=(3\div3)\times5=1\times5=5$

4 $8\div\frac{2}{3}=(8\div\square)\times\square=\square$

2 $6\div\frac{3}{4}=(6\div\square)\times\square=\square$

5 $12\div\frac{6}{7}=(12\div\square)\times\square=\square$

3 $12\div\frac{4}{5}=(12\div\square)\times\square=\square$

6 $14\div\frac{7}{9}=(14\div\square)\times\square=\square$

✸ 계산을 하시오. [7~18]

7 $2\div\frac{2}{3}$

11 $10\div\frac{5}{7}$

15 $15\div\frac{5}{6}$

8 $4\div\frac{4}{7}$

12 $12\div\frac{6}{11}$

16 $21\div\frac{7}{8}$

9 $7\div\frac{7}{8}$

13 $14\div\frac{7}{13}$

17 $24\div\frac{8}{11}$

10 $10\div\frac{10}{11}$

14 $24\div\frac{12}{17}$

18 $36\div\frac{12}{13}$

7 (자연수)÷(진분수)를 곱셈으로 바꾸어 계산하기

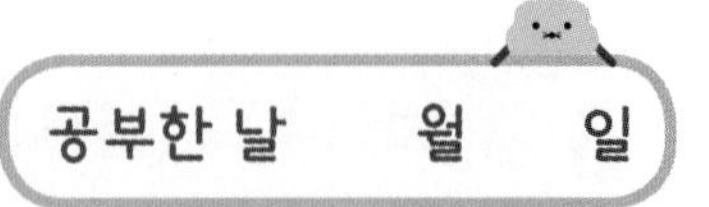

✹ □ 안에 알맞은 수를 써넣으시오. [1~6]

1 $2 \div \frac{2}{5} = \overset{1}{\cancel{2}} \times \frac{\boxed{5}}{\underset{1}{\cancel{2}}} = \boxed{5}$

$2 \div \frac{2}{5} = \overset{1}{\cancel{2}} \times \frac{5}{\underset{1}{\cancel{2}}} = 5$

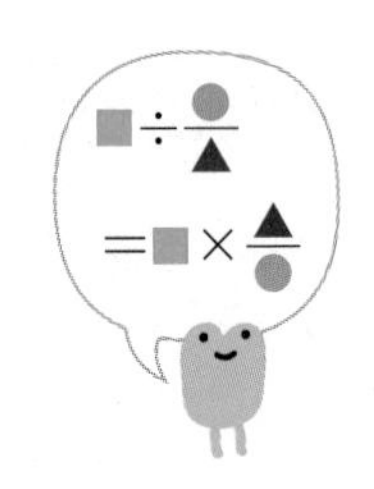

4 $2 \div \frac{3}{4} = 2 \times \frac{\square}{\square} = \frac{\square}{\square} = \square\frac{\square}{\square}$

2 $8 \div \frac{1}{12} = 8 \times \square = \square$

5 $8 \div \frac{7}{12} = 8 \times \frac{\square}{\square} = \frac{\square}{\square} = \square\frac{\square}{\square}$

3 $9 \div \frac{3}{4} = 9 \times \frac{\square}{\square} = \square$

6 $6 \div \frac{9}{14} = 6 \times \frac{\square}{\square} = \frac{\square}{3} = \square\frac{\square}{\square}$

✹ 계산을 하시오. [7~18]

7 $3 \div \frac{3}{4}$

11 $10 \div \frac{8}{9}$

15 $7 \div \frac{6}{7}$

8 $3 \div \frac{3}{8}$

12 $12 \div \frac{8}{11}$

16 $9 \div \frac{13}{15}$

9 $6 \div \frac{6}{7}$

13 $10 \div \frac{8}{13}$

17 $7 \div \frac{9}{11}$

10 $8 \div \frac{2}{5}$

14 $9 \div \frac{16}{17}$

18 $6 \div \frac{5}{17}$

8 (자연수)÷(가분수)를 곱셈으로 바꾸어 계산하기

공부한 날 월 일

☀ □ 안에 알맞은 수를 써넣으시오. [1~6]

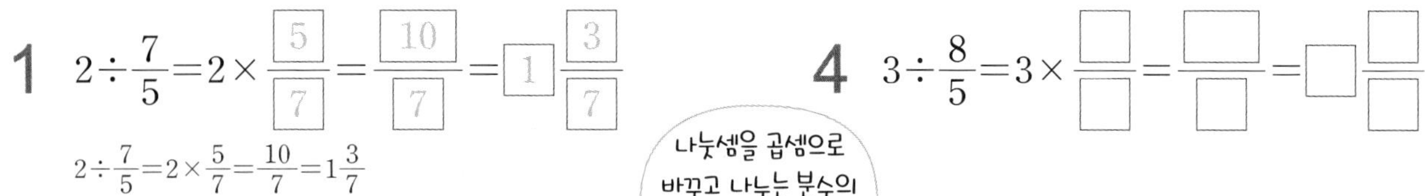

1 $2\div\frac{7}{5}=2\times\frac{5}{7}=\frac{10}{7}=1\frac{3}{7}$

$2\div\frac{7}{5}=2\times\frac{5}{7}=\frac{10}{7}=1\frac{3}{7}$

4 $3\div\frac{8}{5}=3\times\frac{\square}{\square}=\frac{\square}{\square}=\square\frac{\square}{\square}$

나눗셈을 곱셈으로 바꾸고 나누는 분수의 분모와 분자를 바꾸어야 해.

2 $8\div\frac{12}{7}=8\times\frac{\square}{\square}=\frac{\square}{3}=\square\frac{\square}{\square}$

5 $7\div\frac{7}{5}=7\times\frac{\square}{\square}=\square$

3 $2\div\frac{4}{3}=2\times\frac{\square}{\square}=\frac{\square}{2}=\square\frac{\square}{\square}$

6 $10\div\frac{11}{9}=10\times\frac{\square}{\square}=\frac{\square}{\square}=\square\frac{\square}{\square}$

☀ 계산을 하시오. [7~18]

7 $2\div\frac{8}{5}$

11 $9\div\frac{9}{5}$

15 $7\div\frac{5}{2}$

8 $3\div\frac{7}{4}$

12 $10\div\frac{10}{7}$

16 $6\div\frac{9}{7}$

9 $4\div\frac{9}{5}$

13 $12\div\frac{12}{11}$

17 $10\div\frac{9}{8}$

10 $5\div\frac{10}{7}$

14 $14\div\frac{14}{9}$

18 $14\div\frac{17}{16}$

1 분수의 나눗셈

9 (자연수)÷(대분수)를 곱셈으로 바꾸어 계산하기

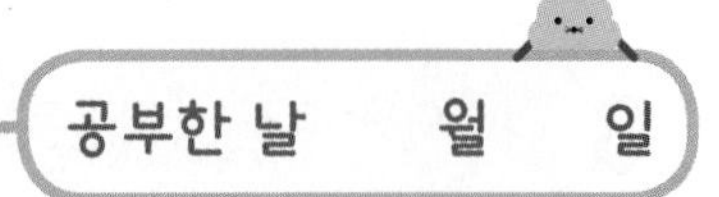

✱ □ 안에 알맞은 수를 써넣으시오. [1~6]

1 $2\div2\frac{1}{2}=2\div\frac{\boxed{5}}{2}=2\times\frac{2}{\boxed{5}}$

$=\frac{\boxed{4}}{\boxed{5}}$

$2\div2\frac{1}{2}=2\div\frac{5}{2}=2\times\frac{2}{5}=\frac{4}{5}$

대분수를 가분수로 고쳐 계산해.

4 $4\div3\frac{5}{8}=4\div\frac{\square}{8}=4\times\frac{8}{\square}$

$=\frac{\square}{\square}=\square\frac{\square}{\square}$

2 $3\div3\frac{1}{3}=3\div\frac{\square}{3}=3\times\frac{3}{\square}=\frac{\square}{\square}$

5 $6\div5\frac{7}{9}=6\div\frac{\square}{9}=6\times\frac{9}{\square}$

$=\frac{\square}{26}=\square\frac{\square}{\square}$

3 $4\div5\frac{1}{3}=4\div\frac{\square}{3}=4\times\frac{3}{\square}=\frac{\square}{4}$

6 $10\div10\frac{8}{9}=10\div\frac{\square}{9}=10\times\frac{9}{\square}$

$=\frac{\square}{49}$

✱ 계산을 하시오. [7~18]

7 $4\div4\frac{1}{4}$

11 $5\div4\frac{1}{6}$

15 $3\div3\frac{5}{8}$

8 $5\div5\frac{2}{5}$

12 $7\div5\frac{3}{8}$

16 $7\div3\frac{1}{2}$

9 $6\div6\frac{5}{6}$

13 $9\div6\frac{1}{9}$

17 $10\div9\frac{11}{12}$

10 $8\div8\frac{2}{7}$

14 $10\div7\frac{5}{12}$

18 $14\div12\frac{5}{9}$

10 (진분수)÷(진분수)를 곱셈으로 바꾸어 계산하기

공부한 날 월 일

✹ □ 안에 알맞은 수를 써넣으시오. [1~6]

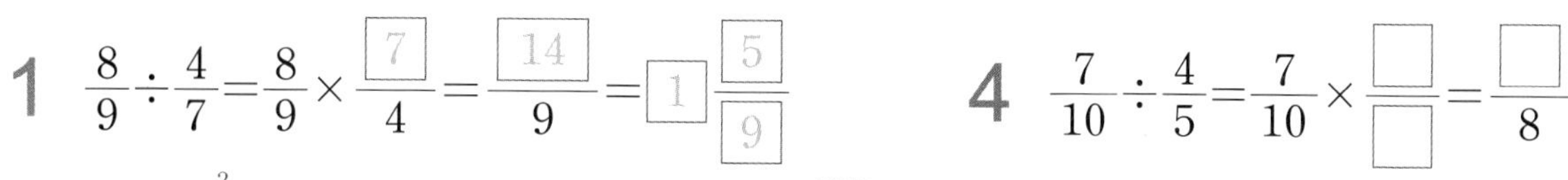

1 $\frac{8}{9}\div\frac{4}{7}=\frac{8}{9}\times\frac{\boxed{7}}{4}=\frac{\boxed{14}}{9}=\boxed{1}\frac{\boxed{5}}{\boxed{9}}$

$\frac{8}{9}\div\frac{4}{7}=\frac{\overset{2}{\cancel{8}}}{9}\times\frac{7}{\underset{1}{\cancel{4}}}=\frac{14}{9}=1\frac{5}{9}$

4 $\frac{7}{10}\div\frac{4}{5}=\frac{7}{10}\times\frac{\square}{\square}=\frac{\square}{8}$

2 $\frac{5}{6}\div\frac{2}{3}=\frac{5}{6}\times\frac{\square}{\square}=\frac{\square}{4}=\square\frac{\square}{\square}$

5 $\frac{11}{12}\div\frac{5}{6}=\frac{11}{12}\times\frac{\square}{\square}=\frac{\square}{10}=\square\frac{\square}{\square}$

3 $\frac{2}{3}\div\frac{6}{7}=\frac{2}{3}\times\frac{\square}{\square}=\frac{\square}{9}$

6 $\frac{3}{5}\div\frac{9}{10}=\frac{3}{5}\times\frac{\square}{\square}=\frac{\square}{3}$

✹ 계산을 하시오. [7~18]

7 $\frac{2}{3}\div\frac{1}{9}$

11 $\frac{3}{4}\div\frac{6}{7}$

15 $\frac{9}{10}\div\frac{5}{6}$

8 $\frac{13}{14}\div\frac{1}{7}$

12 $\frac{5}{12}\div\frac{5}{7}$

16 $\frac{7}{8}\div\frac{3}{4}$

9 $\frac{7}{20}\div\frac{9}{10}$

13 $\frac{8}{9}\div\frac{2}{3}$

17 $\frac{9}{14}\div\frac{5}{8}$

10 $\frac{8}{21}\div\frac{13}{14}$

14 $\frac{7}{12}\div\frac{3}{10}$

18 $\frac{15}{23}\div\frac{5}{12}$

11 (진분수)÷(가분수)를 곱셈으로 바꾸어 계산하기

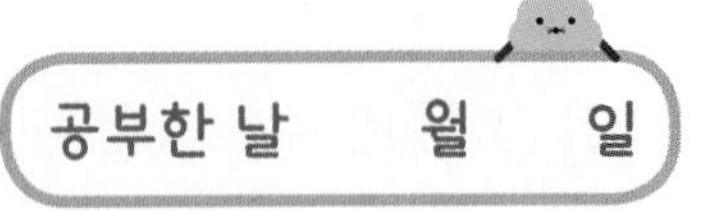

☀ □ 안에 알맞은 수를 써넣으시오. [1~6]

1 $\frac{8}{9} \div \frac{9}{4} = \frac{8}{9} \times \frac{\boxed{4}}{\boxed{9}} = \frac{\boxed{32}}{\boxed{81}}$

$\frac{8}{9} \div \frac{9}{4} = \frac{8}{9} \times \frac{4}{9} = \frac{32}{81}$

나누는 가분수의
분모와 분자를 바꾸어
곱해야 해.

4 $\frac{5}{6} \div \frac{5}{3} = \frac{5}{6} \times \frac{\square}{\square} = \frac{\square}{2}$

2 $\frac{2}{3} \div \frac{9}{7} = \frac{2}{3} \times \frac{\square}{\square} = \frac{\square}{\square}$

5 $\frac{8}{9} \div \frac{10}{7} = \frac{8}{9} \times \frac{\square}{\square} = \frac{\square}{45}$

3 $\frac{7}{10} \div \frac{9}{5} = \frac{7}{10} \times \frac{\square}{\square} = \frac{\square}{18}$

6 $\frac{7}{8} \div \frac{11}{6} = \frac{7}{8} \times \frac{\square}{\square} = \frac{\square}{44}$

☀ 계산을 하시오. [7~18]

7 $\frac{1}{4} \div \frac{6}{5}$

11 $\frac{7}{9} \div \frac{12}{5}$

15 $\frac{11}{15} \div \frac{22}{7}$

8 $\frac{1}{5} \div \frac{8}{7}$

12 $\frac{5}{8} \div \frac{7}{6}$

16 $\frac{3}{14} \div \frac{8}{7}$

9 $\frac{5}{6} \div \frac{7}{4}$

13 $\frac{9}{10} \div \frac{4}{3}$

17 $\frac{7}{20} \div \frac{21}{10}$

10 $\frac{4}{7} \div \frac{4}{3}$

14 $\frac{1}{12} \div \frac{7}{6}$

18 $\frac{7}{12} \div \frac{15}{8}$

12 (진분수)÷(대분수)를 곱셈으로 바꾸어 계산하기

공부한 날 월 일

✹ □ 안에 알맞은 수를 써넣으시오. [1~6]

1 $\frac{5}{12}\div1\frac{3}{4}=\frac{5}{12}\div\frac{7}{4}=\frac{5}{12}\times\frac{4}{7}$

$=\frac{5}{21}$

$\frac{5}{12}\div1\frac{3}{4}=\frac{5}{12}\div\frac{7}{4}=\frac{5}{\cancel{12}_3}\times\frac{\cancel{4}^1}{7}=\frac{5}{21}$

대분수를 가분수로 고쳐 계산해.

4 $\frac{9}{11}\div2\frac{4}{7}=\frac{9}{11}\div\frac{\square}{7}=\frac{9}{11}\times\frac{7}{\square}$

$=\frac{\square}{22}$

2 $\frac{7}{10}\div1\frac{2}{5}=\frac{7}{10}\div\frac{\square}{5}=\frac{7}{10}\times\frac{5}{\square}$

$=\frac{1}{\square}$

5 $\frac{7}{8}\div2\frac{3}{4}=\frac{7}{8}\div\frac{\square}{4}=\frac{7}{8}\times\frac{4}{\square}$

$=\frac{7}{\square}$

3 $\frac{8}{9}\div4\frac{2}{7}=\frac{8}{9}\div\frac{\square}{7}=\frac{8}{9}\times\frac{7}{\square}$

$=\frac{28}{\square}$

6 $\frac{1}{4}\div2\frac{5}{6}=\frac{1}{4}\div\frac{\square}{6}=\frac{1}{4}\times\frac{6}{\square}$

$=\frac{3}{\square}$

✹ 계산을 하시오. [7~18]

7 $\frac{3}{4}\div3\frac{1}{3}$

8 $\frac{5}{8}\div2\frac{2}{3}$

9 $\frac{5}{9}\div2\frac{2}{5}$

10 $\frac{4}{7}\div1\frac{3}{14}$

11 $\frac{3}{5}\div4\frac{2}{3}$

12 $\frac{1}{2}\div5\frac{3}{4}$

13 $\frac{5}{6}\div3\frac{3}{7}$

14 $\frac{7}{10}\div1\frac{5}{9}$

15 $\frac{1}{12}\div1\frac{5}{7}$

16 $\frac{2}{7}\div3\frac{3}{8}$

17 $\frac{5}{11}\div6\frac{1}{4}$

18 $\frac{7}{13}\div3\frac{5}{7}$

13 (가분수)÷(진분수)를 곱셈으로 바꾸어 계산하기

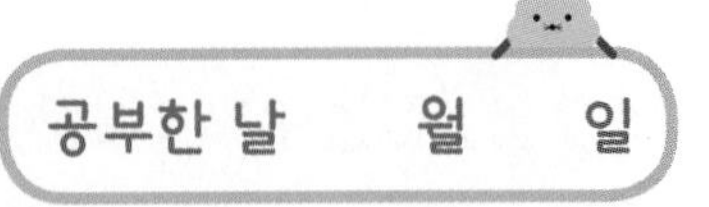
공부한 날 월 일

✹ □ 안에 알맞은 수를 써넣으시오. [1~6]

1 $\frac{10}{3} \div \frac{5}{6} = \frac{10}{3} \times \frac{6}{5} = 4$

$\frac{10}{3} \div \frac{5}{6} = \frac{\overset{2}{\cancel{10}}}{\underset{1}{\cancel{3}}} \times \frac{\overset{2}{\cancel{6}}}{\underset{1}{\cancel{5}}} = 4$

나누는 진분수의
분모와 분자를 바꾸어
곱해야 해.

4 $\frac{7}{5} \div \frac{4}{9} = \frac{7}{5} \times \frac{\square}{4} = \frac{\square}{\square} = \square\frac{\square}{\square}$

2 $\frac{20}{7} \div \frac{5}{8} = \frac{20}{7} \times \frac{\square}{5} = \frac{\square}{7} = \square\frac{\square}{\square}$

5 $\frac{7}{3} \div \frac{5}{6} = \frac{7}{3} \times \frac{\square}{5} = \frac{\square}{5} = \square\frac{\square}{\square}$

3 $\frac{7}{2} \div \frac{1}{5} = \frac{7}{2} \times \square = \frac{\square}{2} = \square\frac{\square}{\square}$

6 $\frac{14}{3} \div \frac{8}{15} = \frac{14}{3} \times \frac{\square}{8} = \frac{\square}{4}$
$= \square\frac{\square}{\square}$

✹ 계산을 하시오. [7~18]

7 $\frac{21}{10} \div \frac{7}{8}$

11 $\frac{33}{8} \div \frac{11}{12}$

15 $\frac{19}{11} \div \frac{8}{33}$

8 $\frac{15}{4} \div \frac{1}{8}$

12 $\frac{8}{3} \div \frac{7}{12}$

16 $\frac{18}{5} \div \frac{9}{10}$

9 $\frac{28}{5} \div \frac{14}{15}$

13 $\frac{10}{3} \div \frac{4}{15}$

17 $\frac{25}{12} \div \frac{5}{6}$

10 $\frac{17}{10} \div \frac{3}{4}$

14 $\frac{14}{9} \div \frac{1}{3}$

18 $\frac{21}{16} \div \frac{7}{8}$

14 (가분수)÷(가분수)를 곱셈으로 바꾸어 계산하기

공부한 날 월 일

□ 안에 알맞은 수를 써넣으시오. [1~6]

1 $\frac{21}{4}\div\frac{7}{5}=\frac{21}{4}\times\frac{5}{7}=\frac{15}{4}$

$=3\frac{3}{4}$

$\frac{21}{4}\div\frac{7}{5}=\frac{\overset{3}{\cancel{21}}}{4}\times\frac{5}{\underset{1}{\cancel{7}}}=\frac{15}{4}=3\frac{3}{4}$

▲/■ ÷ ●/★ = ▲/■ × ★/●

2 $\frac{21}{10}\div\frac{14}{8}=\frac{21}{10}\times\frac{\square}{14}=\frac{\square}{5}$

$=\square\frac{\square}{\square}$

3 $\frac{28}{5}\div\frac{22}{15}=\frac{28}{5}\times\frac{\square}{22}=\frac{\square}{11}$

$=\square\frac{\square}{\square}$

4 $\frac{20}{7}\div\frac{10}{9}=\frac{20}{7}\times\frac{9}{\square}=\frac{\square}{7}$

$=\square\frac{\square}{\square}$

5 $\frac{16}{3}\div\frac{12}{5}=\frac{16}{3}\times\frac{\square}{\square}=\frac{\square}{9}$

$=\square\frac{\square}{\square}$

6 $\frac{25}{8}\div\frac{15}{7}=\frac{25}{8}\times\frac{\square}{\square}=\frac{\square}{24}$

$=\square\frac{\square}{\square}$

계산을 하시오. [7~18]

7 $\frac{25}{7}\div\frac{15}{8}$

8 $\frac{22}{9}\div\frac{4}{3}$

9 $\frac{21}{5}\div\frac{9}{7}$

10 $\frac{38}{5}\div\frac{14}{9}$

11 $\frac{6}{5}\div\frac{4}{3}$

12 $\frac{25}{7}\div\frac{5}{3}$

13 $\frac{17}{8}\div\frac{7}{4}$

14 $\frac{27}{4}\div\frac{12}{5}$

15 $\frac{30}{7}\div\frac{20}{3}$

16 $\frac{28}{5}\div\frac{21}{4}$

17 $\frac{40}{9}\div\frac{25}{6}$

18 $\frac{18}{5}\div\frac{27}{10}$

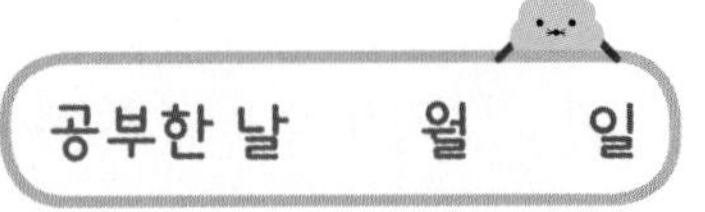

15 (가분수)÷(대분수)를 곱셈으로 바꾸어 계산하기

☐ 안에 알맞은 수를 써넣으시오. [1~6]

1 $\frac{18}{5} \div 2\frac{4}{7} = \frac{18}{5} \div \frac{\boxed{18}}{7} = \frac{18}{5} \times \frac{7}{\boxed{18}}$

$= \frac{\boxed{7}}{\boxed{5}} = \boxed{1}\frac{\boxed{2}}{\boxed{5}}$

$\frac{18}{5} \div 2\frac{4}{7} = \frac{18}{5} \div \frac{18}{7} = \frac{\cancel{18}^{1}}{5} \times \frac{7}{\cancel{18}_{1}} = \frac{7}{5} = 1\frac{2}{5}$

대분수를 가분수로 고친 후 (가분수)÷(가분수)로 계산해.

2 $\frac{3}{2} \div 5\frac{1}{4} = \frac{3}{2} \div \frac{\square}{4} = \frac{3}{2} \times \frac{4}{\square}$

$= \frac{2}{\square}$

3 $\frac{7}{4} \div 2\frac{1}{8} = \frac{7}{4} \div \frac{\square}{8} = \frac{7}{4} \times \frac{8}{\square}$

$= \frac{14}{\square}$

4 $\frac{9}{7} \div 3\frac{3}{5} = \frac{9}{7} \div \frac{\square}{5} = \frac{9}{7} \times \frac{5}{\square}$

$= \frac{5}{\square}$

5 $\frac{8}{3} \div 2\frac{5}{6} = \frac{8}{3} \div \frac{\square}{6} = \frac{8}{3} \times \frac{6}{\square}$

$= \frac{16}{\square}$

6 $\frac{11}{8} \div 4\frac{2}{5} = \frac{11}{8} \div \frac{\square}{\square} = \frac{11}{8} \times \frac{\square}{\square}$

$= \frac{5}{\square}$

계산을 하시오. [7~14]

7 $\frac{21}{4} \div 1\frac{1}{6}$

8 $\frac{17}{6} \div 2\frac{1}{12}$

9 $\frac{15}{8} \div 3\frac{1}{3}$

10 $\frac{7}{4} \div 1\frac{5}{8}$

11 $\frac{14}{9} \div 4\frac{3}{8}$

12 $\frac{16}{5} \div 1\frac{1}{7}$

13 $\frac{15}{7} \div 3\frac{3}{5}$

14 $\frac{11}{9} \div 6\frac{3}{5}$

16 (대분수)÷(진분수)를 곱셈으로 바꾸어 계산하기

공부한 날 월 일

□ 안에 알맞은 수를 써넣으시오. [1~6]

1 $4\frac{1}{2} \div \frac{3}{5} = \frac{\boxed{9}}{2} \div \frac{3}{5} = \frac{\boxed{9}}{2} \times \frac{5}{\boxed{3}}$

$= \frac{\boxed{15}}{\boxed{2}} = \boxed{7}\frac{\boxed{1}}{\boxed{2}}$

$4\frac{1}{2} \div \frac{3}{5} = \frac{9}{2} \div \frac{3}{5} = \frac{\overset{3}{\cancel{9}}}{2} \times \frac{5}{\underset{1}{\cancel{3}}} = \frac{15}{2} = 7\frac{1}{2}$

대분수를
가분수로 고친 후
계산해야 해.

2 $3\frac{3}{5} \div \frac{6}{7} = \frac{\square}{5} \div \frac{6}{7} = \frac{\square}{5} \times \frac{7}{\square}$

$= \frac{\square}{5} = \square\frac{\square}{\square}$

3 $1\frac{1}{5} \div \frac{2}{3} = \frac{\square}{5} \div \frac{2}{3} = \frac{\square}{5} \times \frac{3}{\square}$

$= \frac{\square}{5} = \square\frac{\square}{\square}$

4 $2\frac{6}{7} \div \frac{4}{5} = \frac{\square}{7} \div \frac{4}{5} = \frac{\square}{7} \times \frac{\square}{4}$

$= \frac{\square}{7} = \square\frac{\square}{\square}$

5 $2\frac{2}{3} \div \frac{8}{11} = \frac{\square}{3} \div \frac{8}{11} = \frac{\square}{3} \times \frac{\square}{\square}$

$= \frac{\square}{3} = \square\frac{\square}{\square}$

6 $4\frac{1}{5} \div \frac{14}{15} = \frac{\square}{5} \div \frac{14}{15} = \frac{\square}{5} \times \frac{\square}{\square}$

$= \frac{\square}{2} = \square\frac{\square}{\square}$

계산을 하시오. [7~14]

7 $5\frac{1}{3} \div \frac{4}{5}$

8 $2\frac{4}{9} \div \frac{2}{3}$

9 $4\frac{2}{5} \div \frac{11}{12}$

10 $7\frac{1}{2} \div \frac{6}{11}$

11 $3\frac{4}{7} \div \frac{5}{6}$

12 $6\frac{7}{8} \div \frac{5}{6}$

13 $7\frac{3}{5} \div \frac{8}{9}$

14 $10\frac{4}{5} \div \frac{4}{9}$

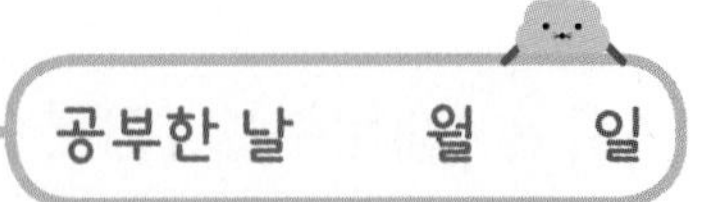

17 (대분수)÷(가분수)를 곱셈으로 바꾸어 계산하기

공부한 날 월 일

✺ □ 안에 알맞은 수를 써넣으시오. [1~6]

1 $1\frac{2}{3}\div\frac{5}{4}=\frac{\boxed{5}}{3}\div\frac{5}{4}=\frac{\boxed{5}}{3}\times\frac{\boxed{4}}{5}$

$=\frac{\boxed{4}}{\boxed{3}}=\boxed{1}\frac{\boxed{1}}{\boxed{3}}$

$1\frac{2}{3}\div\frac{5}{4}=\frac{5}{3}\div\frac{5}{4}=\frac{\overset{1}{\cancel{5}}}{3}\times\frac{4}{\underset{1}{\cancel{5}}}=\frac{4}{3}=1\frac{1}{3}$

(대분수)÷(가분수)의
계산은 먼저 대분수를
가분수로 고쳐야 해.

2 $4\frac{4}{5}\div\frac{20}{7}=\frac{\square}{5}\div\frac{20}{7}=\frac{\square}{5}\times\frac{\square}{20}$

$=\frac{\square}{25}=\square\frac{\square}{\square}$

3 $3\frac{6}{7}\div\frac{9}{5}=\frac{\square}{7}\div\frac{9}{5}=\frac{\square}{7}\times\frac{5}{\square}$

$=\frac{\square}{7}=\square\frac{\square}{\square}$

4 $5\frac{1}{4}\div\frac{6}{5}=\frac{\square}{4}\div\frac{6}{5}=\frac{\square}{4}\times\frac{5}{\square}$

$=\frac{\square}{8}=\square\frac{\square}{\square}$

5 $4\frac{4}{9}\div\frac{10}{3}=\frac{\square}{9}\div\frac{10}{3}=\frac{\square}{9}\times\frac{\square}{\square}$

$=\frac{\square}{3}=\square\frac{\square}{\square}$

6 $5\frac{1}{7}\div\frac{9}{8}=\frac{\square}{7}\div\frac{9}{8}=\frac{\square}{7}\times\frac{\square}{\square}$

$=\frac{\square}{7}=\square\frac{\square}{\square}$

✺ 계산을 하시오. [7~14]

7 $4\frac{1}{6}\div\frac{10}{7}$

8 $3\frac{3}{5}\div\frac{9}{7}$

9 $2\frac{4}{7}\div\frac{6}{5}$

10 $7\frac{2}{9}\div\frac{14}{3}$

11 $4\frac{2}{3}\div\frac{6}{5}$

12 $4\frac{3}{8}\div\frac{7}{4}$

13 $2\frac{1}{7}\div\frac{4}{3}$

14 $8\frac{1}{6}\div\frac{14}{5}$

18 (대분수)÷(대분수)를 곱셈으로 바꾸어 계산하기

공부한 날 월 일

□ 안에 알맞은 수를 써넣으시오. [1~4]

(대분수)÷(대분수)의
계산은 대분수를 가분수로
고친 후 계산해야 해.

1 $3\frac{3}{4}\div1\frac{2}{3}=\frac{\boxed{15}}{4}\div\frac{\boxed{5}}{3}=\frac{\boxed{15}}{4}\times\frac{3}{\boxed{5}}=\frac{\boxed{9}}{\boxed{4}}=\boxed{2}\frac{\boxed{1}}{\boxed{4}}$

$3\frac{3}{4}\div1\frac{2}{3}=\frac{15}{4}\div\frac{5}{3}=\frac{\overset{3}{\cancel{15}}}{4}\times\frac{3}{\underset{1}{\cancel{5}}}=\frac{9}{4}=2\frac{1}{4}$

2 $4\frac{1}{6}\div2\frac{1}{7}=\frac{\square}{6}\div\frac{\square}{7}=\frac{\square}{6}\times\frac{7}{\square}=\frac{\square}{18}=\square\frac{\square}{\square}$

3 $4\frac{3}{8}\div2\frac{1}{3}=\frac{\square}{8}\div\frac{\square}{3}=\frac{\square}{8}\times\frac{3}{\square}=\frac{\square}{8}=\square\frac{\square}{\square}$

4 $6\frac{3}{7}\div1\frac{4}{5}=\frac{\square}{7}\div\frac{\square}{5}=\frac{\square}{7}\times\frac{5}{\square}=\frac{\square}{7}=\square\frac{\square}{\square}$

계산을 하시오. [5~12]

5 $3\frac{1}{8}\div2\frac{1}{2}$

6 $4\frac{1}{5}\div2\frac{5}{8}$

7 $3\frac{1}{2}\div1\frac{3}{4}$

8 $3\frac{6}{7}\div2\frac{1}{4}$

9 $3\frac{1}{5}\div2\frac{2}{3}$

10 $2\frac{7}{9}\div1\frac{7}{8}$

11 $6\frac{2}{3}\div3\frac{3}{4}$

12 $7\frac{7}{9}\div3\frac{1}{8}$

1 분수의 나눗셈

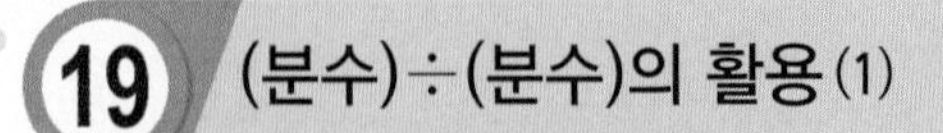

19 (분수)÷(분수)의 활용 (1)

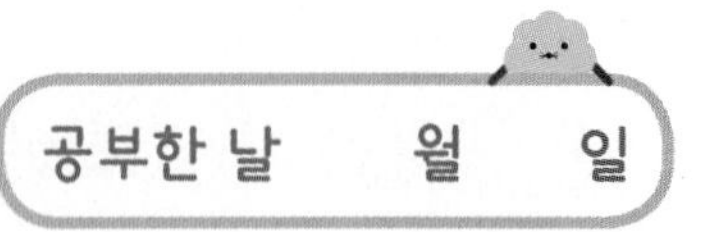

1 강아지의 무게는 $\frac{3}{5}$ kg이고, 새끼 고양이의 무게는 $\frac{1}{3}$ kg입니다. 강아지의 무게는 새끼 고양이의 무게의 몇 배인지 식을 쓰고 답을 구하시오.

식 $\frac{3}{5} \div \frac{1}{3} = 1\frac{4}{5}$

답 $1\frac{4}{5}$배

(강아지의 무게)÷(새끼 고양이의 무게)$=\frac{3}{5} \div \frac{1}{3} = \frac{3}{5} \times 3 = \frac{9}{5} = 1\frac{4}{5}$(배)

2 고무관 $\frac{2}{3}$ m의 무게가 $\frac{2}{9}$ kg입니다. 고무관 1 m의 무게는 몇 kg인지 식을 쓰고 답을 구하시오.

3 빵 한 개를 만드는 데 밀가루 $\frac{5}{8}$컵이 필요합니다. 밀가루 $11\frac{1}{4}$컵으로 만들 수 있는 빵은 몇 개인지 식을 쓰고 답을 구하시오.

4 휘발유 $\frac{7}{9}$ L로 $8\frac{1}{6}$ km를 가는 자동차가 있습니다. 이 자동차는 휘발유 1 L로 몇 km를 갈 수 있는지 식을 쓰고 답을 구하시오.

5 쇠고기 $\frac{3}{5}$ kg의 가격이 12000원입니다. 쇠고기 1 kg의 가격은 얼마인지 식을 쓰고 답을 구하시오.

식 .... 답 ....

20 (분수)÷(분수)의 활용 (2)

공부한 날 월 일

1 넓이가 $\frac{7}{10}$ m²인 직사각형이 있습니다. 세로가 $\frac{3}{5}$ m일 때 가로는 몇 m입니까?

넓이: $\frac{7}{10}$ m² $\frac{3}{5}$ m

($1\frac{1}{6}$ m)

(직사각형의 가로)=(넓이)÷(세로)

$=\frac{7}{10}\div\frac{3}{5}=\frac{7}{\cancel{10}_2}\times\frac{\cancel{5}^1}{3}=\frac{7}{6}=1\frac{1}{6}$(m)

2 넓이가 $\frac{8}{21}$ m²인 평행사변형이 있습니다. 밑변의 길이가 $\frac{4}{7}$ m일 때 높이는 몇 m입니까?

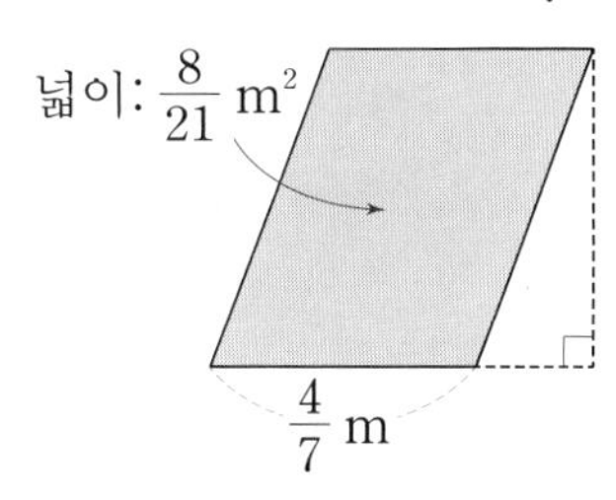

( )

3 넓이가 $\frac{1}{4}$ m²인 직사각형이 있습니다. 가로가 $\frac{7}{8}$ m일 때 세로는 몇 m입니까?

$\frac{7}{8}$ m

넓이: $\frac{1}{4}$ m²

( )

4 넓이가 $2\frac{4}{7}$ m²인 평행사변형이 있습니다. 높이가 $\frac{3}{4}$ m일 때 밑변의 길이는 몇 m입니까?

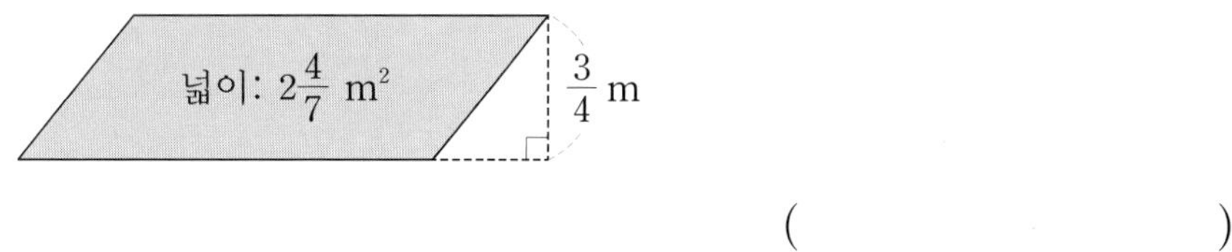

( )

1 분수의 나눗셈

1 그림을 보고 □ 안에 알맞은 수를 써넣으시오.

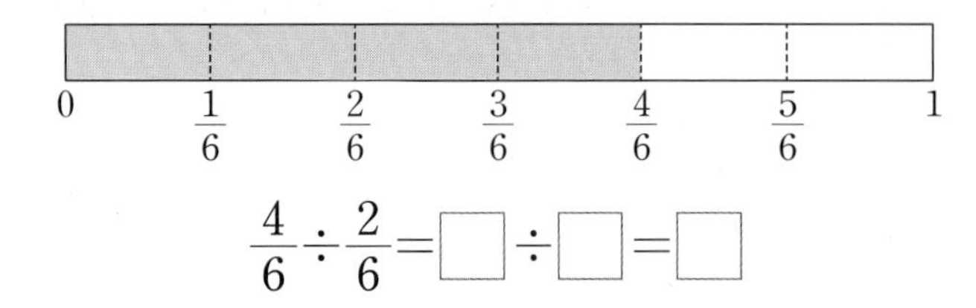

$\frac{4}{6} \div \frac{2}{6} = \square \div \square = \square$

- $\frac{4}{6}$에서 $\frac{2}{6}$를 몇 번 덜어 낼 수 있는지 알아봅니다.

2 $9 \div \frac{3}{7}$을 곱셈식으로 바르게 고친 것은 어느 것입니까? ······ (　　　)

① $\frac{1}{9} \times \frac{3}{7}$　② $9 \times \frac{3}{7}$　③ $\frac{1}{9} \times \frac{7}{9}$

④ $9 \times \frac{7}{3}$　⑤ $\frac{1}{9} \times \frac{1}{7}$

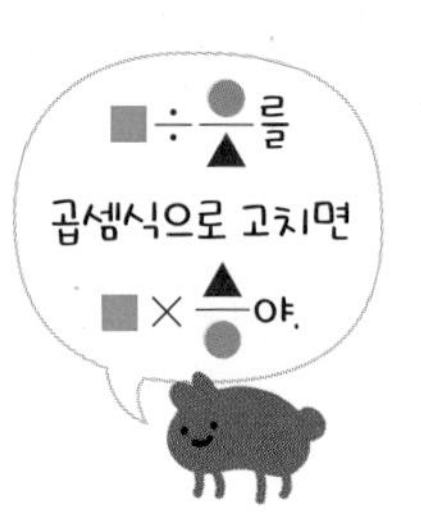

3 계산을 하시오.

(1) $\frac{3}{4} \div \frac{2}{3}$

(2) $7\frac{1}{7} \div \frac{5}{8}$

- $\frac{▲}{■} \div \frac{★}{●} = \frac{▲}{■} \times \frac{●}{★}$

- 대분수를 가분수로 고쳐 계산합니다.

✱ 직사각형과 평행사변형을 보고 □ 안에 알맞은 수를 써넣으시오. [4~5]

4

넓이: $3\frac{3}{7}$ cm²

□ cm

$2\frac{6}{7}$ cm

5

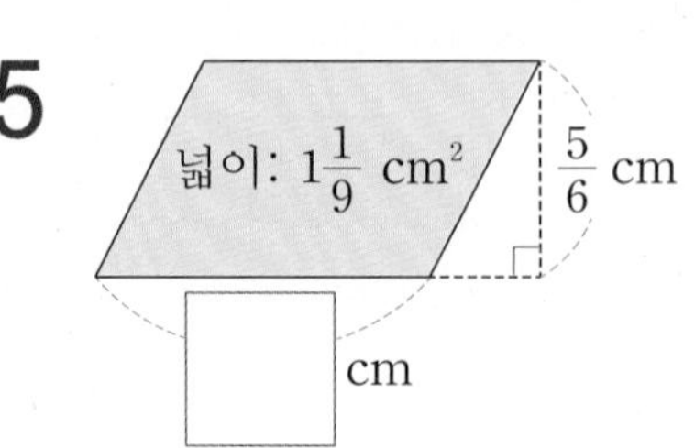

- (직사각형의 세로) =(넓이)÷(가로)
- (평행사변형의 밑변의 길이) =(넓이)÷(높이)

6 계산 결과가 큰 것부터 순서대로 기호를 쓰시오.

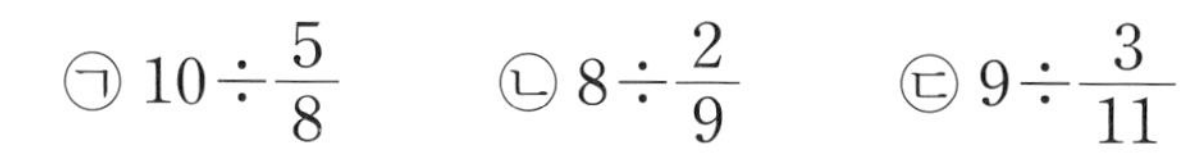

㉠ $10\div\frac{5}{8}$　　㉡ $8\div\frac{2}{9}$　　㉢ $9\div\frac{3}{11}$

(　　　　　　　　　　)

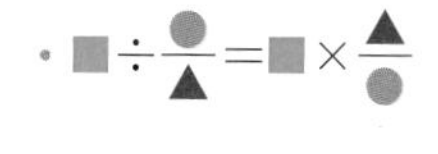

• $■\div\frac{●}{▲}=■\times\frac{▲}{●}$

7 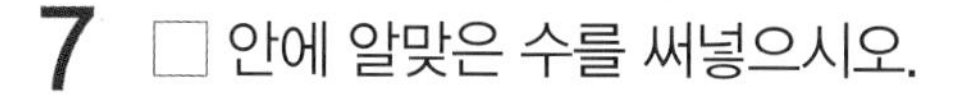

□ 안에 알맞은 수를 써넣으시오.

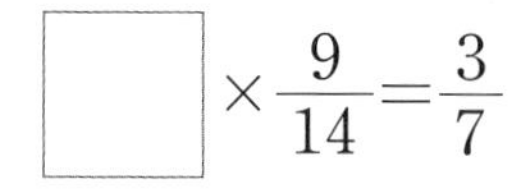

$\square\times\frac{9}{14}=\frac{3}{7}$

8 빈칸에 알맞은 수를 써넣으시오.

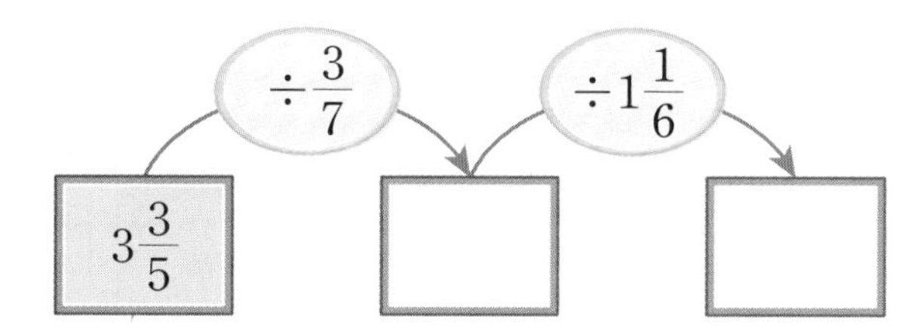

• 앞에서부터 차례대로 계산합니다.

9 주스를 광수는 $\frac{8}{11}$ L, 선빈이는 $\frac{5}{11}$ L 마셨습니다. 광수가 마신 주스 양은 선빈이가 마신 주스 양의 몇 배인지 식을 쓰고 답을 구하시오.

식 ______________________

답 ______________

• (광수가 마신 주스 양)÷(선빈이가 마신 주스 양)

10 민범이는 3시간 20분 동안 조개를 $5\frac{5}{7}$ kg 캤습니다. 조개를 한 시간 동안 몇 kg 캔 셈입니까?

(　　　　　　　　　　)

• 60분은 1시간이므로 20분은 $\frac{20}{60}=\frac{1}{3}$시간입니다.

QR 코드를 찍어 보세요.
문제 생성기 새로운 문제를 계속 풀 수 있어요.

2 소수의 나눗셈

제2화 화성인이 만든 음식!

와~ 우주선 엄청 크다.
진짜 신기해~

응? 맛있는 냄새가 난다.
킁
킁
킁
화성인이 먹는 건 풀 같은 거였잖아.

냄새가 좋지만 기대 안 해.
아냐, 이건 너희들이 좋아할 만한걸 만들었어.

콩알만 한 데…… 뭐지?

냄새는 좋아. 먹어볼까?
쏙

헉! 맛있다.
12.5 cm의 고기를 0.5 cm씩 잘라 구운 거야.

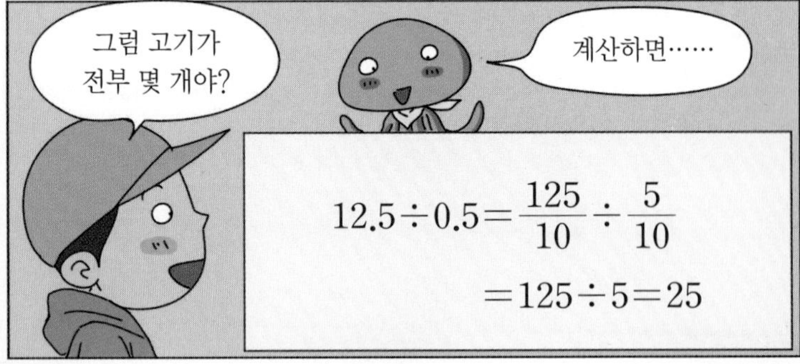

그럼 고기가 전부 몇 개야?
계산하면……
12.5÷0.5=125/10÷5/10
=125÷5=25

이거 너무 맛있다.
뭐야, 계산할 동안 다 먹었어.

기다려. 또 해줄게.
이왕이면 좀 많이 해줘~

이미 배운 내용

[6-1 소수의 나눗셈]
- (소수)÷(자연수)
- (자연수)÷(자연수)

[6-2 분수의 나눗셈]
- (분수)÷(분수)

이번에 배울 내용

- (소수)÷(소수)
- (자연수)÷(소수)
- 몫을 반올림하여 나타내기
- 나누어 주고 남는 양 알아보기

앞으로 배울 내용

[중학교]
- 유리수의 계산

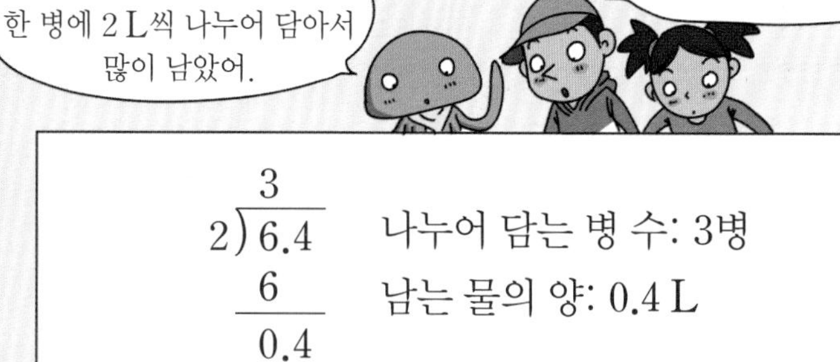

배운 것 확인하기

1 (소수)×(자연수)

✹ 계산을 하시오. [1~5]

1

	3.6	
×	2	
	1 2	6×2
	6	3×2
	7.2	

자연수의 곱셈과
같은 방법으로 계산한 다음
곱해지는 수의 소수점과
같게 찍으면 돼.

2

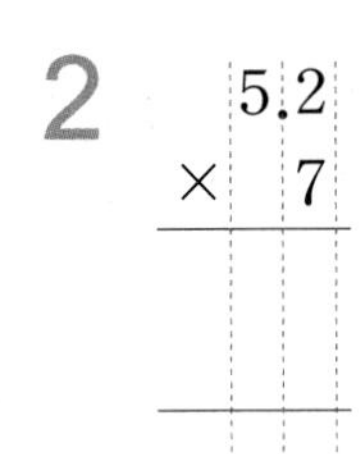

3 4.8×6

4 6.8×8

5 7.4×3

✹ 계산을 하시오. [6~11]

6 1.4×4

7 2.4×6

8 6.9×2

9 3.8×4

10 2.5×3

11 3.6×6

2 (소수)÷(자연수) (1)

✹ □ 안에 알맞은 수를 써넣으시오.

1

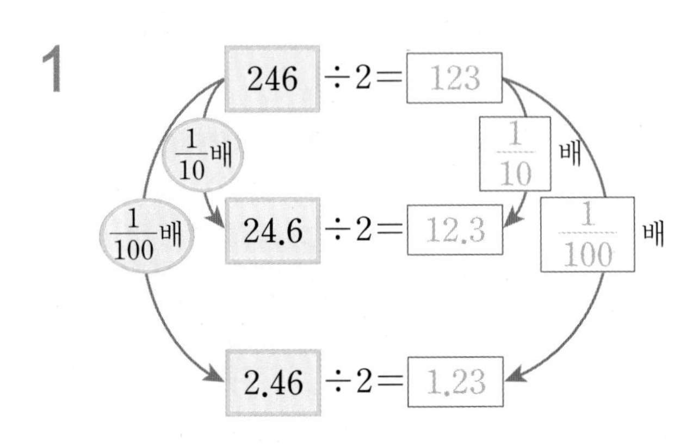

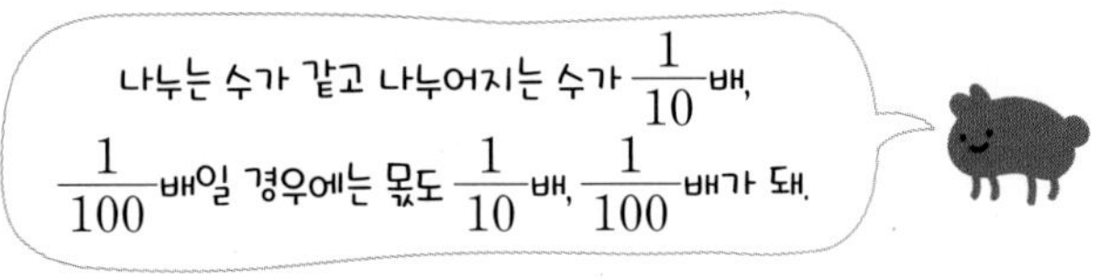

나누는 수가 같고 나누어지는 수가 1/10배,
1/100배일 경우에는 몫도 1/10배, 1/100배가 돼.

2

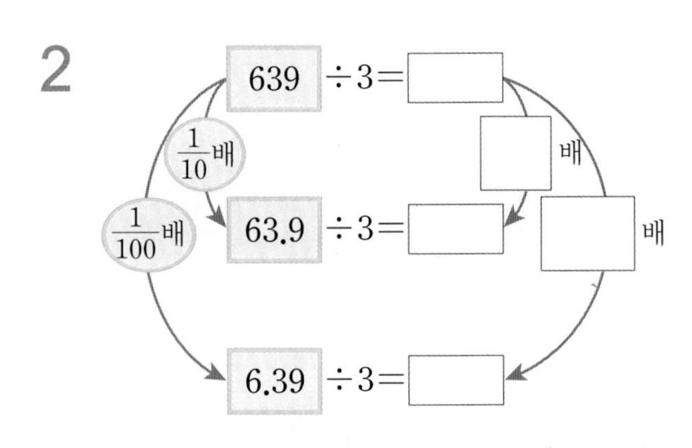

3

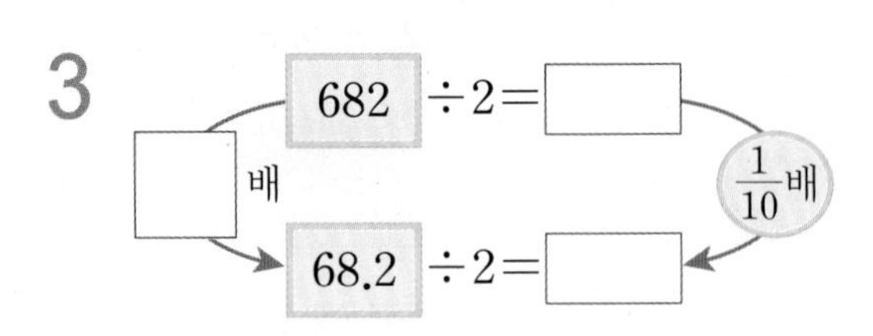

4

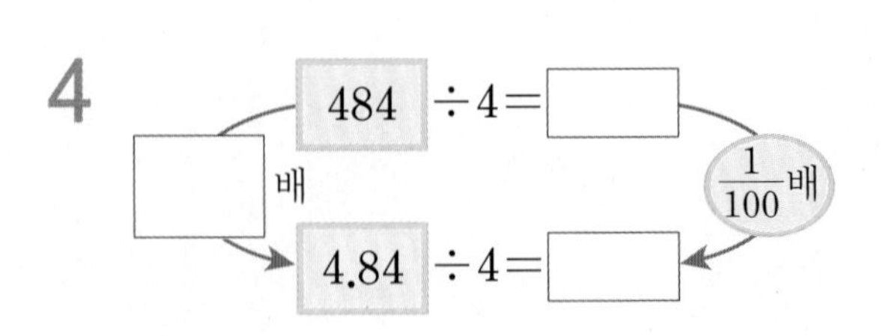

3 (소수)÷(자연수) (2)

☀ □ 안에 알맞은 수를 써넣으시오.

1 $1.8 \div 2 = \frac{\boxed{18}}{10} \div 2 = \frac{\boxed{18} \div 2}{10} = \frac{\boxed{9}}{10} = \boxed{0.9}$

$\frac{1}{10} = 0.1$
$\frac{1}{100} = 0.01$
이야.

2 $3.5 \div 5 = \frac{\square}{10} \div 5 = \frac{\square \div 5}{10} = \frac{\square}{10} = \square$

3 $2.1 \div 7 = \frac{\square}{10} \div 7 = \frac{\square \div 7}{10} = \frac{\square}{10} = \square$

4 $10.2 \div 6 = \frac{\square}{10} \div 6 = \frac{\square \div 6}{10} = \frac{\square}{10} = \square$

5 $0.34 \div 17 = \frac{\square}{100} \div 17 = \frac{\square \div 17}{100} = \frac{\square}{100} = \square$

6 $2.76 \div 23 = \frac{\square}{100} \div 23 = \frac{\square \div 23}{100} = \frac{\square}{100} = \square$

4 (소수)÷(자연수) - 세로셈 계산

☀ 계산을 하시오.

1

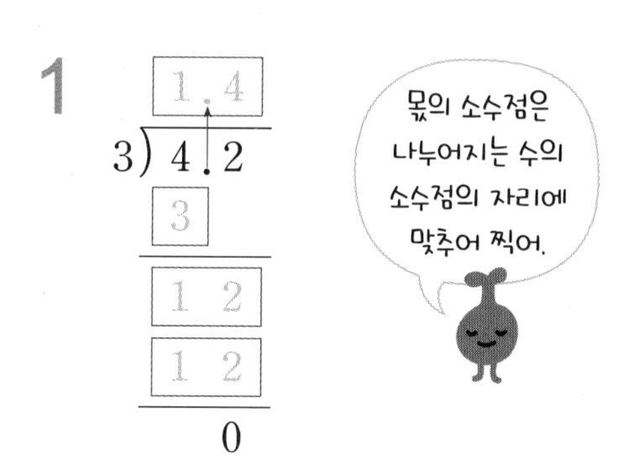

1.4
3) 4.2
3
1 2
1 2
0
몫의 소수점은
나누어지는 수의
소수점의 자리에
맞추어 찍어.

2 $5\overline{)8.5}$

3 $2\overline{)5.6}$

4 $6\overline{)18.6}$

5 $4\overline{)28.8}$

6 $12\overline{)55.2}$

7 $17\overline{)8.33}$

8 $24\overline{)9.12}$

9 $9\overline{)56.25}$

2 소수의 나눗셈

1 소수의 나눗셈을 자연수의 나눗셈으로 계산 (1)

공부한 날 월 일

✹ 설명을 읽고 □ 안에 알맞은 수를 써넣으시오.

1

띠 골판지 31.8 cm를 0.6 cm씩 자르려고 합니다.
31.8 cm= [318] mm,
0.6 cm=6 mm입니다.
띠 골판지 31.8 cm를 0.6 cm씩 자르는 것은 띠 골판지 [318] mm를 6 mm씩 자르는 것과 같습니다.

31.8÷0.6= [318] ÷6
[318] ÷6= [53]
31.8÷0.6= [53]

1 cm=10 mm이므로 31.8 cm=318 mm입니다.
⇨ 31.8÷0.6=318÷6=53

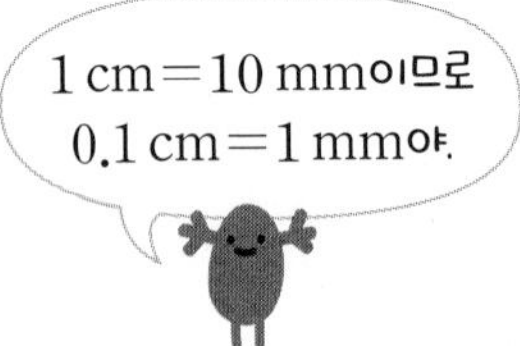

2

끈 28.8 cm를 0.4 cm씩 자르려고 합니다.
28.8 cm= □ mm,
0.4 cm=4 mm입니다.
끈 28.8 cm를 0.4 cm씩 자르는 것은 끈 □ mm를 4 mm씩 자르는 것과 같습니다.

28.8÷0.4= □ ÷4
□ ÷4= □
28.8÷0.4= □

3

리본 91.2 cm를 2.4 cm씩 자르려고 합니다.
91.2 cm= □ mm,
2.4 cm= □ mm입니다.
리본 91.2 cm를 2.4 cm씩 자르는 것은 리본 □ mm를 □ mm씩 자르는 것과 같습니다.

91.2÷2.4= □ ÷24
□ ÷24= □
91.2÷2.4= □

4

철사 83.3 cm를 1.7 cm씩 자르려고 합니다.
83.3 cm= □ mm,
1.7 cm= □ mm입니다.
철사 83.3 cm를 1.7 cm씩 자르는 것은 철사 □ mm를 □ mm씩 자르는 것과 같습니다.

83.3÷1.7=833÷ □
833÷ □ = □
83.3÷1.7= □

2 소수의 나눗셈을 자연수의 나눗셈으로 계산 (2)

공부한 날 월 일

✹ 소수의 나눗셈을 자연수의 나눗셈을 이용하여 계산하려고 합니다. □ 안에 알맞은 수를 써넣으시오.

1

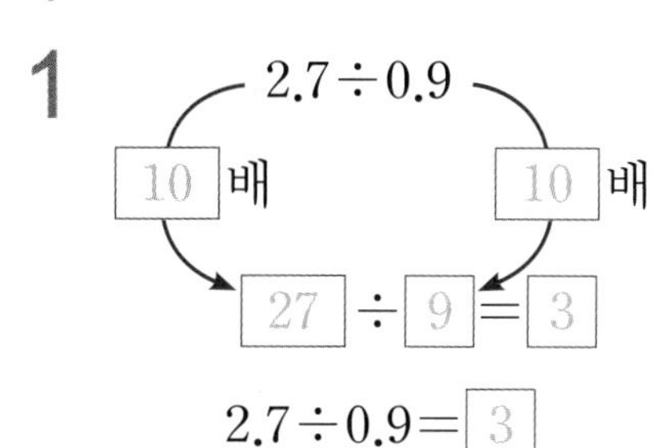

$2.7 \div 0.9 =$ [3]

나누는 수와
나누어지는 수에 똑같이
10배를 하여도
몫은 같아.

2

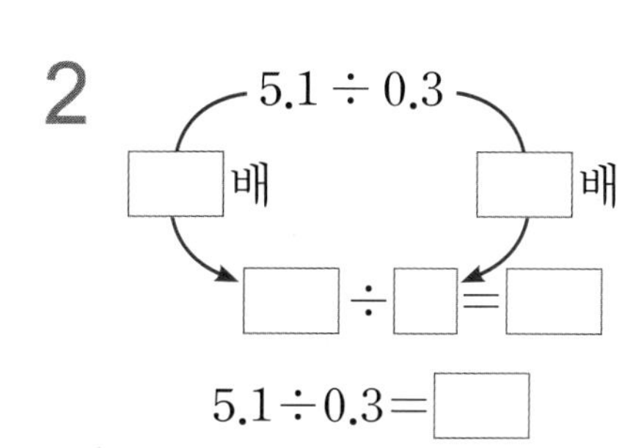

$5.1 \div 0.3 = \square$

3

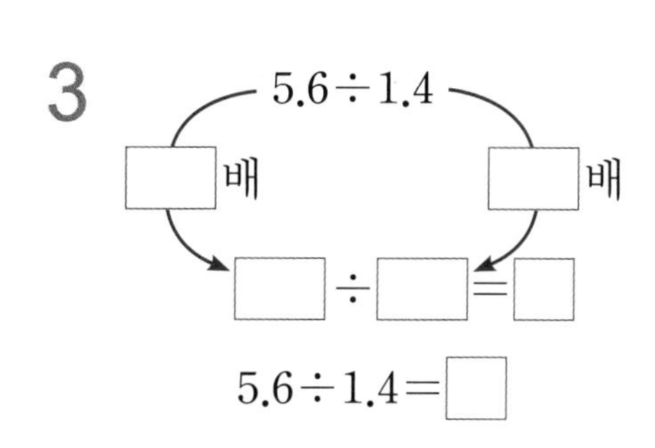

$5.6 \div 1.4 = \square$

4

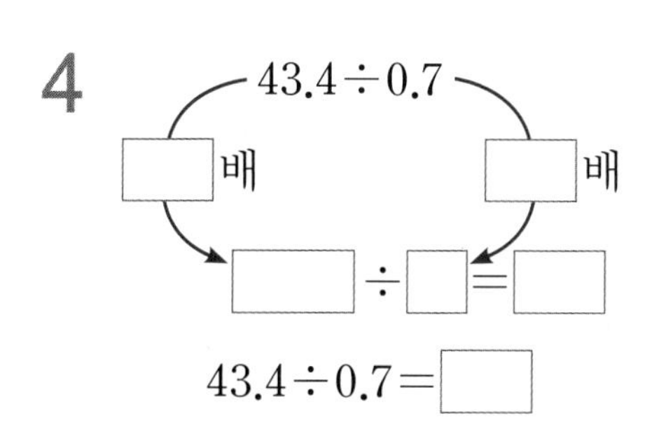

$43.4 \div 0.7 = \square$

5

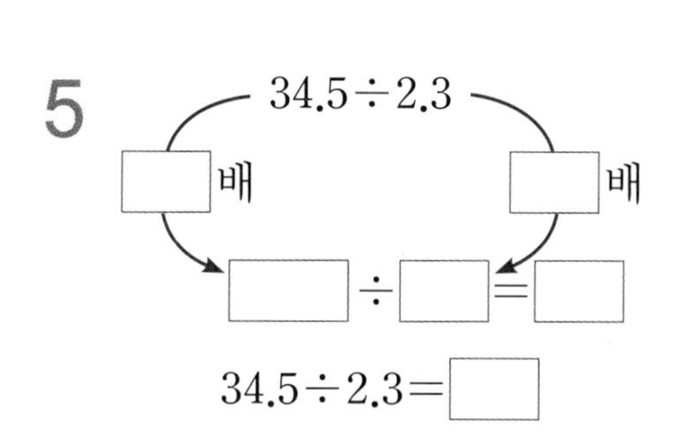

$34.5 \div 2.3 = \square$

6 $5.6 \div 0.7 = (5.6 \times 10) \div (0.7 \times \square)$

$= \square \div \square = \square$

7 $8.4 \div 1.2 = (8.4 \times \square) \div (1.2 \times 10)$

$= \square \div \square = \square$

8 $6.4 \div 1.6 = (6.4 \times \square) \div (1.6 \times \square)$

$= \square \div \square = \square$

9 $19.5 \div 1.5 = (19.5 \times \square) \div (1.5 \times \square)$

$= \square \div \square = \square$

10 $49.5 \div 4.5 = (49.5 \times \square) \div (4.5 \times \square)$

$= \square \div \square = \square$

11 $41.8 \div 3.8 = (41.8 \times \square) \div (3.8 \times \square)$

$= \square \div \square = \square$

12 $19.2 \div 0.8 = (19.2 \times \square) \div (0.8 \times \square)$

$= \square \div \square = \square$

✹ 설명을 읽고 □ 안에 알맞은 수를 써넣으시오.

1

철사 4.32 m를 0.04 m씩 자르려고 합니다.

4.32 m= [432] cm,

0.04 m=4 cm입니다.

철사 4.32 m를 0.04 m씩 자르는 것은 철사 [432] cm를 4 cm씩 자르는 것과 같습니다.

4.32÷0.04= [432] ÷4

[432] ÷4= [108]

4.32÷0.04= [108]

1 m=100 cm이므로 4.32 m=432 cm입니다.
⇨ 4.32÷0.04=432÷4=108

1 m=100 cm이므로 0.01 m=1 cm야.

2

색 테이프 6.51 m를 0.31 m씩 자르려고 합니다.

6.51 m= □ cm,

0.31 m=31 cm입니다.

색 테이프 6.51 m를 0.31 m씩 자르는 것은 색 테이프 □ cm를 31 cm씩 자르는 것과 같습니다.

6.51÷0.31= □ ÷31

□ ÷31= □

6.51÷0.31= □

3

종이테이프 5.85 m를 0.45 m씩 자르려고 합니다.

5.85 m= □ cm,

0.45 m= □ cm입니다.

종이테이프 5.85 m를 0.45 m씩 자르는 것은 종이테이프 □ cm를 □ cm씩 자르는 것과 같습니다.

5.85÷0.45= □ ÷45

□ ÷45= □

5.85÷0.45= □

4

노끈 24.96 m를 0.78 m씩 자르려고 합니다.

24.96 m= □ cm,

0.78 m= □ cm입니다.

노끈 24.96 m를 0.78 m씩 자르는 것은 노끈 □ cm를 □ cm씩 자르는 것과 같습니다.

24.96÷0.78=2496÷ □

2496÷ □ = □

24.96÷0.78= □

4 소수의 나눗셈을 자연수의 나눗셈으로 계산 (4)

✹ 소수의 나눗셈을 자연수의 나눗셈을 이용하여 계산하려고 합니다. □ 안에 알맞은 수를 써넣으시오.

1

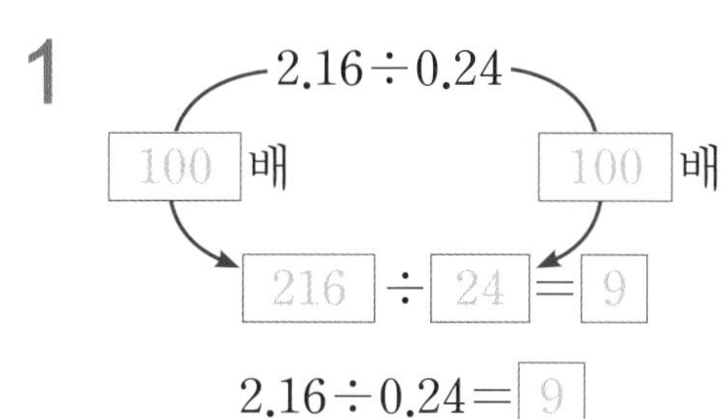

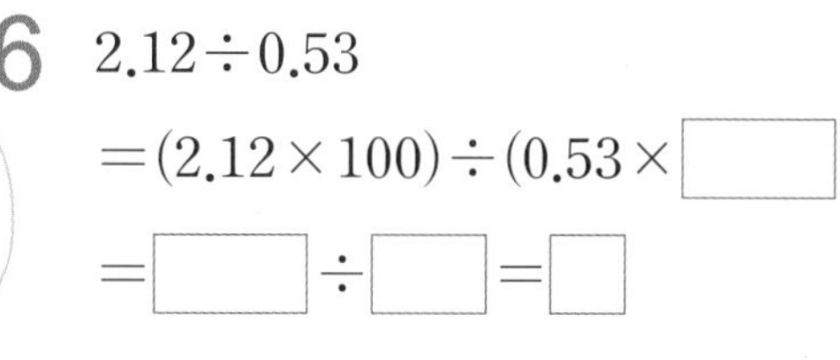

2

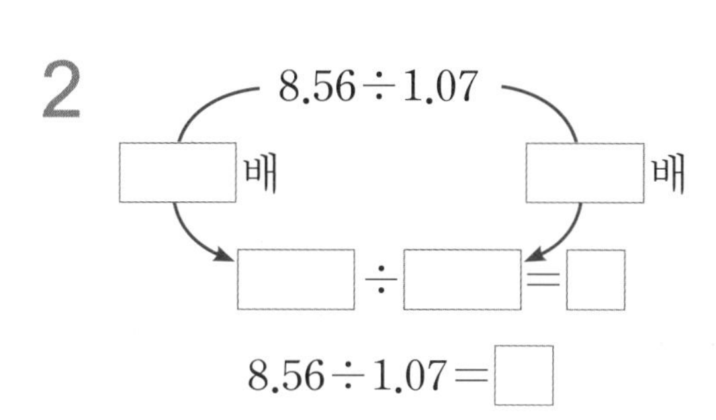

3

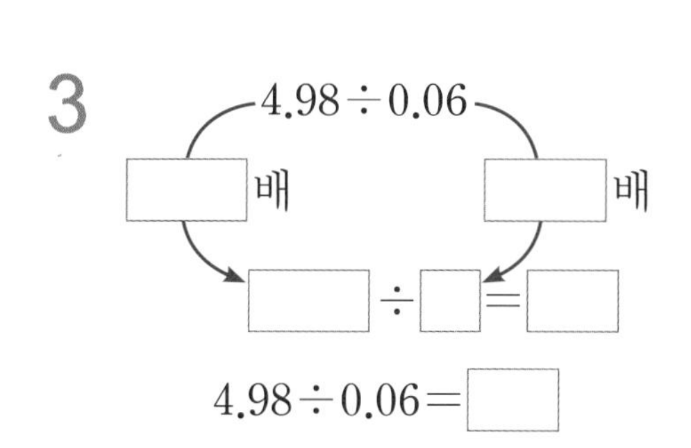

4

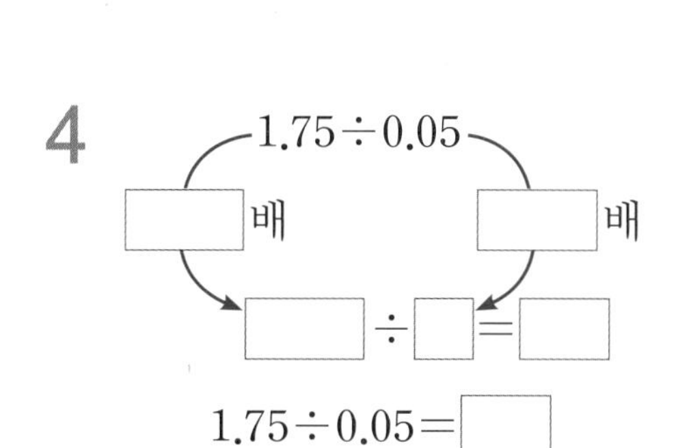

5

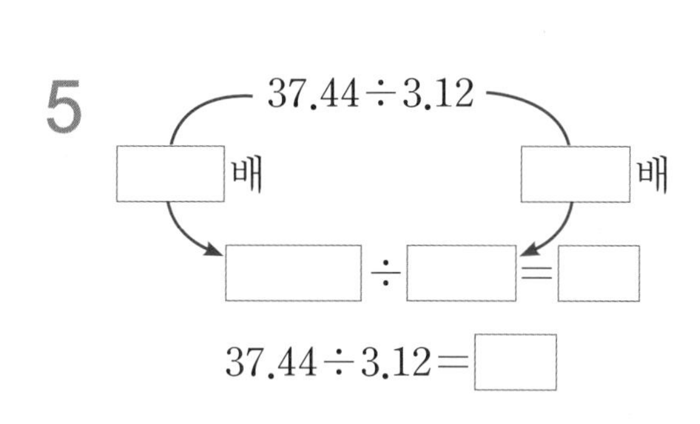

6 $2.12 \div 0.53$

$= (2.12 \times 100) \div (0.53 \times \square)$

$= \square \div \square = \square$

7 $0.72 \div 0.12$

$= (0.72 \times \square) \div (0.12 \times 100)$

$= \square \div \square = \square$

8 $5.88 \div 0.28$

$= (5.88 \times \square) \div (0.28 \times \square)$

$= \square \div \square = \square$

9 $11.52 \div 0.03$

$= (11.52 \times \square) \div (0.03 \times \square)$

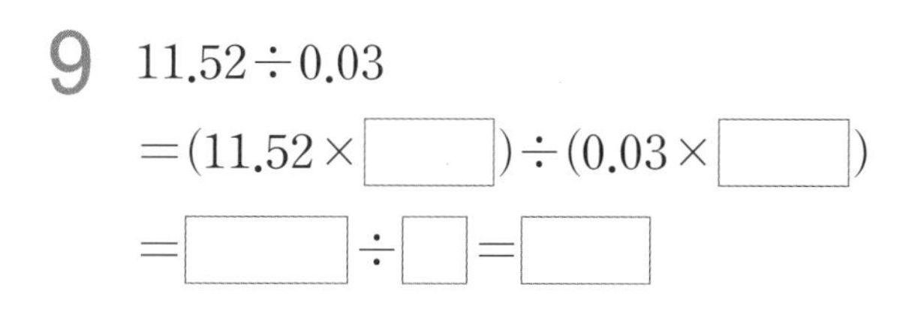

$= \square \div \square = \square$

10 $9.87 \div 0.47$

$= (9.87 \times \square) \div (0.47 \times \square)$

$= \square \div \square = \square$

11 $15.47 \div 1.19$

$= (15.47 \times \square) \div (1.19 \times \square)$

$= \square \div \square = \square$

12 $25.65 \div 5.13$

$= (25.65 \times \square) \div (5.13 \times \square)$

$= \square \div \square = \square$

5 (소수 한 자리 수)÷(소수 한 자리 수)(1)

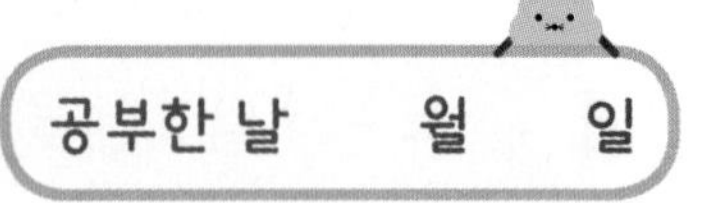
공부한 날 월 일

☀ □ 안에 알맞은 수를 써넣으시오.

1 $1.5 \div 0.3 = \frac{15}{10} \div \frac{3}{10}$

$= 15 \div 3 = 5$

소수 한 자리 수를
분모가 10인 분수로
바꾸어 분자끼리
나누면 돼.

2 $1.8 \div 0.2 = \frac{\square}{10} \div \frac{\square}{10}$

$= \square \div \square = \square$

3 $2.4 \div 0.4 = \frac{\square}{10} \div \frac{\square}{10}$

$= \square \div \square = \square$

4 $4.5 \div 0.3 = \frac{\square}{10} \div \frac{\square}{\square}$

$= \square \div \square = \square$

5 $5.6 \div 1.4 = \frac{\square}{10} \div \frac{\square}{\square}$

$= \square \div \square = \square$

6 $16.5 \div 1.1 = \frac{\square}{\square} \div \frac{\square}{10}$

$= \square \div \square = \square$

7 $22.4 \div 3.2 = \frac{\square}{\square} \div \frac{\square}{10}$

$= \square \div \square = \square$

8 $6.8 \div 0.4 = \frac{\square}{\square} \div \frac{\square}{\square}$

$= \square \div \square = \square$

9 $16.8 \div 5.6 = \frac{\square}{\square} \div \frac{\square}{\square}$

$= \square \div \square = \square$

10 $49.5 \div 4.5 = \frac{\square}{\square} \div \frac{\square}{\square}$

$= \square \div \square = \square$

11 $38.4 \div 4.8 = \frac{\square}{\square} \div \frac{\square}{\square}$

$= \square \div \square = \square$

12 $27.2 \div 0.8 = \frac{\square}{\square} \div \frac{\square}{\square}$

$= \square \div \square = \square$

6 (소수 한 자리 수)÷(소수 한 자리 수)(2)

공부한 날 월 일

계산을 하시오.

1 $0.3\overline{)1.5}$ = 5 (15 − 15 = 0)

나누는 수와 나누어지는 수의 소수점을 각각 오른쪽으로 한 자리씩 옮겨서 계산해.

2 $0.3\overline{)2.7}$

3 $0.7\overline{)2.8}$

4 $0.8\overline{)3.2}$

5 $0.9\overline{)5.4}$

6 $0.7\overline{)6.3}$

7 $0.4\overline{)8.4}$

8 $1.2\overline{)2.4}$

9 $1.2\overline{)14.4}$

10 $0.9\overline{)26.1}$

11 $0.8\overline{)24.8}$

12 $1.4\overline{)11.2}$

13 $1.3\overline{)16.9}$

14 $2.7\overline{)10.8}$

15 $1.8\overline{)21.6}$

16 $4.8\overline{)81.6}$

17 $2.3\overline{)20.7}$

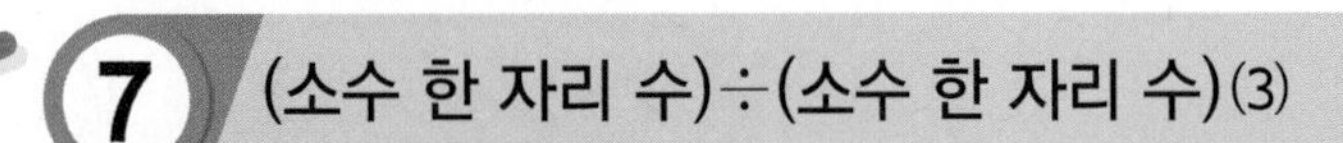

7 (소수 한 자리 수)÷(소수 한 자리 수)(3)

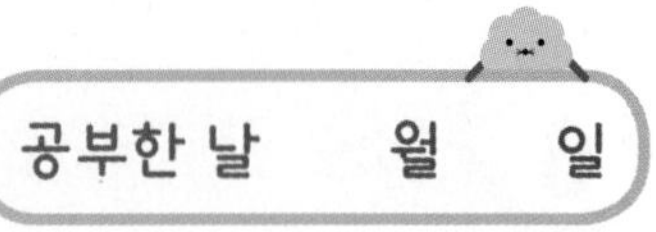

✹ 계산 결과를 비교하여 ○ 안에 >, =, <를 알맞게 써넣으시오.

1 1.5÷0.5 (<) 2.4÷0.4

1.5÷0.5=3 (<) 2.4÷0.4=6

나눗셈의 몫을 구한 후 크기를 비교해 봐.

2 3.6÷0.6 ○ 4.8÷0.6

3 7.2÷0.8 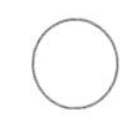 5.6÷0.7

4 8.5÷1.7  10.4÷1.3

5 8.4÷1.2 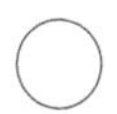 49.5÷4.5

6 6.8÷0.4  7.2÷1.2

7 60.8÷7.6  76.5÷8.5

8 20.7÷2.3  58.5÷4.5

9 24.8÷0.8 ○ 14.5÷0.5

10 11.2÷1.4 ○ 11.7÷1.3

11 30.6÷1.8 ○ 64.9÷5.9

12 33.8÷2.6 ○ 38.4÷3.2

13 14.4÷1.2 ○ 34.5÷2.3

14 181.5÷12.1 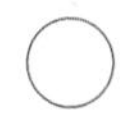 81.6÷4.8

8 (소수 두 자리 수)÷(소수 두 자리 수)(1)

공부한 날 월 일

✸ □ 안에 알맞은 수를 써넣으시오.

1 $2.16 \div 0.12 = \frac{216}{100} \div \frac{12}{100}$
$= 216 \div 12 = 18$

소수 두 자리 수를 분모가 100인 분수로 바꾸어 분자끼리 나누면 돼.

2 $1.12 \div 0.56 = \frac{\square}{100} \div \frac{\square}{100}$
$= \square \div \square = \square$

3 $3.22 \div 0.23 = \frac{\square}{100} \div \frac{\square}{100}$
$= \square \div \square = \square$

4 $9.76 \div 0.61 = \frac{\square}{100} \div \frac{\square}{\square}$
$= \square \div \square = \square$

5 $6.51 \div 0.31 = \frac{\square}{100} \div \frac{\square}{\square}$
$= \square \div \square = \square$

6 $4.32 \div 1.08 = \frac{\square}{\square} \div \frac{\square}{100}$
$= \square \div \square = \square$

7 $24.96 \div 0.78 = \frac{\square}{\square} \div \frac{\square}{100}$
$= \square \div \square = \square$

8 $34.29 \div 1.27 = \frac{\square}{\square} \div \frac{\square}{\square}$
$= \square \div \square = \square$

9 $9.87 \div 0.47 = \frac{\square}{\square} \div \frac{\square}{\square}$
$= \square \div \square = \square$

10 $15.47 \div 1.19 = \frac{\square}{\square} \div \frac{\square}{\square}$
$= \square \div \square = \square$

11 $6.37 \div 0.91 = \frac{\square}{\square} \div \frac{\square}{\square}$
$= \square \div \square = \square$

12 $3.24 \div 0.54 = \frac{\square}{\square} \div \frac{\square}{\square}$
$= \square \div \square = \square$

9 (소수 두 자리 수)÷(소수 두 자리 수)(2)

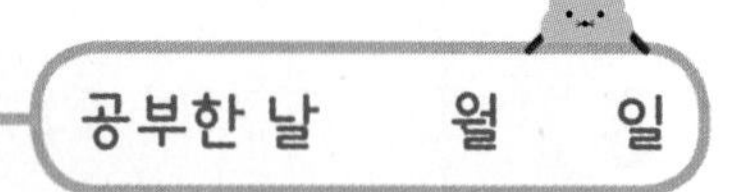

계산을 하시오.

1 $0.12\overline{)2.16}$ → 18

(풀이 예시: 216 ÷ 12: 12, 96, 96, 0)

나누는 수와 나누어지는 수의 소수점을 각각 오른쪽으로 두 자리씩 옮겨서 계산해.

2 $0.26\overline{)3.12}$

3 $0.48\overline{)5.28}$

4 $0.36\overline{)4.32}$

5 $0.47\overline{)9.87}$

6 $0.17\overline{)2.72}$

7 $0.53\overline{)6.89}$

8 $0.57\overline{)7.98}$

9 $0.73\overline{)9.49}$

10 $0.24\overline{)6.48}$

11 $0.29\overline{)8.12}$

12 $0.94\overline{)22.56}$

13 $1.32\overline{)47.52}$

14 $2.48\overline{)69.44}$

10 (소수 두 자리 수)÷(소수 두 자리 수)(3)

공부한 날 월 일

✹ 계산 결과를 비교하여 ○ 안에 >, =, <를 알맞게 써넣으시오.

1 $0.42 \div 0.21$ (<) $1.68 \div 0.56$

$0.42 \div 0.21 = 2$, $1.68 \div 0.56 = 3$
⇨ $2 < 3$이므로
$0.42 \div 0.21 < 1.68 \div 0.56$입니다.

나눗셈의 몫을 구한 후 크기를 비교해 봐.

2 $2.72 \div 0.34$ ○ $9.38 \div 1.34$

3 $1.25 \div 0.25$ ○ $5.58 \div 0.62$

4 $39.84 \div 2.49$ ○ $13.86 \div 0.66$

5 $66.96 \div 3.72$ ○ $15.45 \div 1.03$

6 $73.83 \div 3.21$ ○ $0.91 \div 0.07$

7 $24.75 \div 2.75$ ○ $2.88 \div 0.36$

8 $5.89 \div 0.19$ ○ $112.84 \div 4.03$

9 $9.03 \div 1.29$ ○ $5.49 \div 0.61$

10 $48.15 \div 3.21$ ○ $8.14 \div 0.74$

11 $3.76 \div 0.47$ ○ $1.26 \div 0.18$

12 $79.44 \div 3.31$ 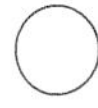 $35.75 \div 1.43$

13 $0.65 \div 0.13$ ○ $12.04 \div 1.72$

14 $14.07 \div 0.67$ 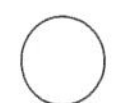 $74.48 \div 3.92$

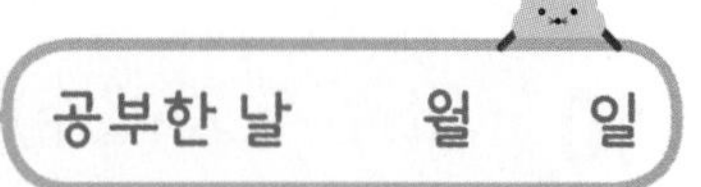

11 (소수 두 자리 수)÷(소수 한 자리 수)(1)

□ 안에 알맞은 수를 써넣으시오. [1~5]

1
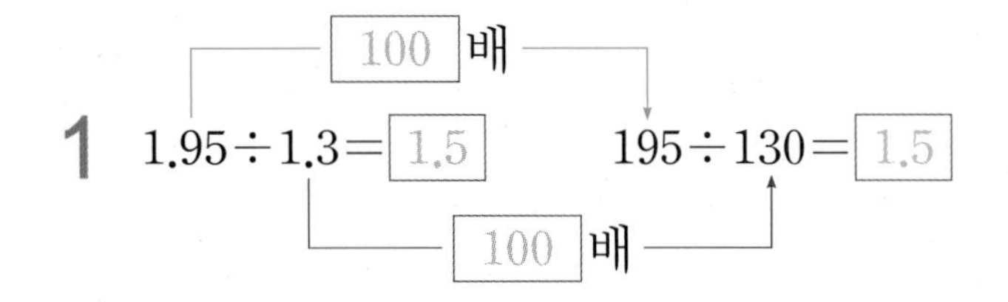

나누어지는 수를
자연수로 바꾸기 위해
나누어지는 수와 나누는 수에
똑같이 100배를 해.

2 $1.44 \div 0.8 = \square$ → ($\square$배, $\square$배) → $144 \div 80 = \square$

4 $6.38 \div 2.9 = \square$ → ($\square$배, $\square$배) → $638 \div 290 = \square$

3 $5.76 \div 6.4 = \square$ → ($\square$배, $\square$배) → $576 \div 640 = \square$

5 $9.57 \div 3.3 = \square$ → ($\square$배, $\square$배) → $957 \div 330 = \square$

계산을 하시오. [6~10]

6
```
          2.9
2.30) 6.670
      460
      ----
      2070
      2070
      ----
         0
```

나누는 수와
나누어지는 수의 소수점을
각각 오른쪽으로 두 자리씩
옮겨서 계산해.

9 $10.50 \overline{)\,15.75}$

7 $5.80 \overline{)\,7.54}$

8 $1.30 \overline{)\,5.98}$

10 $6.50 \overline{)\,20.15}$

공부한 날 월 일

✸ □ 안에 알맞은 수를 써넣으시오. [1~5]

1
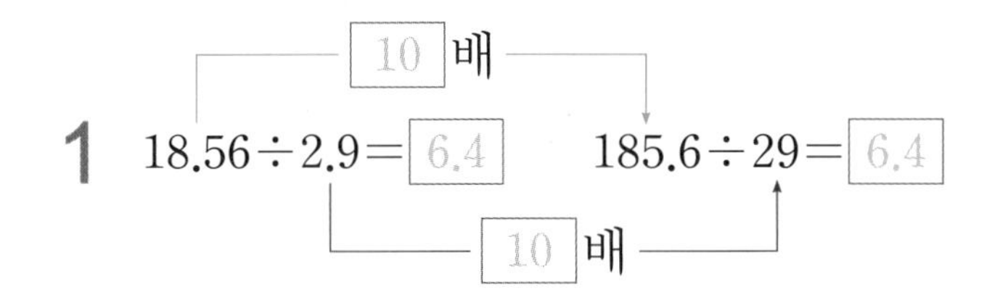

2
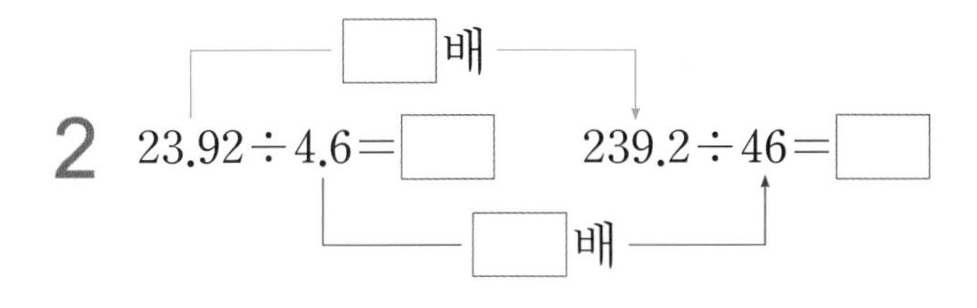

4
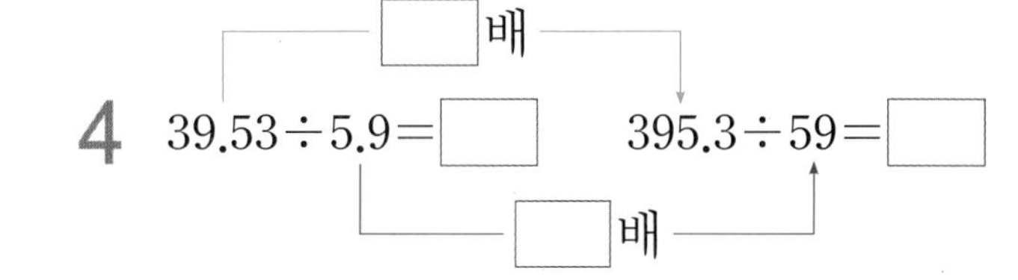

3
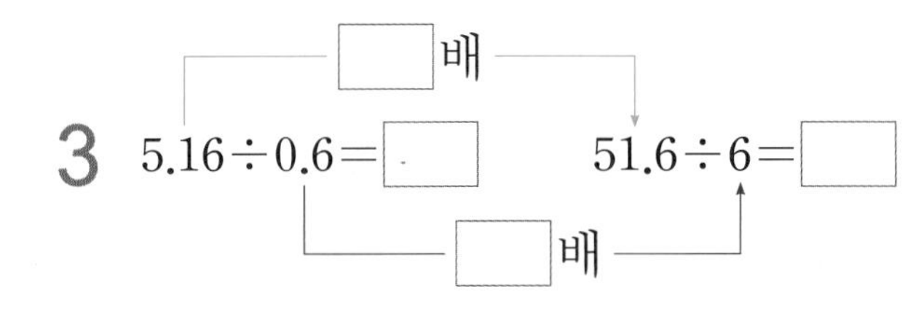

5
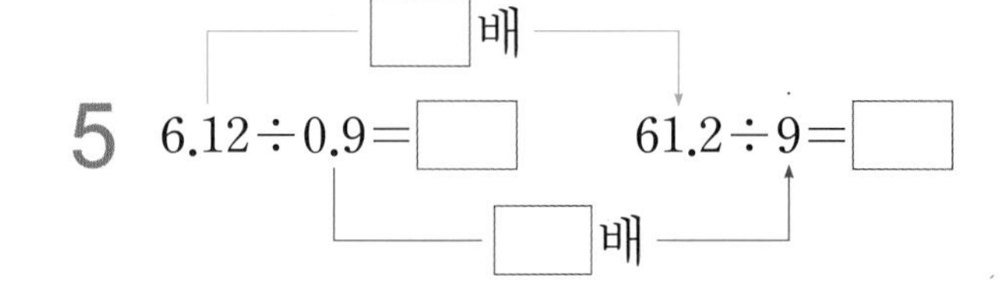

✸ 계산을 하시오. [6~10]

6
$0.4\overline{)2.72}$ = 6.8

24
32
32
0

9
$2.7\overline{)17.28}$

7
$0.7\overline{)6.51}$

8
$1.2\overline{)9.96}$

10
$2.8\overline{)15.12}$

2 소수의 나눗셈

공부한 날 월 일

빈칸에 알맞은 수를 써넣으시오.

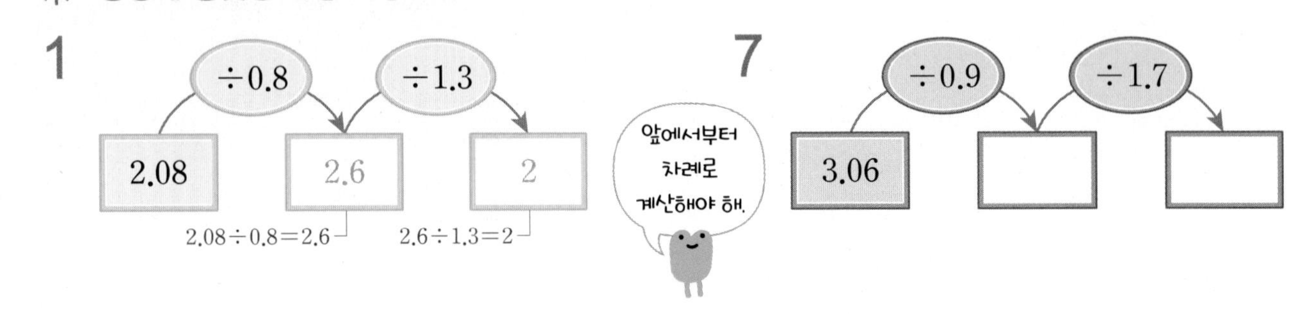

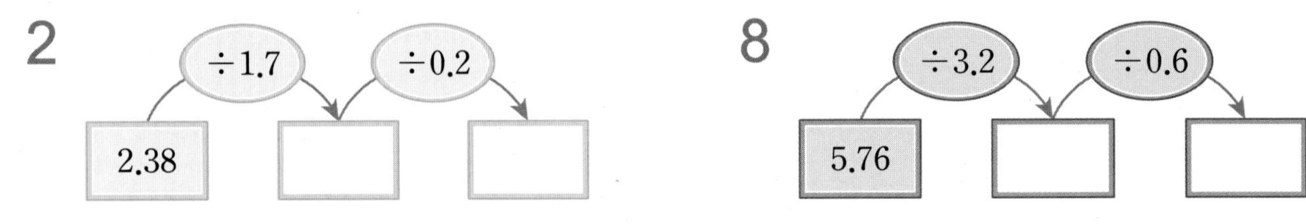

14 (소수 두 자리 수)÷(소수 한 자리 수)(4)

공부한 날 월 일

✹ 계산 결과를 비교하여 ○ 안에 >, =, <를 알맞게 써넣으시오.

1. 1.65÷0.5 (>) 2.08÷1.3

   1.65÷0.5=3.3, 2.08÷1.3=1.6
   ⇨ 3.3>1.6

   나눗셈의 몫을 구한 후 크기를 비교해 봐.

2. 1.92÷4.8 ○ 1.96÷2.8

3. 1.68÷2.1 ○ 4.08÷3.4

4. 11.22÷3.4 ○ 12.24÷3.6

5. 9.45÷3.5 ○ 4.08÷2.4

6. 3.12÷1.3 ○ 7.75÷2.5

7. 5.76÷3.2 ○ 7.36÷3.2

8. 1.52÷3.8 ○ 0.48÷0.8

9. 2.25÷0.9 ○ 8.16÷3.4

10. 26.35÷8.5 ○ 4.35÷1.5

11. 23.94÷5.7 ○ 38.42÷11.3

12. 11.75÷2.5 ○ 19.35÷4.5

13. 31.32÷10.8 ○ 2.76÷0.6

14. 18.24÷7.6  12.76÷5.8

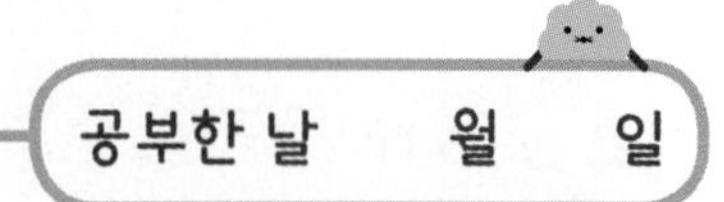

15 (자연수)÷(소수 한 자리 수)(1)

☀ □ 안에 알맞은 수를 써넣으시오.

1 $27 \div 5.4 = \frac{270}{10} \div \frac{54}{10} = 270 \div 54 = 5$

나누는 수가 소수 한 자리 수이면 분모가 10인 분수로 바꾸어 계산해.

2 $7 \div 1.4 = \frac{\square}{10} \div \frac{\square}{10} = \square \div \square = \square$

3 $30 \div 7.5 = \frac{\square}{10} \div \frac{\square}{10} = \square \div \square = \square$

4 $47 \div 9.4 = \frac{\square}{10} \div \frac{\square}{10} = \square \div \square = \square$

5 $17 \div 3.4 = \frac{\square}{10} \div \frac{\square}{10} = \square \div \square = \square$

6 $14 \div 3.5 = \frac{\square}{10} \div \frac{\square}{10} = \square \div \square = \square$

7 $39 \div 6.5 = \frac{\square}{10} \div \frac{\square}{10} = \square \div \square = \square$

8 $76 \div 9.5 = \frac{\square}{10} \div \frac{\square}{\square} = \square \div \square = \square$

9 $63 \div 4.2 = \frac{\square}{10} \div \frac{\square}{\square} = \square \div \square = \square$

10 $142 \div 28.4 = \frac{\square}{10} \div \frac{\square}{\square} = \square \div \square = \square$

11 $129 \div 8.6 = \frac{\square}{10} \div \frac{\square}{\square} = \square \div \square = \square$

12 $108 \div 7.2 = \frac{\square}{\square} \div \frac{\square}{10} = \square \div \square = \square$

공부한 날 월 일

✹ 계산을 하시오.

1 $7.8\overline{)39.0}$ = 5 (390, 0)

몫의 소수점은 나누어지는 수의 옮긴 소수점의 위치에 맞추어 찍어야 해.

2 $6.2\overline{)31}$

3 $6.5\overline{)26}$

4 $2.8\overline{)14}$

5 $3.5\overline{)21}$

6 $7.5\overline{)45}$

7 $8.8\overline{)44}$

8 $8.5\overline{)68}$

9 $11.8\overline{)59}$

10 $3.4\overline{)51}$

11 $9.6\overline{)144}$

12 $4.5\overline{)117}$

13 $7.2\overline{)252}$

14 $8.4\overline{)126}$

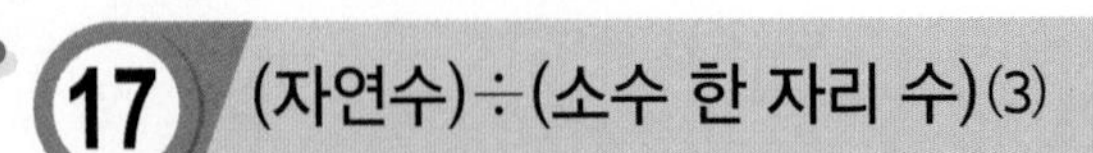

17 (자연수)÷(소수 한 자리 수)(3)

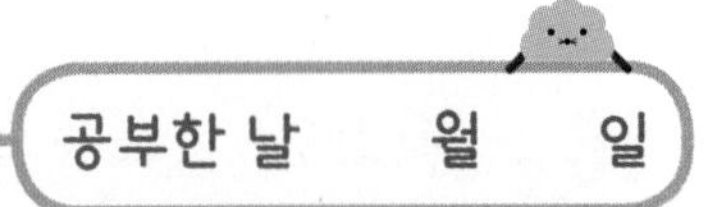

계산 결과를 비교하여 ○ 안에 >, =, <를 알맞게 써넣으시오.

1. $15 \div 2.5$ ($>$) $18 \div 3.6$

   $15 \div 2.5 = 6$, $18 \div 3.6 = 5$
   $\Rightarrow 6 > 5$

나눗셈의 몫을 구한 후 크기를 비교해 봐.

2. $27 \div 4.5$ ○ $12 \div 2.4$
3. $63 \div 3.5$ ○ $38 \div 1.9$
4. $14 \div 0.4$ ○ $12 \div 0.5$
5. $24 \div 1.6$ ○ $78 \div 6.5$
6. $60 \div 7.5$ ○ $30 \div 2.5$
7. $23 \div 4.6$ ○ $15 \div 7.5$
8. $63 \div 4.5$ ○ $54 \div 3.6$
9. $11 \div 0.5$ ○ $20 \div 0.8$
10. $16 \div 3.2$ ○ $6 \div 1.5$
11. $69 \div 11.5$ ○ $9 \div 1.8$
12. $20 \div 2.5$ ○ $33 \div 5.5$
13. $81 \div 4.5$ ○ $17 \div 0.5$
14. $26 \div 5.2$ ○ $21 \div 1.5$

공부한 날 월 일

✱ □ 안에 알맞은 수를 써넣으시오.

1 $9 \div 2.25 = \frac{900}{100} \div \frac{225}{100}$

$= 900 \div 225 = 4$

나누는 수가 소수 두 자리 수이면 분모가 100인 분수로 바꾸어 계산해.

2 $1 \div 0.25 = \frac{\square}{100} \div \frac{\square}{100}$

$= \square \div \square = \square$

3 $10 \div 1.25 = \frac{\square}{100} \div \frac{\square}{100}$

$= \square \div \square = \square$

4 $13 \div 3.25 = \frac{\square}{100} \div \frac{\square}{100}$

$= \square \div \square = \square$

5 $54 \div 2.16 = \frac{\square}{100} \div \frac{\square}{100}$

$= \square \div \square = \square$

6 $27 \div 0.45 = \frac{\square}{100} \div \frac{\square}{100}$

$= \square \div \square = \square$

7 $48 \div 0.64 = \frac{\square}{100} \div \frac{\square}{100}$

$= \square \div \square = \square$

8 $32 \div 1.28 = \frac{\square}{100} \div \frac{\square}{\square}$

$= \square \div \square = \square$

9 $18 \div 0.75 = \frac{\square}{100} \div \frac{\square}{\square}$

$= \square \div \square = \square$

10 $56 \div 0.07 = \frac{\square}{100} \div \frac{\square}{\square}$

$= \square \div \square = \square$

11 $31 \div 0.62 = \frac{\square}{100} \div \frac{\square}{\square}$

$= \square \div \square = \square$

12 $33 \div 1.65 = \frac{\square}{\square} \div \frac{\square}{100}$

$= \square \div \square = \square$

19 (자연수)÷(소수 두 자리 수)(2)

계산을 하시오.

1 $2.75\overline{)11.00}$ = 4 (예시: 1100 − 1100 = 0)

자연수의 소수점을 옮길 때에는 옮겨야 할 자릿수만큼 0을 오른쪽에 붙이면 돼.

2 $1.64\overline{)41}$

3 $0.16\overline{)12}$

4 $0.75\overline{)12}$

5 $0.36\overline{)9}$

6 $3.16\overline{)79}$

7 $2.92\overline{)73}$

8 $0.36\overline{)18}$

9 $1.92\overline{)48}$

10 $1.25\overline{)35}$

11 $2.75\overline{)66}$

12 $5.24\overline{)131}$

13 $2.75\overline{)22}$

14 $1.42\overline{)71}$

20 (자연수)÷(소수 두 자리 수)(3)

공부한 날 월 일

✱ 계산 결과를 비교하여 ○ 안에 $>$, $=$, $<$를 알맞게 써넣으시오.

1. $4 \div 0.25$ ($<$) $83 \div 4.15$

   $4 \div 0.25 = 16$, $83 \div 4.15 = 20$
   ⇨ $16 < 20$

2. $16 \div 0.64$ ○ $21 \div 0.35$

3. $46 \div 1.84$ ○ $63 \div 2.25$

4. $65 \div 3.25$ ○ $34 \div 1.36$

5. $18 \div 2.25$ ○ $19 \div 4.75$

6. $27 \div 0.45$ ○ $13 \div 0.25$

7. $72 \div 1.44$ ○ $54 \div 1.35$

8. $17 \div 0.68$ ○ $68 \div 4.25$

9. $6 \div 0.24$ ○ $7 \div 0.25$

10. $42 \div 1.75$ ○ $26 \div 3.25$

11. $13 \div 0.52$ ○ $12 \div 0.48$

12. $17 \div 0.34$ ○ $12 \div 0.25$

13. $38 \div 4.75$ ○ $10 \div 1.25$

14. $87 \div 4.35$ ○ $49 \div 1.75$

2 소수의 나눗셈

21 나누는 수가 $\frac{1}{10}$배, $\frac{1}{100}$배가 되는 나눗셈

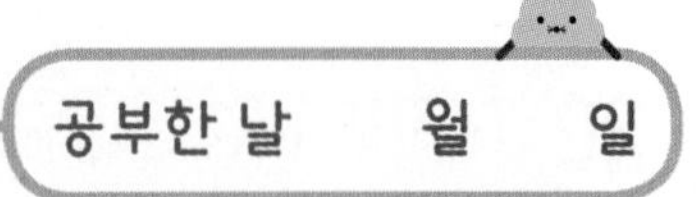

☀ □ 안에 알맞은 수를 써넣으시오.

1

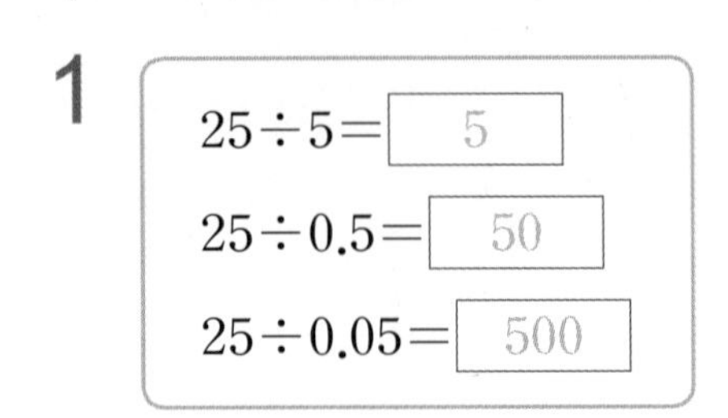

$25 \div 5 = 5$, $25 \div 0.5 = 50$, $25 \div 0.05 = 500$

나누는 수가 $\frac{1}{10}$배, $\frac{1}{100}$배가 되면 몫은 10배, 100배가 돼.

6

$60 \div 5 = \square$

$60 \div 0.5 = \square$

$60 \div 0.05 = \square$

2

$24 \div 6 = \square$

$24 \div 0.6 = \square$

$24 \div 0.06 = \square$

7

$45 \div 3 = \square$

$45 \div 0.3 = \square$

$45 \div 0.03 = \square$

3

$36 \div 9 = \square$

$36 \div 0.9 = \square$

$36 \div 0.09 = \square$

8

$72 \div 24 = \square$

$72 \div 2.4 = \square$

$72 \div 0.24 = \square$

4

$42 \div 7 = \square$

$42 \div 0.7 = \square$

$42 \div 0.07 = \square$

9

$56 \div 14 = \square$

$56 \div 1.4 = \square$

$56 \div 0.14 = \square$

5

$72 \div 9 = \square$

$72 \div 0.9 = \square$

$72 \div 0.09 = \square$

10

$90 \div 18 = \square$

$90 \div 1.8 = \square$

$90 \div 0.18 = \square$

22 나누어지는 수가 10배, 100배가 되는 나눗셈

공부한 날 월 일

☀ □ 안에 알맞은 수를 써넣으시오.

1

$1.12 \div 0.07 =$ [16]

$11.2 \div 0.07 =$ [160]

$112 \div 0.07 =$ [1600]

$1.12 \div 0.07 = 16$, $11.2 \div 0.07 = 160$, $112 \div 0.07 = 1600$

나누어지는 수가 10배, 100배가 되면 몫도 10배, 100배가 돼.

2

$1.44 \div 0.06 =$ □

$14.4 \div 0.06 =$ □

$144 \div 0.06 =$ □

3

$5.44 \div 1.36 =$ □

$54.4 \div 1.36 =$ □

$544 \div 1.36 =$ □

4

$4.23 \div 1.41 =$ □

$42.3 \div 1.41 =$ □

$423 \div 1.41 =$ □

5

$9.48 \div 1.58 =$ □

$94.8 \div 1.58 =$ □

$948 \div 1.58 =$ □

6

$1.75 \div 0.05 =$ □

$17.5 \div 0.05 =$ □

$175 \div 0.05 =$ □

7

$2.52 \div 0.12 =$ □

$25.2 \div 0.12 =$ □

$252 \div 0.12 =$ □

8

$4.08 \div 0.24 =$ □

$40.8 \div 0.24 =$ □

$408 \div 0.24 =$ □

9

$3.12 \div 0.13 =$ □

$31.2 \div 0.13 =$ □

$312 \div 0.13 =$ □

10

$9.12 \div 0.19 =$ □

$91.2 \div 0.19 =$ □

$912 \div 0.19 =$ □

23 몫을 반올림하여 자연수로 나타내기

공부한 날 월 일

몫을 반올림하여 자연수로 나타내시오.

1

$$\begin{array}{r} 5.\not{4} \Rightarrow 5 \\ 3\overline{)\,16.4} \\ 15 \\ \hline 1\,4 \\ 1\,2 \\ \hline 2 \end{array}$$

몫을 소수 첫째 자리까지 구한 후 소수 첫째 자리에서 반올림하여 자연수로 나타내.

2 $6\overline{)\,32.3}$

3 $6\overline{)\,11}$

4 $7\overline{)\,27.5}$

5 $7\overline{)\,29}$

6 $9\overline{)\,77.9}$

7 $6\overline{)\,57.2}$

8 $6\overline{)\,92}$

9 $0.3\overline{)\,1.7}$

10 $0.6\overline{)\,2.9}$

11 $0.8\overline{)\,8.7}$

24 몫을 반올림하여 소수 첫째 자리까지 나타내기

공부한 날 월 일

✹ 몫을 반올림하여 소수 첫째 자리까지 나타내시오.

1 $7\overline{)12}$ (예시: $12.00 \div 7 = 1.71 \Rightarrow 1.7$)

```
    1.7 1 ⇨ 1.7
7 ) 1 2.0 0
    7
    5 0
    4 9
      1 0
        7
        3
```

2 $6\overline{)26}$

3 $9\overline{)84}$

4 $3\overline{)107}$

5 $6\overline{)2.5}$

6 $7\overline{)9.6}$

7 $3\overline{)14.3}$

8 $0.9\overline{)6.8}$

9 $2.8\overline{)9.2}$

10 $0.6\overline{)16.9}$

11 $8.4\overline{)43.1}$

2 소수의 나눗셈

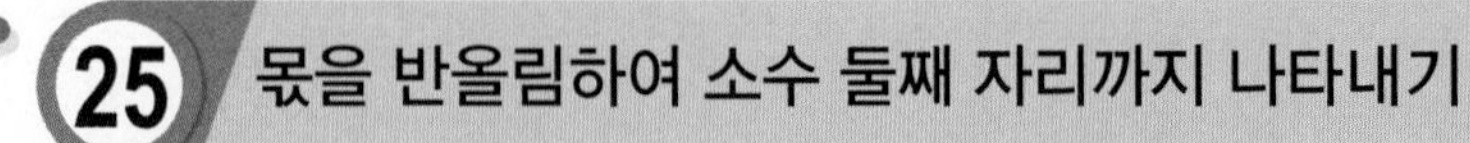

✹ 몫을 반올림하여 소수 둘째 자리까지 나타내시오.

1 $7\overline{)16}$

$16.000 \div 7 = 2.285 \Rightarrow 2.29$

14 / 20 / 14 / 60 / 56 / 40 / 35 / 5

몫을 소수 셋째 자리에서 반올림하여 소수 둘째 자리까지 나타내 봐.

2 $6\overline{)31}$

3 $3\overline{)74}$

4 $7\overline{)18.7}$

5 $9\overline{)20.9}$

6 $5.5\overline{)7.8}$

7 $6.8\overline{)13.5}$

8 $4.7\overline{)6.2}$

26 나누어 주고 남는 양 구하기

공부한 날 월 일

1 끈 2 m로 상자 하나를 묶습니다. 끈 10.5 m로 묶을 수 있는 상자는 몇 개이고 남는 끈은 몇 m입니까?

(5개), (0.5 m)

몫을 자연수까지 구하고 나머지를 알아봐.

$$\begin{array}{r} 5 \\ 2\overline{)10.5} \\ 10 \\ \hline 0.5 \end{array}$$

⇨ 상자 5개를 묶고 남는 끈은 0.5 m입니다.

2 우유 6.8 L를 한 병에 2 L씩 나누어 담으려고 합니다. 몇 병에 나누어 담을 수 있고 몇 L가 남습니까?

( ), ( )

3 리본 13.8 m를 한 명에게 3 m씩 나누어 주려고 합니다. 몇 명에게 나누어 줄 수 있고 몇 m가 남습니까?

( ), ( )

4 금 3 g으로 목걸이 한 개를 만듭니다. 금 27.1 g으로 만들 수 있는 목걸이는 몇 개이고 몇 g이 남습니까?

( ), ( )

5 쌀 25.8 kg을 한 봉지에 6 kg씩 나누어 담으려고 합니다. 몇 봉지에 나누어 담을 수 있고 몇 kg이 남습니까?

( ), ( )

6 귤 19.4 kg을 한 사람당 2 kg씩 나누어 주려고 합니다. 몇 명에게 나누어 줄 수 있고 몇 kg이 남습니까?

( ), ( )

27 (소수)÷(소수)의 활용(1)

공부한 날 월 일

1 음료수 1.4 L를 0.2 L씩 컵에 나누어 담으려고 합니다. 컵은 몇 개 필요한지 식을 쓰고 답을 구하시오.

■를 ▲씩 나누어 담으면 ~,
■는 ▲의 몇 배인지 ~ ……
⇨ ■÷▲

식 $1.4 \div 0.2 = 7$

답 7개

$1.4 \div 0.2 = 7$(개)

2 야구공의 무게는 148.5 g이고 탁구공의 무게는 2.7 g입니다. 야구공의 무게는 탁구공의 무게의 몇 배인지 식을 쓰고 답을 구하시오.

식 답

3 길이가 3 m 42 cm인 나무의 무게가 215.46 kg입니다. 이 나무 1 m의 무게는 몇 kg인지 식을 쓰고 답을 구하시오. (단, 나무의 두께는 일정합니다.)

식 답

4 어느 비행기가 1시간 30분 동안 날아간 거리가 463.5 km이었습니다. 같은 빠르기로 이 비행기가 1시간 동안 날아간 거리는 몇 km인지 식을 쓰고 답을 구하시오.

식 답

5 빵 1개를 만드는 데 소금 4.5 g이 필요합니다. 소금 54 g으로 빵을 몇 개 만들 수 있는지 식을 쓰고 답을 구하시오.

식 답

1 그림과 같은 직사각형의 세로는 몇 cm인지 식을 쓰고 답을 구하시오.

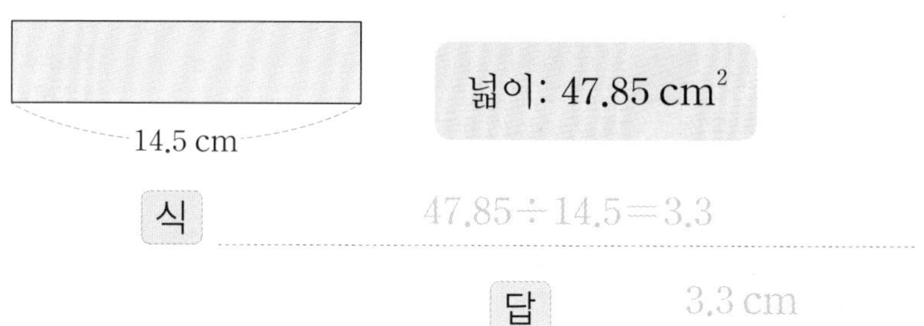

(직사각형의 넓이)
=(가로)×(세로)
(평행사변형의 넓이)
=(밑변의 길이)×(높이)

식 $47.85 \div 14.5 = 3.3$

답 3.3 cm

(세로)=(직사각형의 넓이)÷(가로)=$47.85 \div 14.5 = 3.3$ (cm)

2 그림과 같은 평행사변형의 밑변의 길이는 몇 cm인지 식을 쓰고 답을 구하시오.

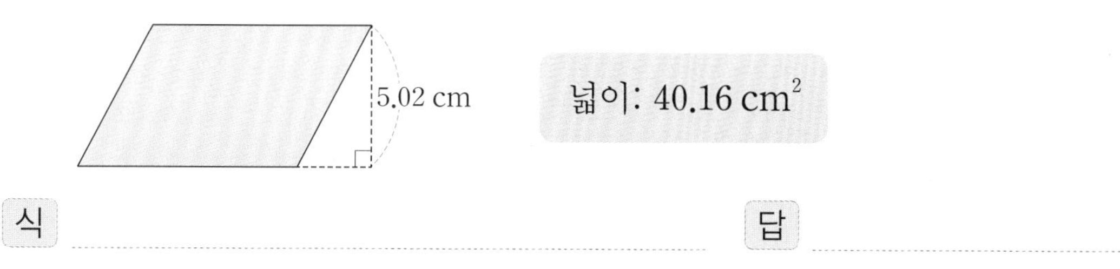

식 　　　　답

3 넓이가 11 cm²인 직사각형이 있습니다. 세로가 2.75 cm이면 가로는 몇 cm인지 식을 쓰고 답을 구하시오.

식 　　　　답

4 넓이가 2.72 m²인 평행사변형 모양의 땅이 있습니다. 이 땅의 밑변의 길이가 0.4 m이면 높이는 몇 m인지 식을 쓰고 답을 구하시오.

식 　　　　답

1 □ 안에 알맞은 수를 써넣으시오.

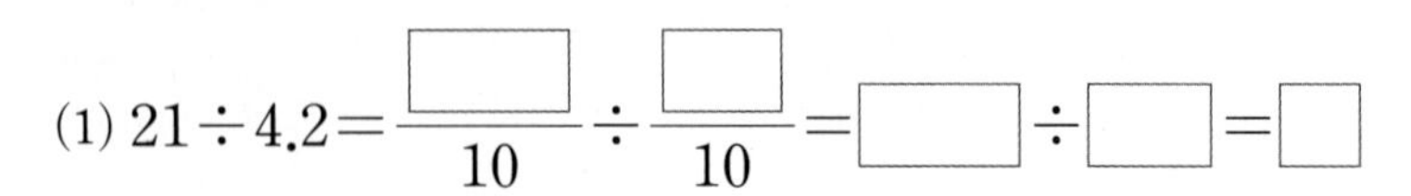

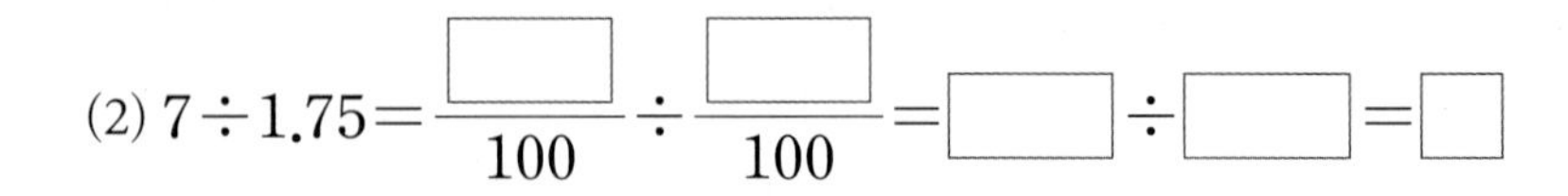

• 나누는 수가 소수 한 자리 수이면 분모가 10인 분수로, 소수 두 자리 수이면 분모가 100인 분수로 바꾸어 계산합니다.

2 계산을 하시오.

(1) $1.6\overline{)12.8}$

(2) $2.6\overline{)31.2}$

나누는 수와 나누어지는 수의 소수점을 각각 오른쪽으로 한 자리씩 옮겨서 계산해.

3 □ 안에 알맞은 수를 써넣으시오.

(1) $259 \div 7 =$ □

(2) $259 \div 0.7 =$ □

(3) $259 \div 0.07 =$ □

• 나누는 수가 $\frac{1}{10}$배, $\frac{1}{100}$배가 되면 몫은 10배, 100배가 됩니다.

4 나눗셈 $1478 \div 31$과 몫이 같은 나눗셈을 모두 찾아 ○표 하시오.

$14.78 \div 31$ $147.8 \div 3.1$ $1.478 \div 0.31$ $14.78 \div 0.31$

• 나누는 수와 나누어지는 수에 똑같이 10배 또는 100배를 하여도 몫은 같습니다.

5 쌀 6.52 kg을 한 봉지에 3 kg씩 나누어 담으려고 합니다. 나누어 담을 수 있는 봉지 수와 남는 쌀의 양을 알아보기 위해 오른쪽과 같이 계산했습니다. □ 안에 알맞은 수를 써넣으시오.

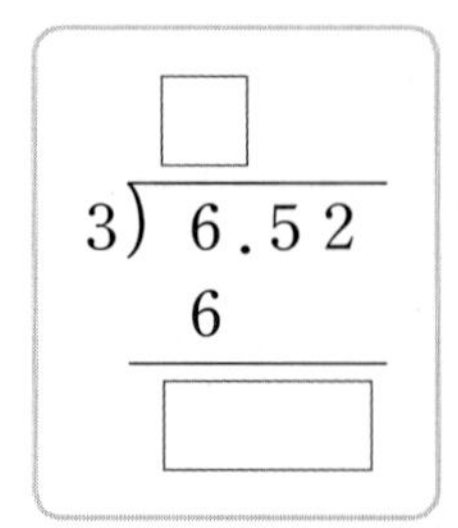

나누어 담을 수 있는 봉지 수: □봉지

남는 쌀의 양: □ kg

• 몫을 자연수까지 계산한 후 나머지를 알아봅니다.

6 큰 수를 작은 수로 나누어 몫을 빈칸에 써넣으시오.

(1)

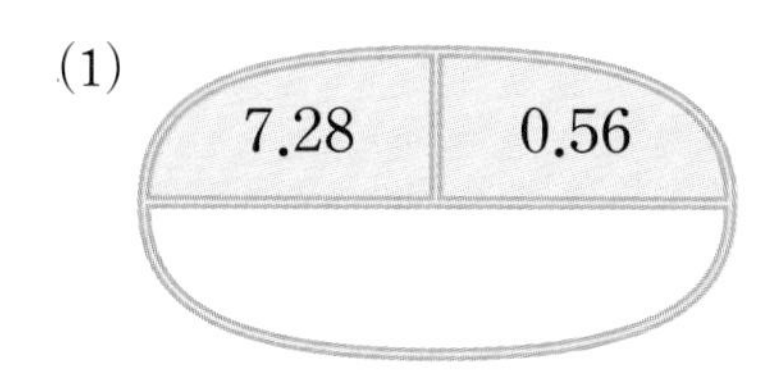

(2)

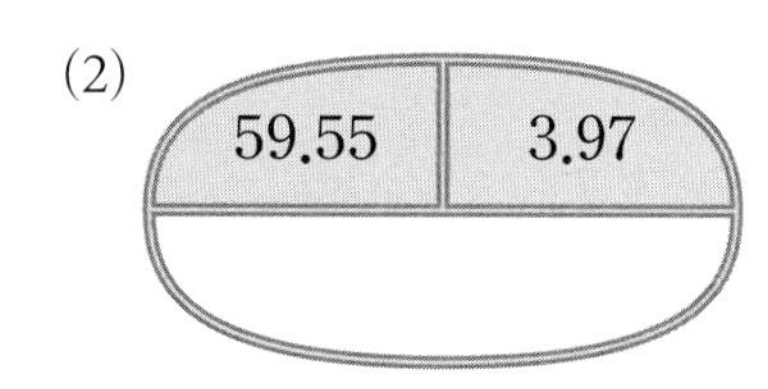

• 소수 두 자리 수는 분모가 100 인 분수로 바꾸어 계산합니다.

7 계산 결과를 비교하여 ○ 안에 >, =, <를 알맞게 써넣으시오.

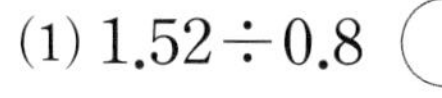

(1) $1.52 \div 0.8$ ◯ $3.91 \div 1.7$

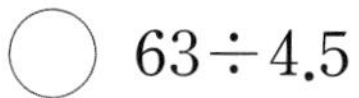

(2) $30 \div 2.5$ ◯ $63 \div 4.5$

• 나눗셈의 몫을 구한 후 크기를 비교해 봅니다.

8 10.7 L의 주스가 있습니다. 모둠별로 3 L씩 마신다면 몇 모둠이 마실 수 있고 몇 L가 남습니까?

(　　　　　　　　), (　　　　　　　　)

9 지선이의 몸무게는 36.2 kg이고 어머니의 몸무게는 59.3 kg입니다. 어머니의 몸무게는 지선이의 몸무게의 몇 배인지 반올림하여 소수 둘째 자리까지 구하는 풀이 과정을 쓰고 답을 구하시오.

풀이

답

• 몫을 소수 셋째 자리에서 반올림합니다.

QR 코드를 찍어 보세요.

문제 생성기 새로운 문제를 계속 풀 수 있어요.

3 공간과 입체

제3화 화성의 집과 학교는 신기한 모양!

이미 배운 내용	이번에 배울 내용	앞으로 배울 내용
[4-1 평면도형의 이동] • 밀기, 뒤집기, 돌리기 [5-2 직육면체] • 직육면체	• 여러 방향에서 바라보기 • 위, 앞, 옆에서 본 모양 • 위에서 본 모양에 수 쓰기 • 층별로 나타낸 모양 • 쌓기나무로 모양 만들기	[6-2 원기둥, 원뿔, 구] • 원기둥 • 원뿔 • 구

배운 것 확인하기

1 쌓기나무의 개수 구하기

✸ 주어진 모양과 똑같이 쌓는 데 필요한 쌓기나무의 개수를 구하시오.

1

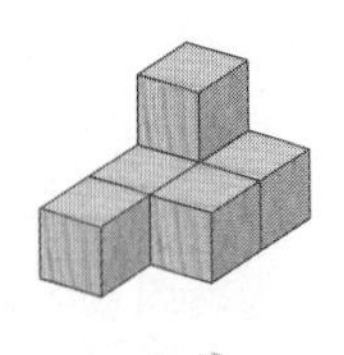

(6개)

1층: 5개, 2층: 1개 ⇨ 5+1=6(개)

층별로 쌓기나무의 개수를 세어본 후 모두 더해 봐.

2

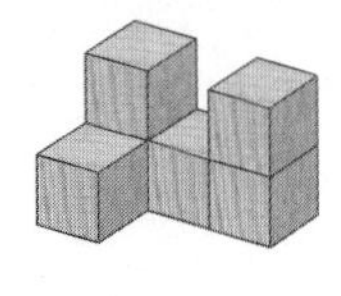

( )

3

( )

4

( )

5

( )

6

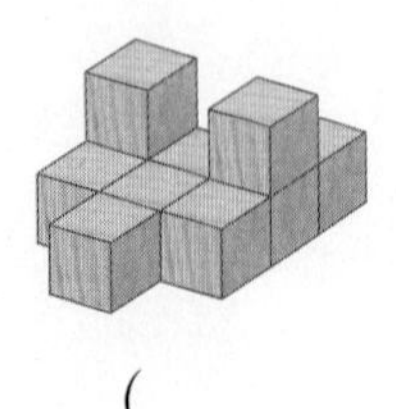

( )

2 쌓은 모양 찾기

1 쌓기나무 4개를 사용하여 1층에 3개, 2층에 1개를 쌓은 모양에 ○표 하시오.

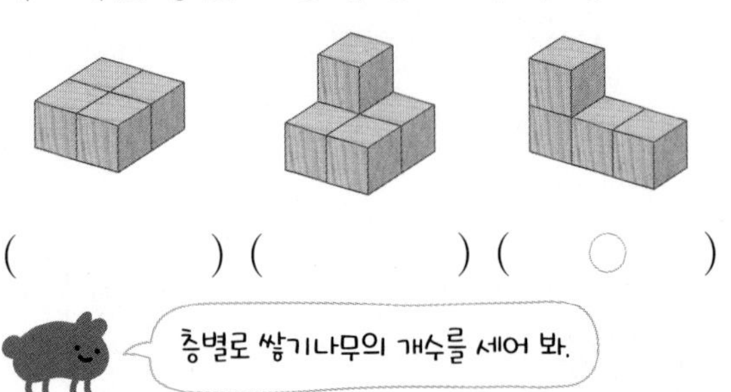

( ) ( ) (○)

층별로 쌓기나무의 개수를 세어 봐.

2 쌓기나무 5개를 사용하여 1층에 3개, 2층에 2개를 쌓은 모양에 ○표 하시오.

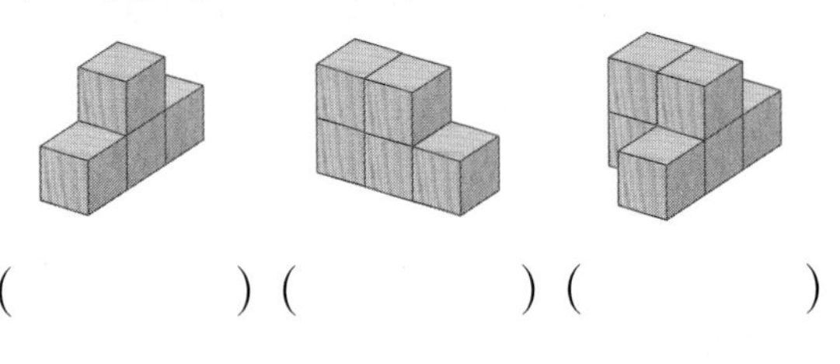

( ) ( ) ( )

3 쌓기나무 6개를 사용하여 1층에 4개, 2층에 2개를 쌓은 모양에 ○표 하시오.

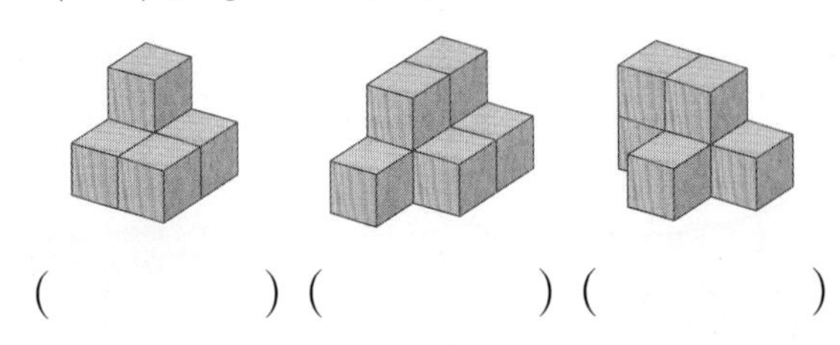

( ) ( ) ( )

4 쌓기나무 7개를 사용하여 1층에 4개, 2층에 2개, 3층에 1개를 쌓은 모양에 ○표 하시오.

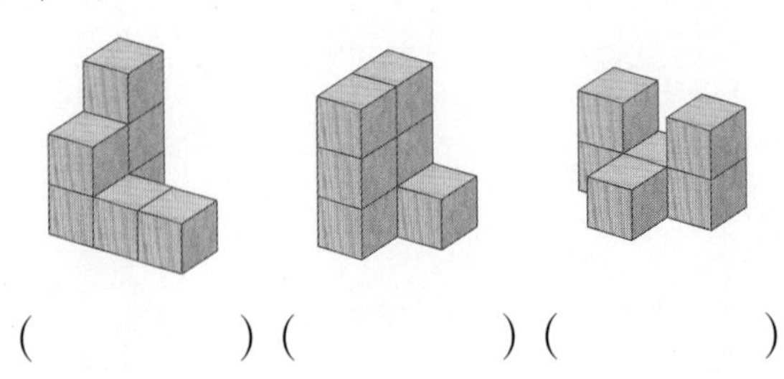

( ) ( ) ( )

3 도형을 뒤집은 후 돌리기

✸ 도형을 오른쪽으로 뒤집고 시계 방향으로 90°만큼 돌렸을 때의 도형을 각각 그려 보시오. [1~2]

1

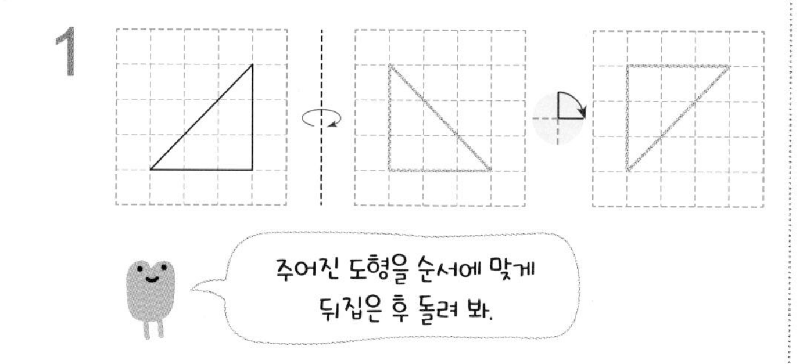

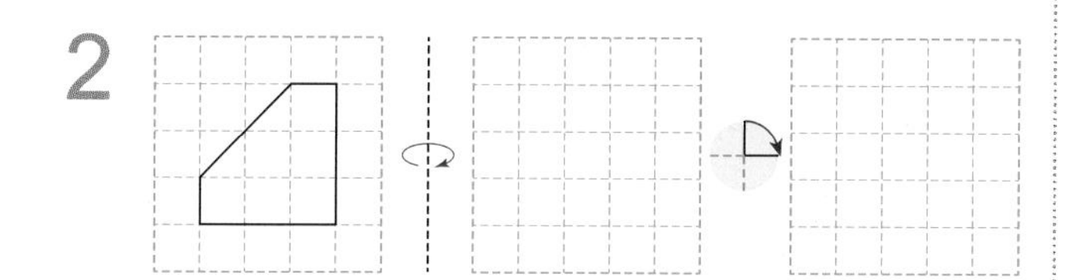

주어진 도형을 순서에 맞게
뒤집은 후 돌려 봐.

2

✸ 도형을 아래쪽으로 뒤집고 시계 반대 방향으로 90°만큼 돌렸을 때의 도형을 각각 그려 보시오. [3~4]

3

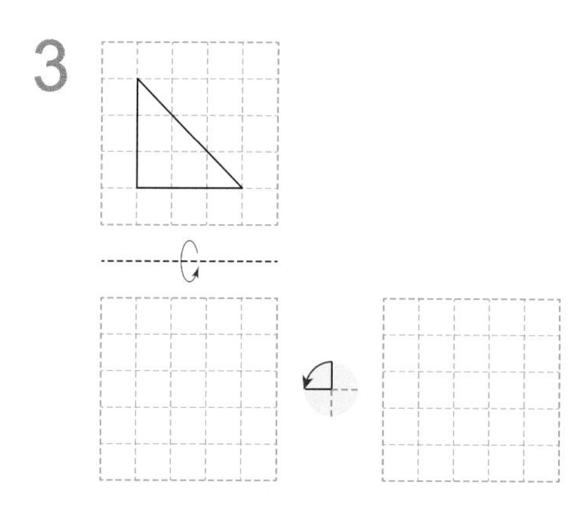

4

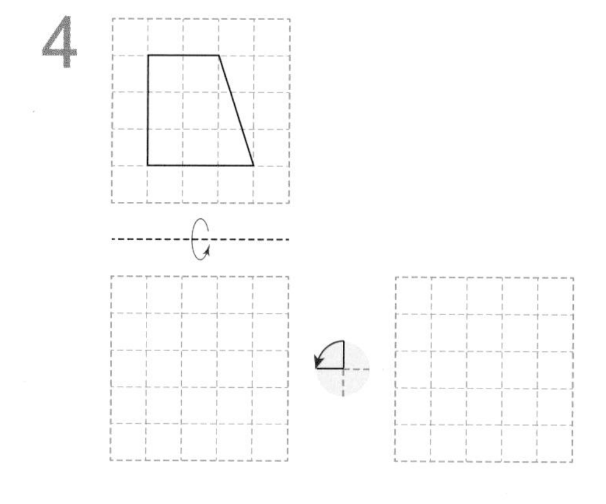

4 도형을 돌린 후 뒤집기

✸ 도형을 시계 방향으로 90°만큼 돌리고 오른쪽으로 뒤집었을 때의 도형을 각각 그려 보시오. [1~2]

1

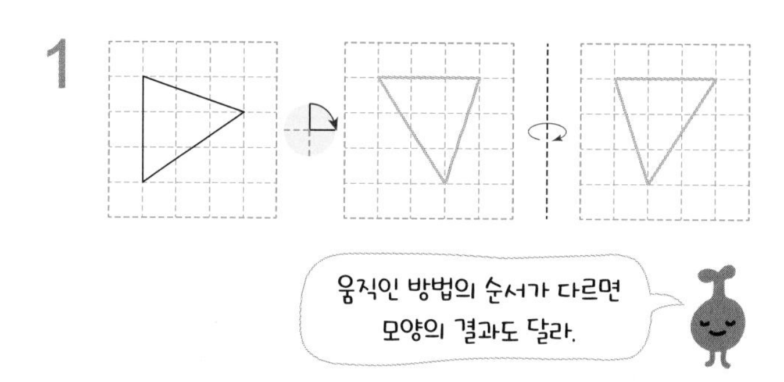

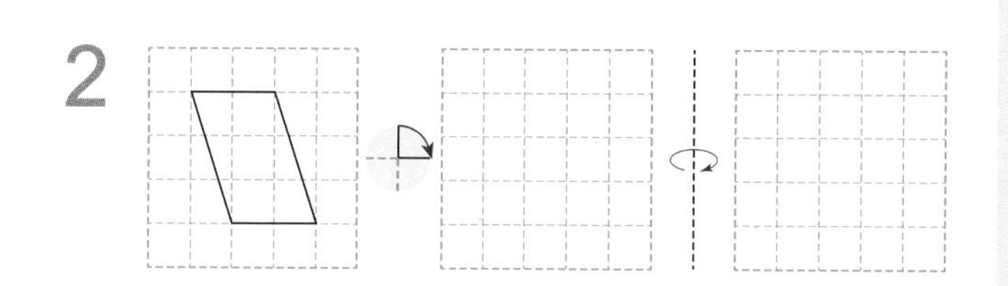

움직인 방법의 순서가 다르면
모양의 결과도 달라.

2

✸ 도형을 시계 반대 방향으로 90°만큼 돌리고 아래쪽으로 뒤집었을 때의 도형을 각각 그려 보시오. [3~4]

3

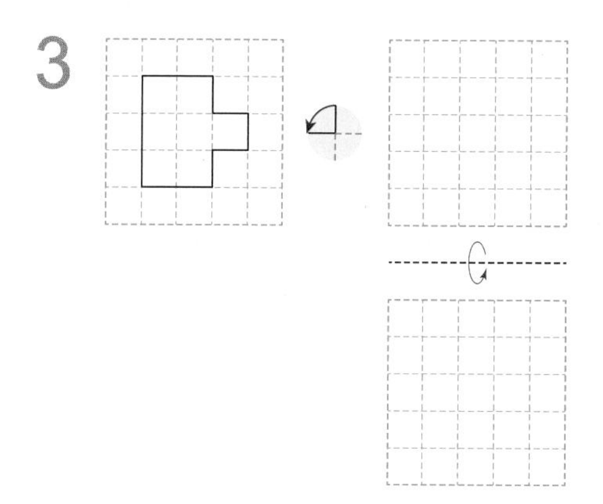

4

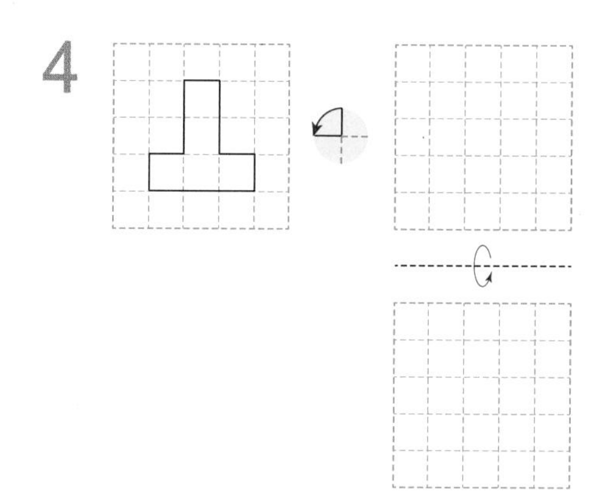

3 공간과 입체

1 쌓기나무의 개수 구하기

공부한 날 월 일

주어진 모양과 똑같이 쌓는 데 필요한 쌓기나무의 개수를 구하시오.

1

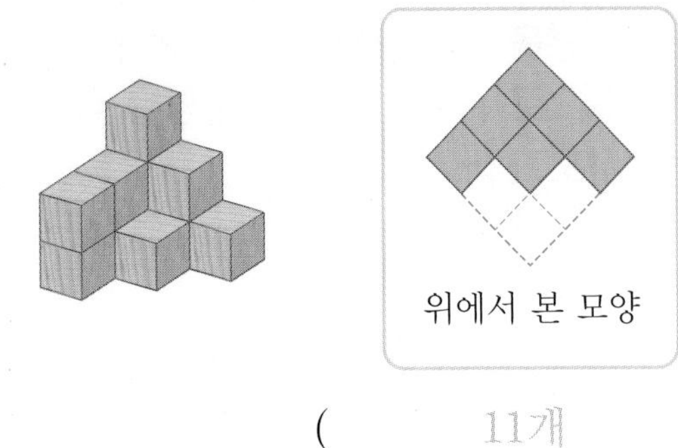

위에서 본 모양

위에서 본 모양을 이용하여 뒤에 숨겨진 쌓기나무도 찾아봐.

(11개)

1층에 6개, 2층에 4개, 3층에 1개이므로
$6+4+1=11$(개)가 필요합니다.

2

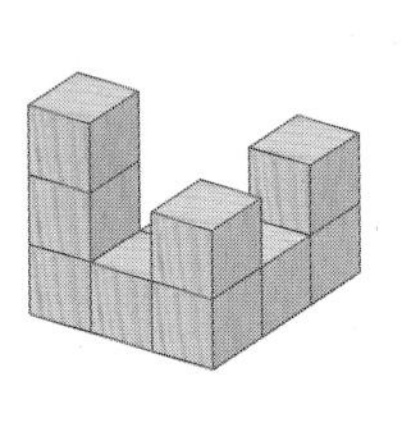

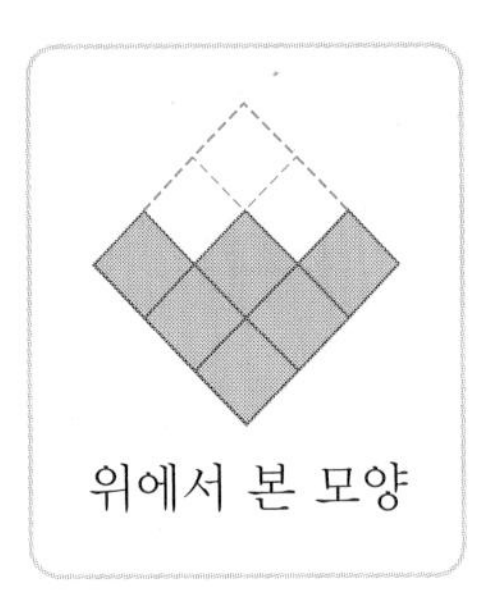

위에서 본 모양

(　　　　)

5

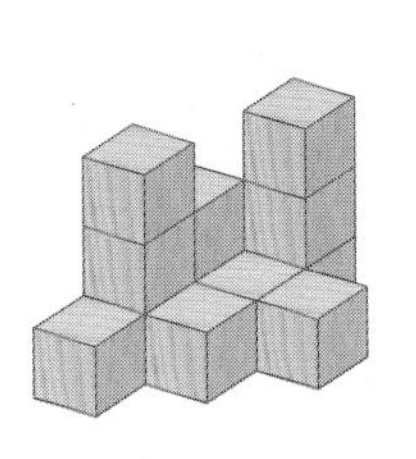

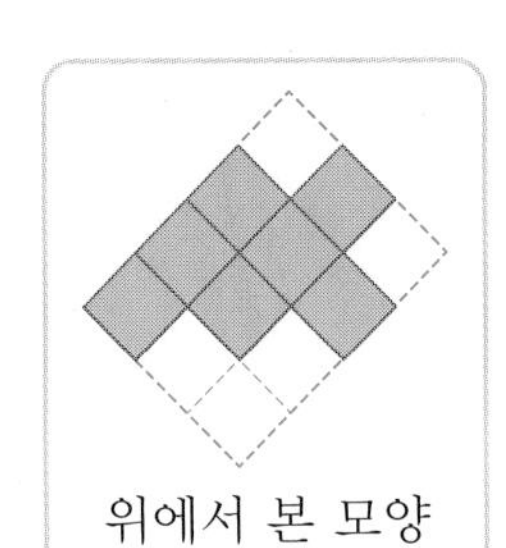

위에서 본 모양

(　　　　)

3

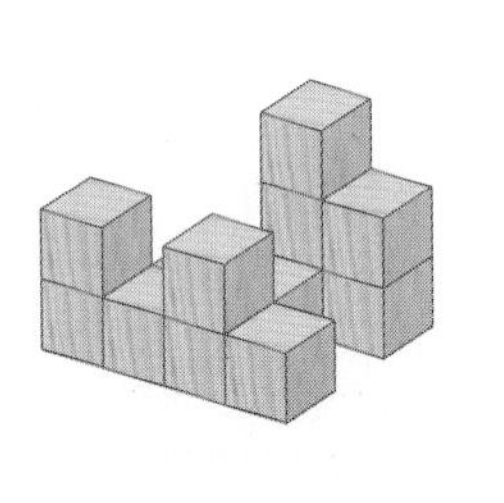

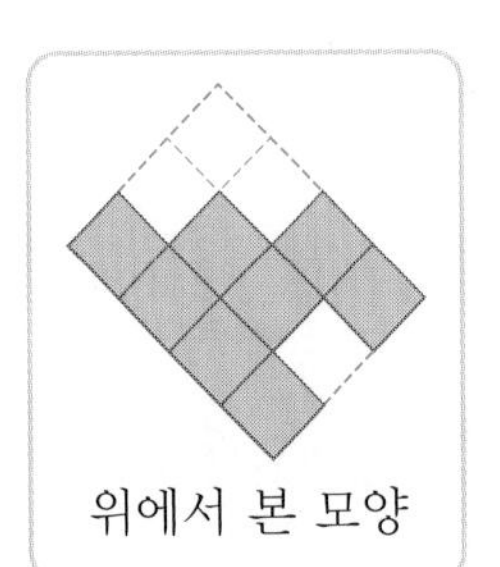

위에서 본 모양

(　　　　)

6

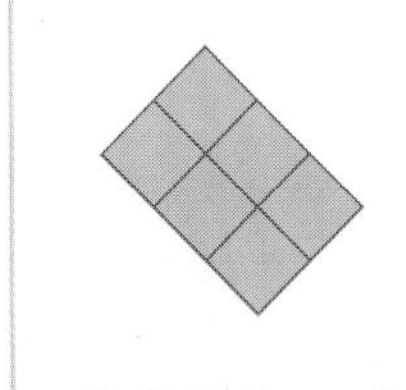

위에서 본 모양

(　　　　)

4

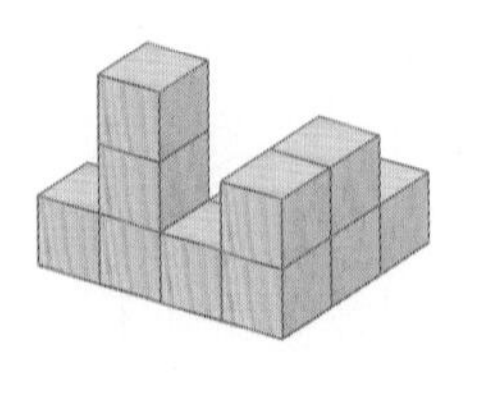

위에서 본 모양

(　　　　)

7

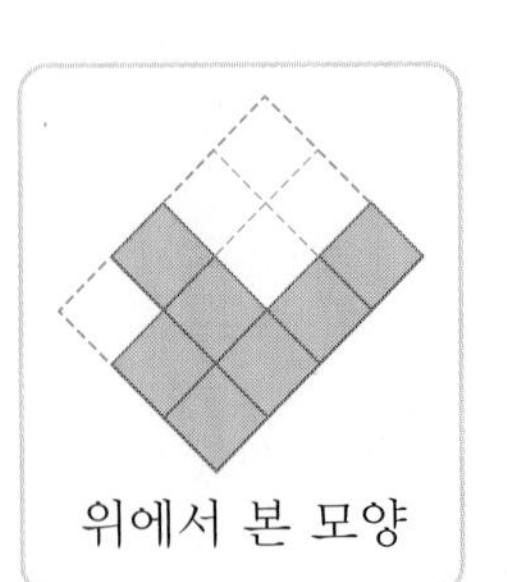

위에서 본 모양

(　　　　)

2 앞, 옆에서 본 모양 그리기

공부한 날 월 일

✸ 쌓기나무로 쌓은 모양과 위에서 본 모양입니다. 앞과 옆에서 본 모양을 각각 그려 보시오.

1

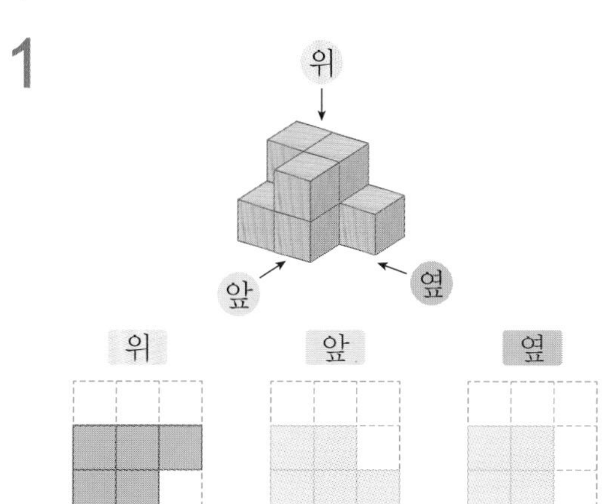

2

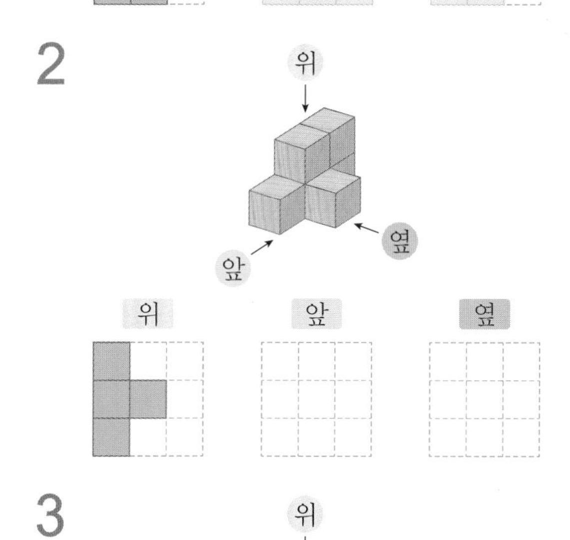

3

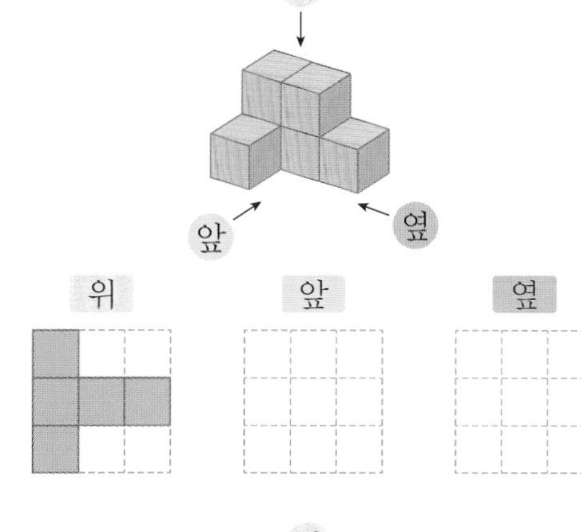

4

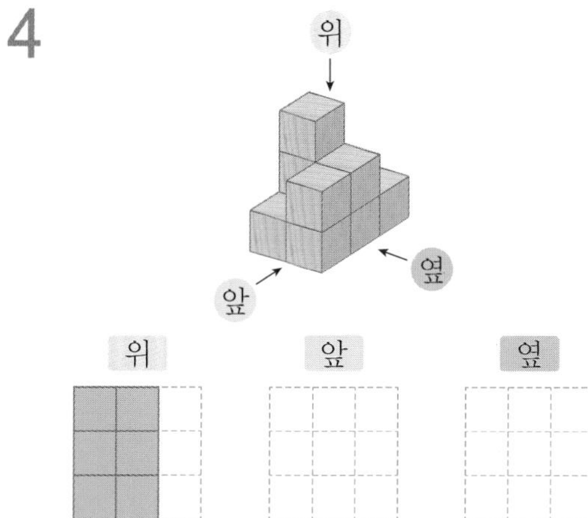

5

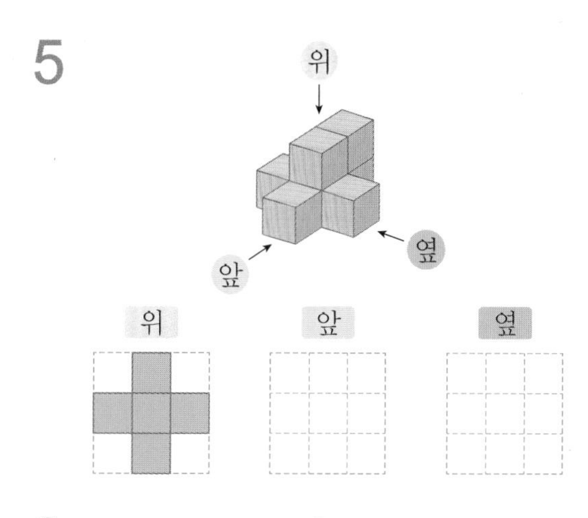

6

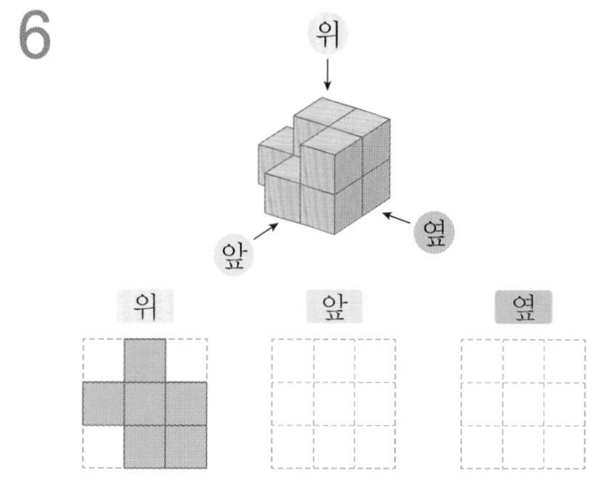

7

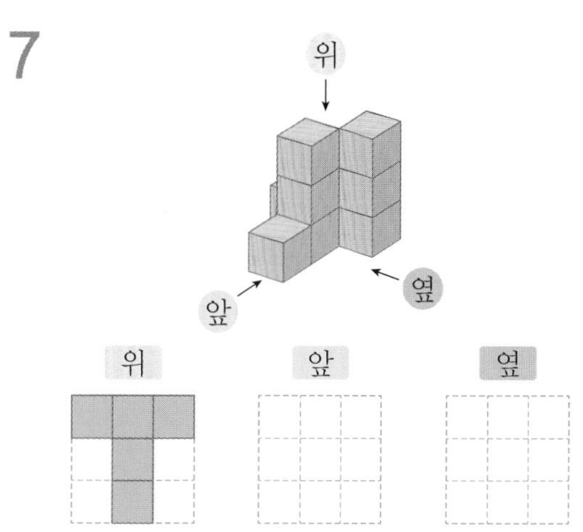

3 위, 앞, 옆에서 본 모양 그리기

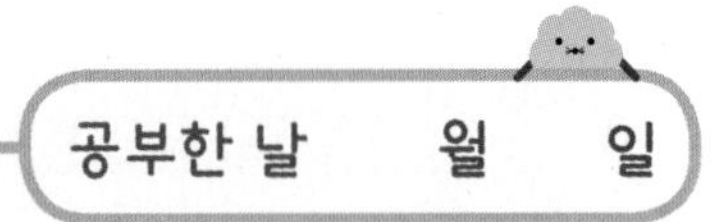

1 쌓기나무 10개로 쌓은 모양입니다. 위, 앞, 옆에서 본 모양을 각각 그려 보시오.

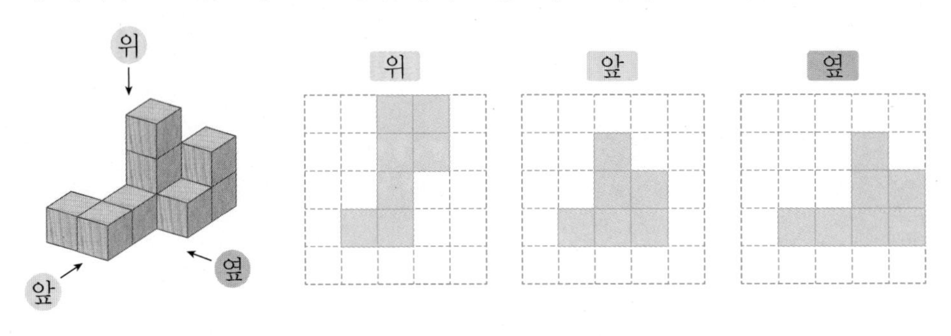

앞, 옆에서 본 모양을 그리기 위해서는 각 줄의 가장 높은 층을 찾아봐.

2 쌓기나무 9개로 쌓은 모양입니다. 위, 앞, 옆에서 본 모양을 각각 그려 보시오.

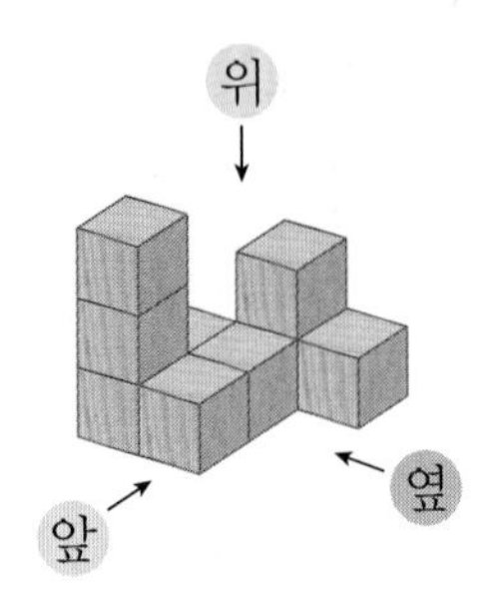

위

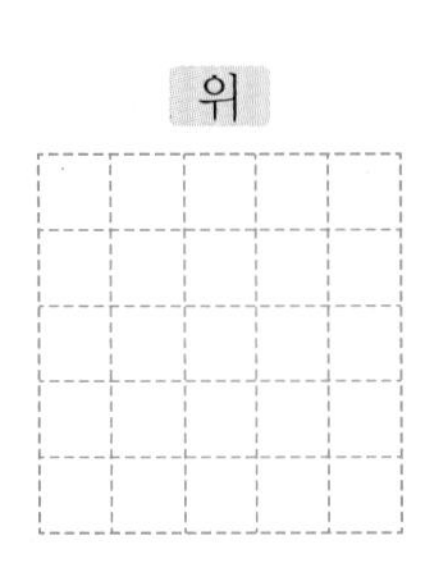

앞

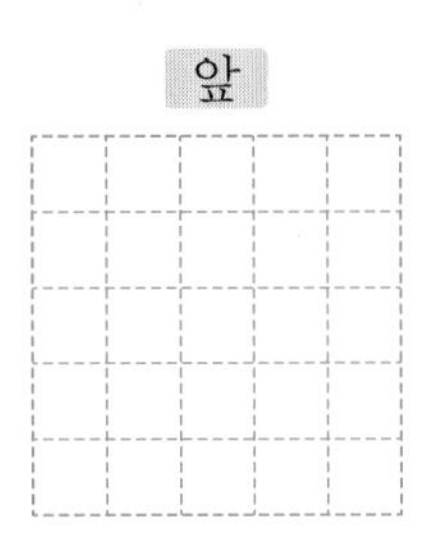

옆

3 쌓기나무 13개로 쌓은 모양입니다. 위, 앞, 옆에서 본 모양을 각각 그려 보시오.

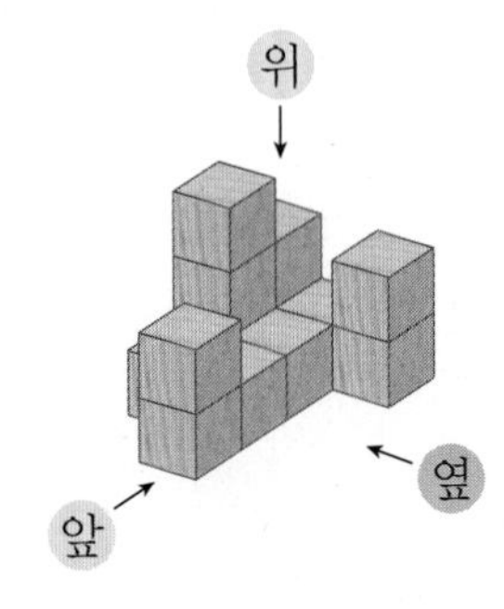

위

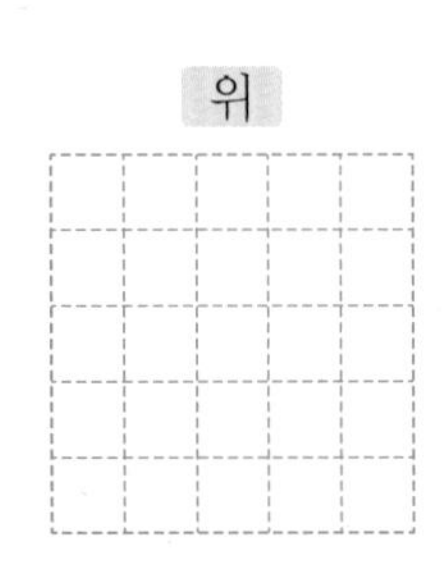

앞

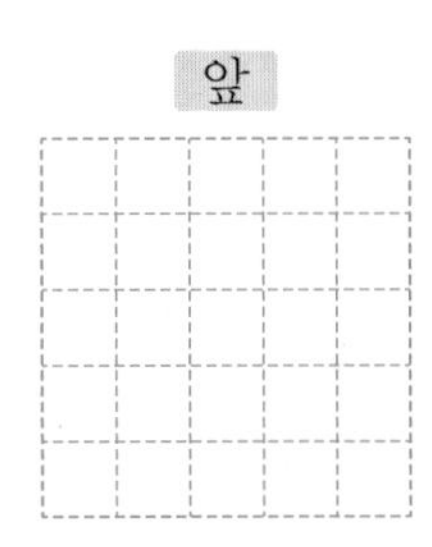

옆

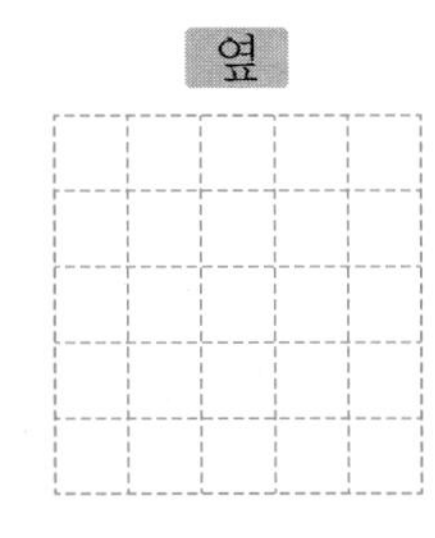

4 쌓기나무 16개로 쌓은 모양입니다. 위, 앞, 옆에서 본 모양을 각각 그려 보시오.

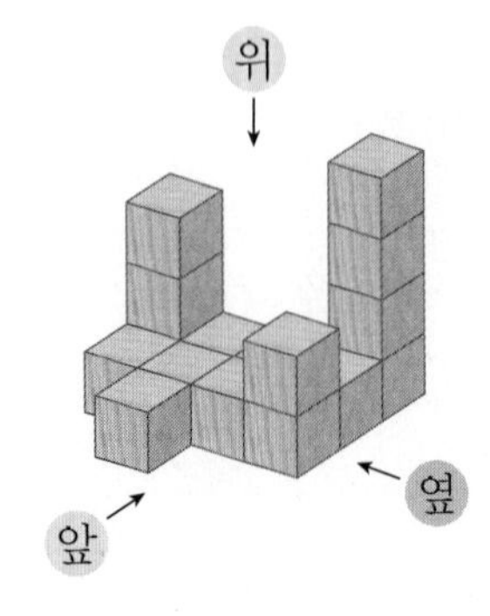

위

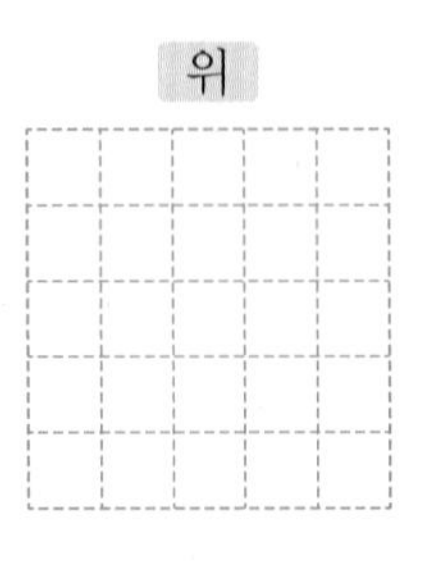

앞

옆

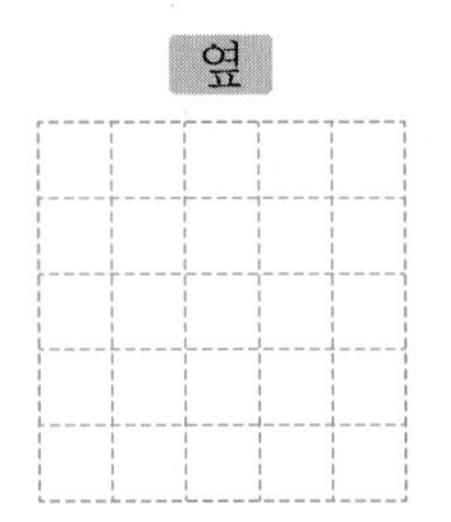

4 위, 앞, 옆에서 본 모양에 맞는 쌓기나무 모양 찾기

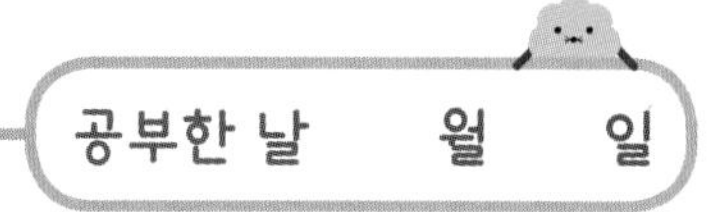

쌓기나무로 쌓은 모양입니다. 위, 앞, 옆에서 본 모양으로 쌓은 모양을 찾아 기호를 쓰시오.

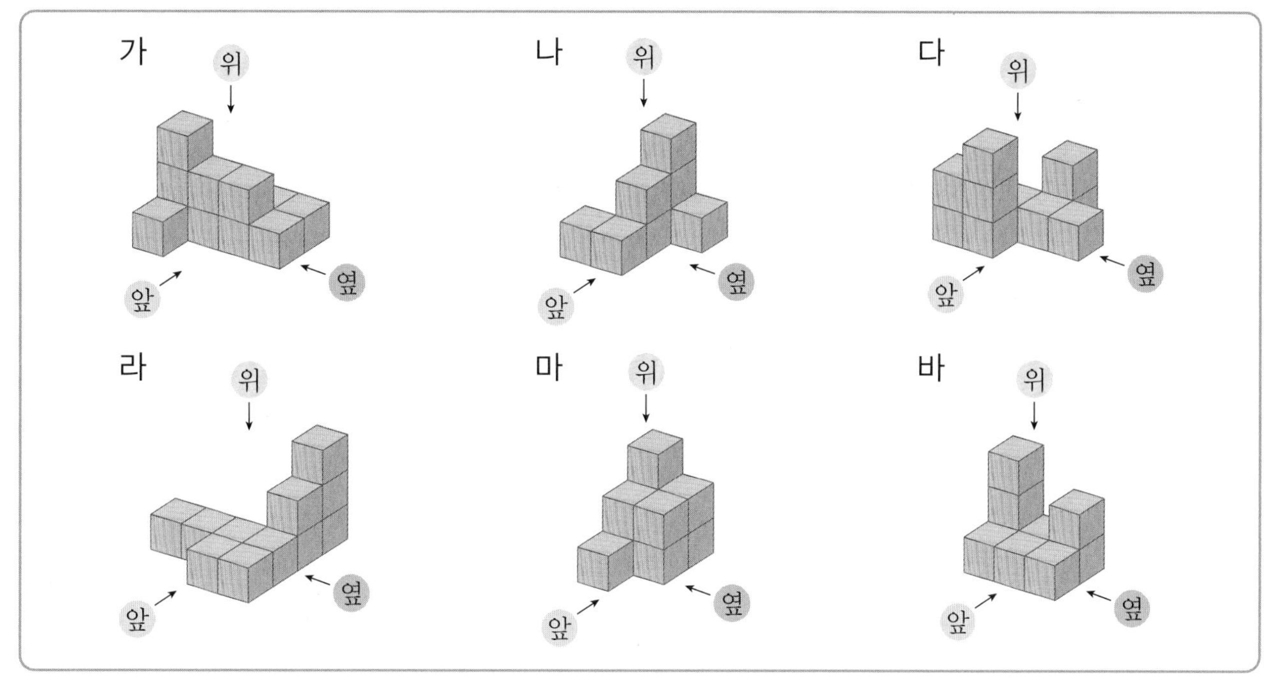

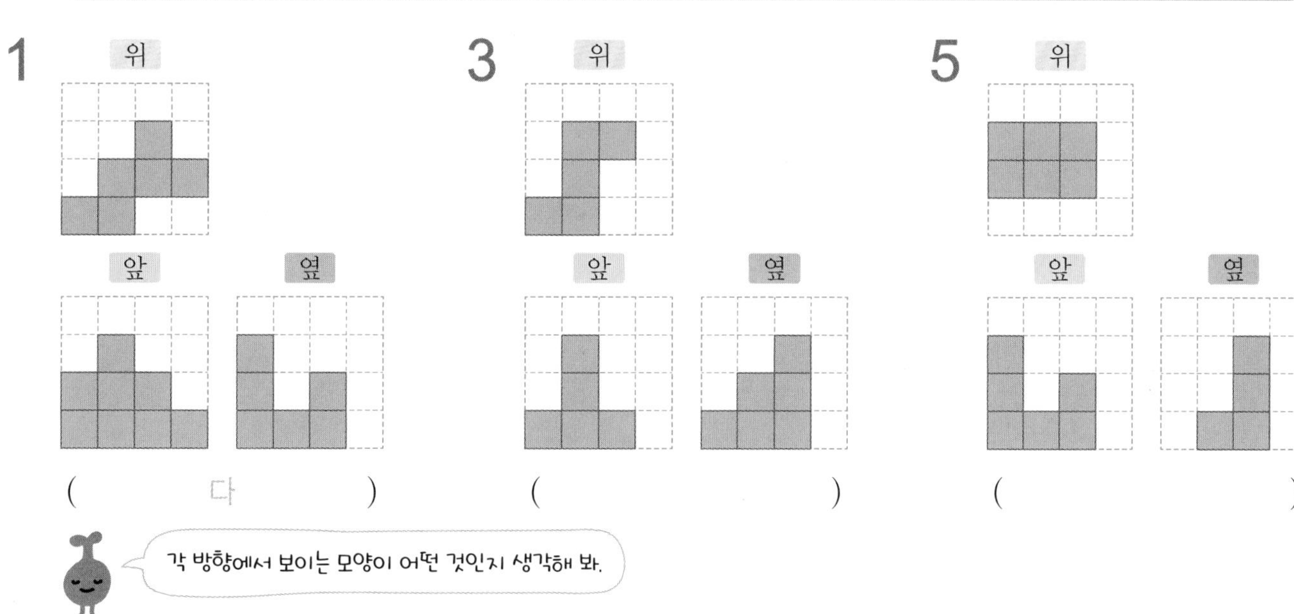

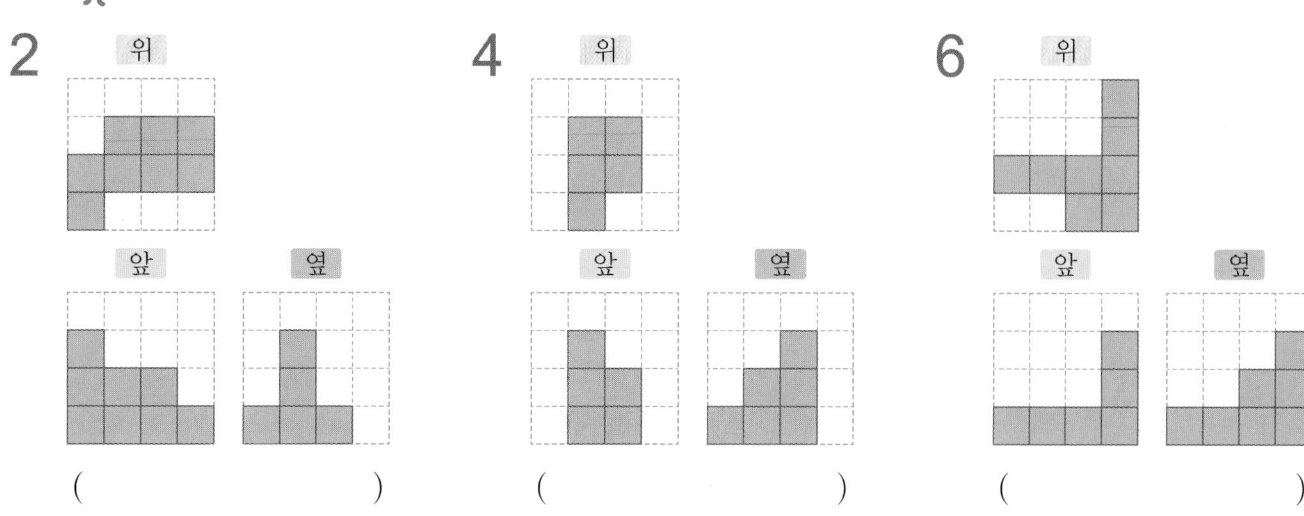

3 공간과 입체

5 위에서 본 모양에 수를 쓰기

공부한 날 월 일

✸ 쌓기나무로 쌓은 모양을 보고 위에서 본 모양에 수를 썼습니다. 관계있는 것끼리 이어 보시오.

1

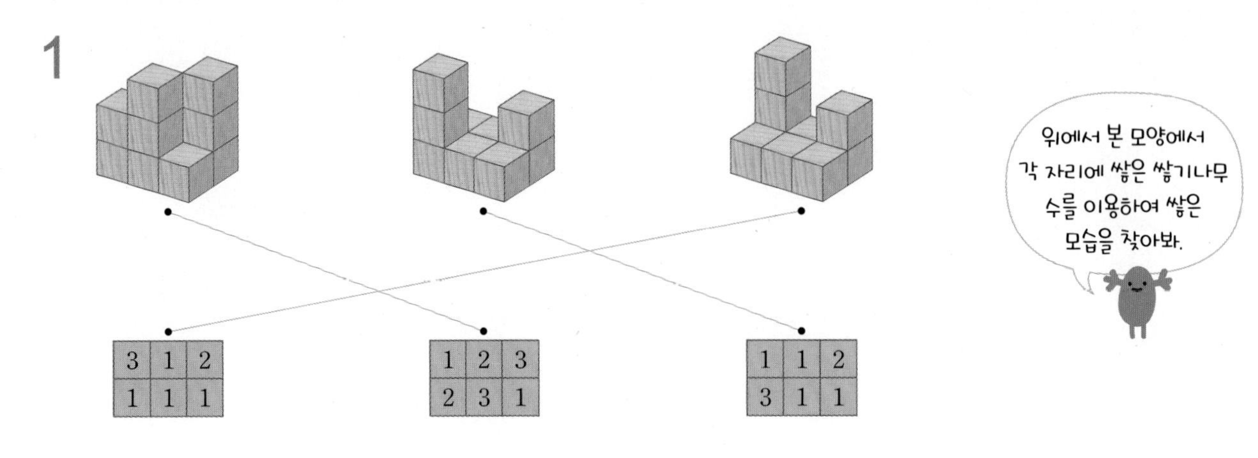

위에서 본 모양에서
각 자리에 쌓은 쌓기나무
수를 이용하여 쌓은
모습을 찾아봐.
3 1 2
1 1 1
1 2 3
2 3 1
1 1 2
3 1 1

2

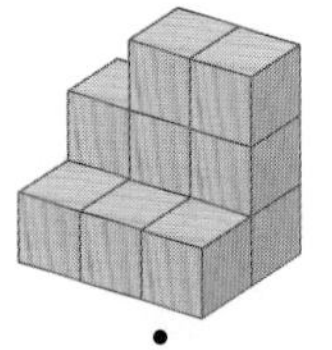

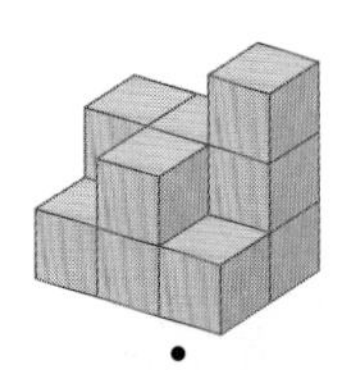

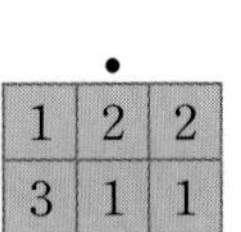

1	2	2
3	1	1

3	3	3
1	1	1

2	3	3
1	1	1

2	2	3
1	2	1

3

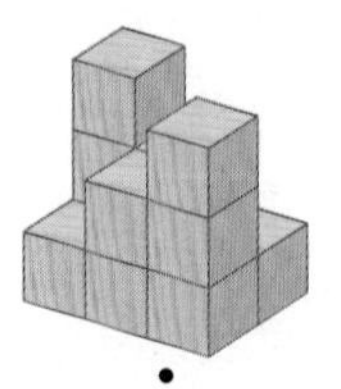

3	1	2
1	1	1

3	1	1
1	2	1

3	3	1
2	3	1

3	2	1
1	2	3

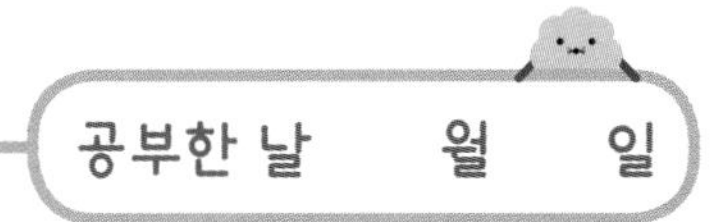

6 위에서 본 모양에 수를 써서 쌓기나무의 개수 구하기

✹ 쌓기나무로 쌓은 모양을 보고 위에서 본 모양에 수를 쓴 후 똑같은 모양으로 쌓는 데 필요한 쌓기나무의 개수를 구하시오.

1

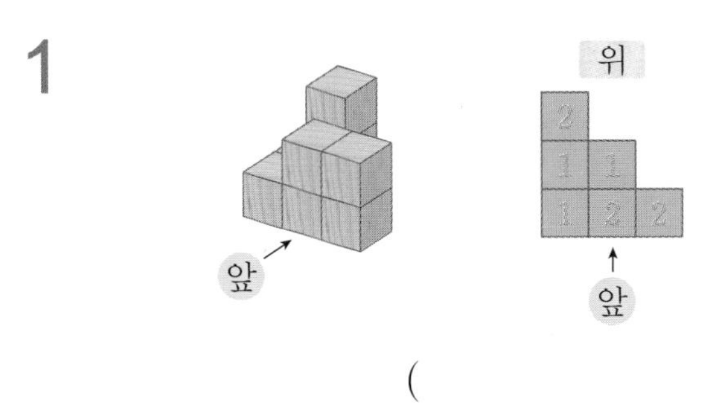

똑같은 모양으로 쌓는 데 필요한 쌓기나무의 개수는 위에서 본 모양에 쓰인 수를 모두 더한 것과 같아.

( )

2+1+1+1+2+2=9(개)

2

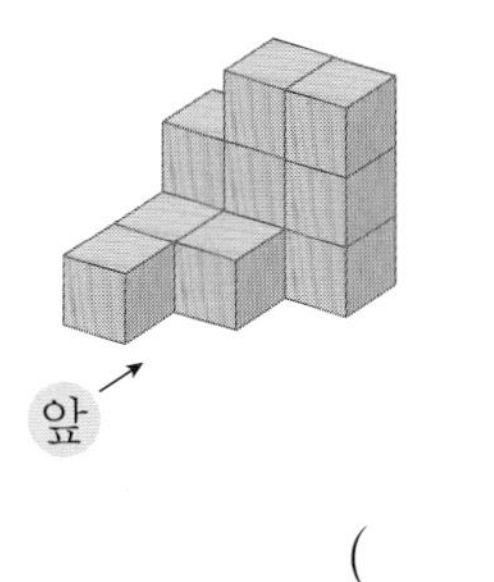
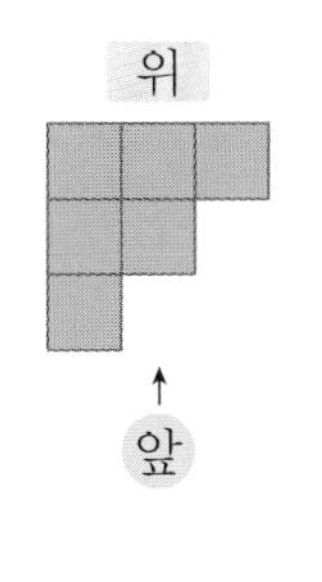

( )

5

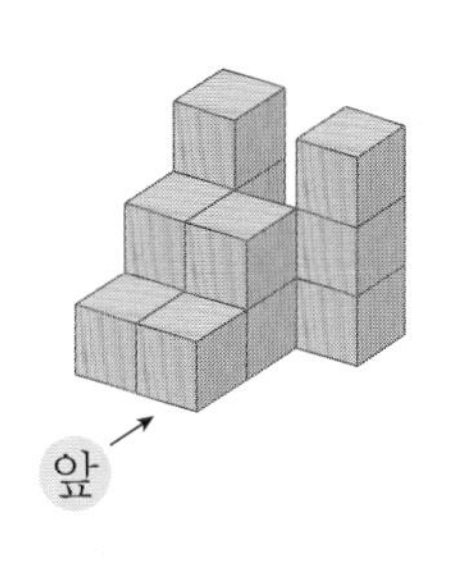
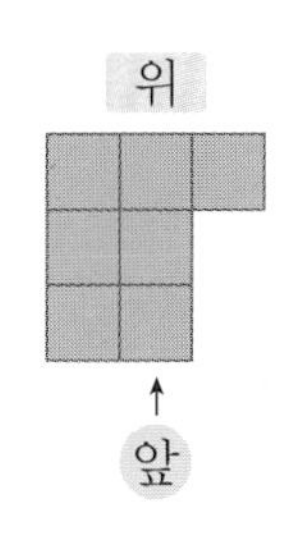

( )

3

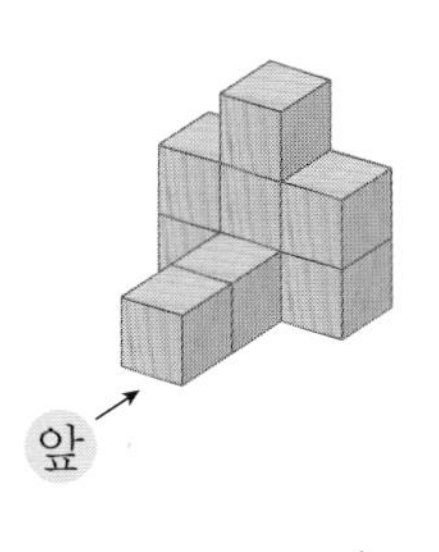

위

앞

( )

6

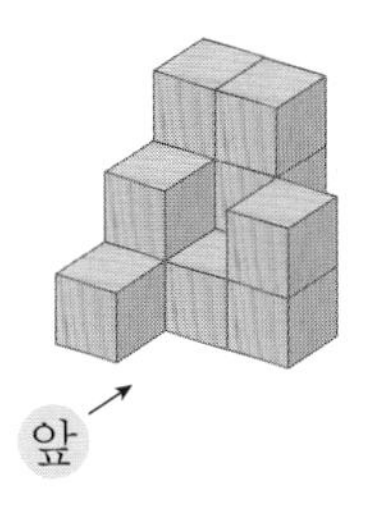
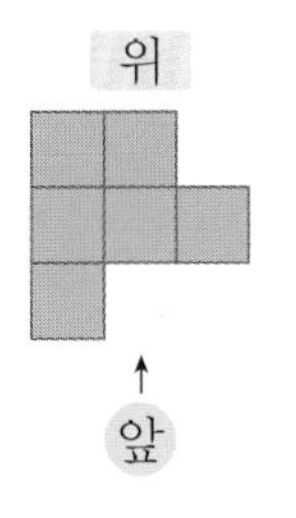

( )

4

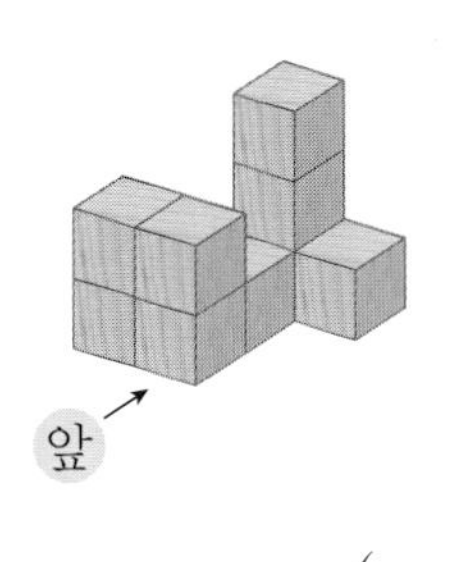

위

앞

( )

7

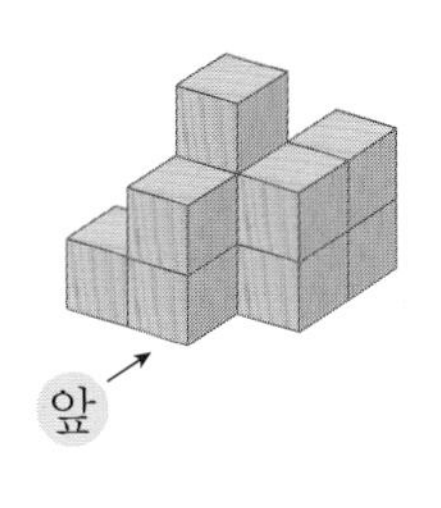
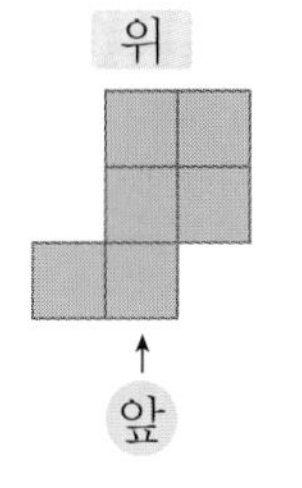

( )

3 공간과 입체

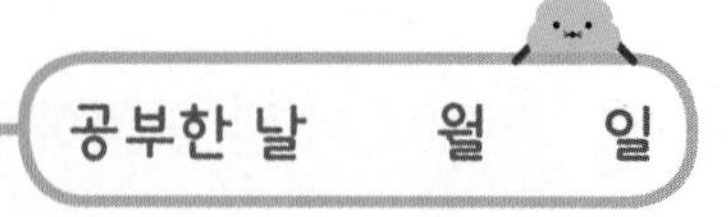

✸ 쌓기나무로 쌓은 모양을 보고 위에서 본 모양에 수를 썼습니다. 앞에서 본 모양을 그려 보시오.

1

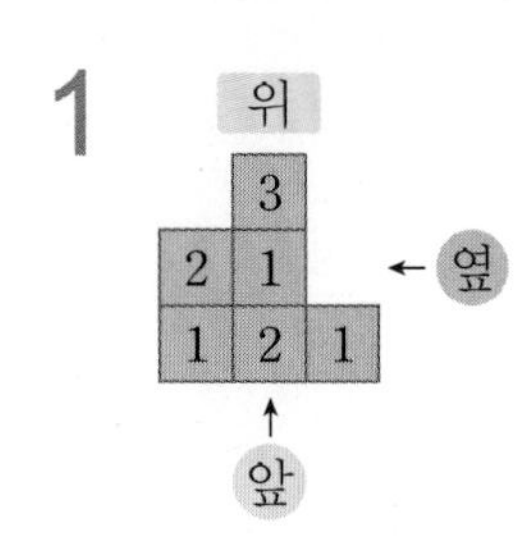

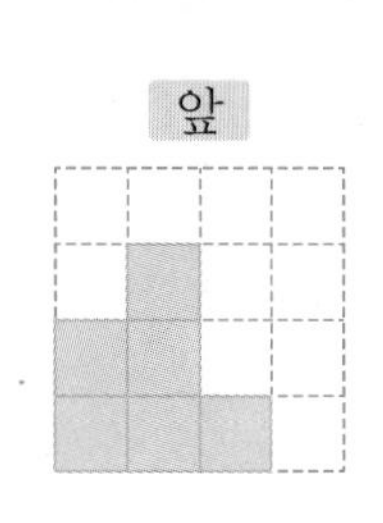

2

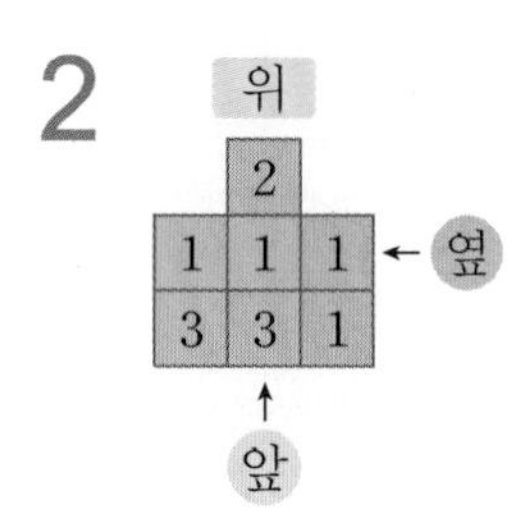

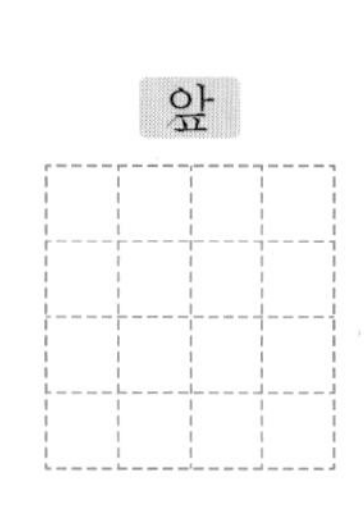

6

위

2	1	2
	1	
1	2	3

옆

앞

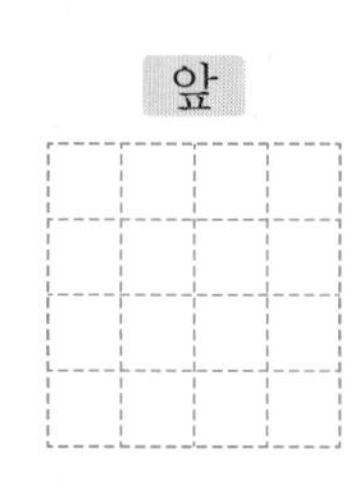

3

위

2	2	1
	1	3
	2	

옆

앞

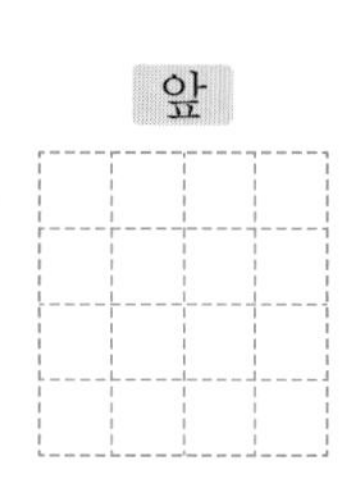

7

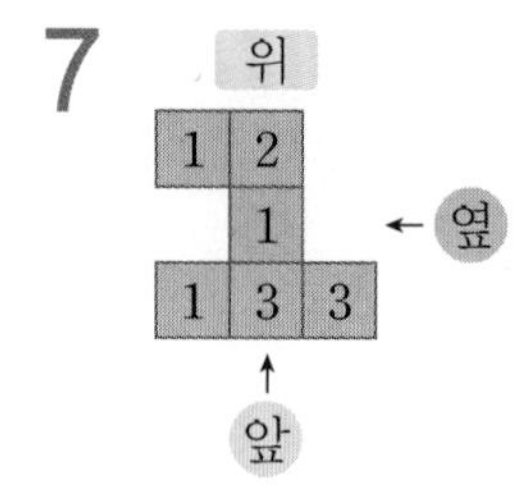

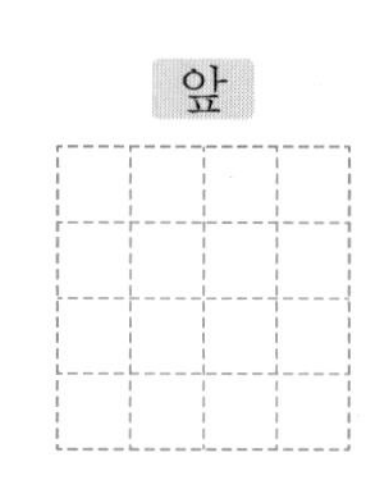

4

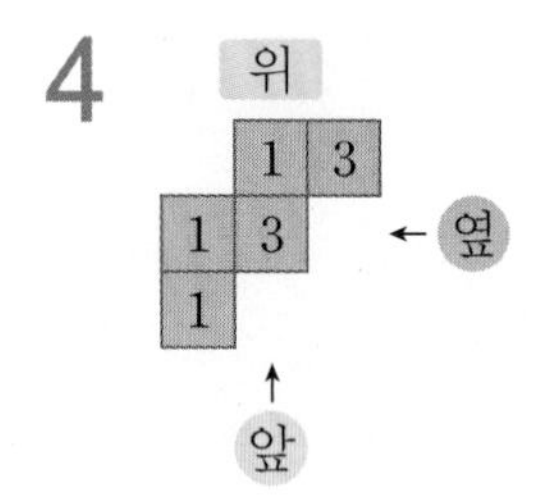

8

위

	2	3
3	1	
	1	3

옆

앞

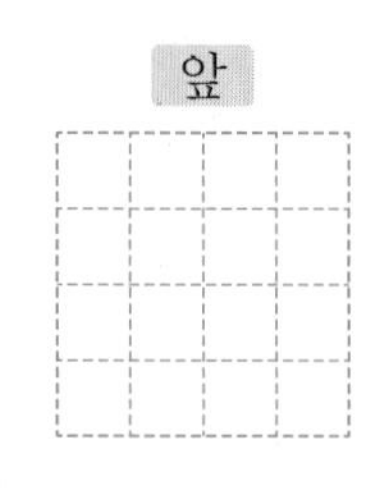

5

위

1		
2	3	
1	1	1

옆

앞

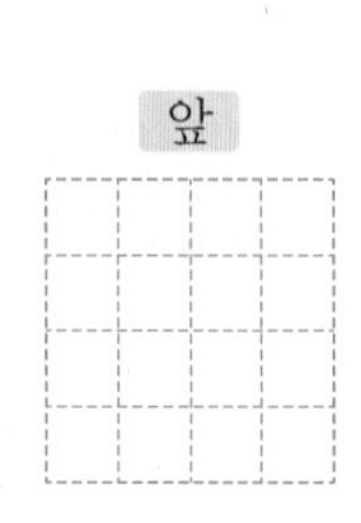

9

위

2	1	3
2	1	3
2	1	3

옆

앞

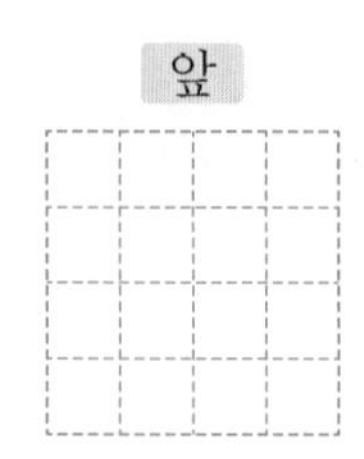

8 위에서 본 모양에 쓴 수를 보고 옆에서 본 모양 그리기

공부한 날 　　월 　　일

✹ 쌓기나무로 쌓은 모양을 보고 위에서 본 모양에 수를 썼습니다. 옆에서 본 모양을 그려 보시오.

1 위

	3	
1	2	1
2	1	1

← 옆 / ↑ 앞

옆

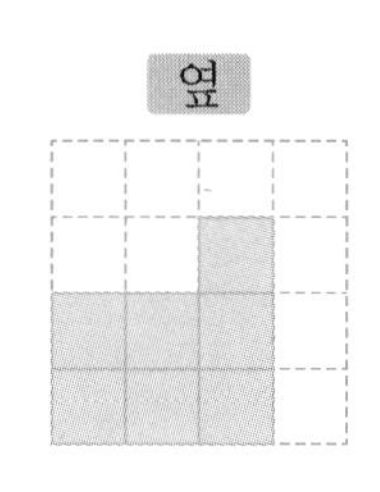

위에서 본 모양에 쓰인 수를 보고 각 줄에서 가장 큰 수만큼 그려 봐.

2 위

3		
1	2	
2	2	1

← 옆 / ↑ 앞

옆

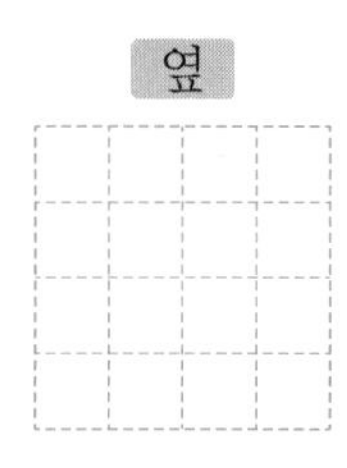

3 위

2		2
3	3	1
1		1

← 옆 / ↑ 앞

옆

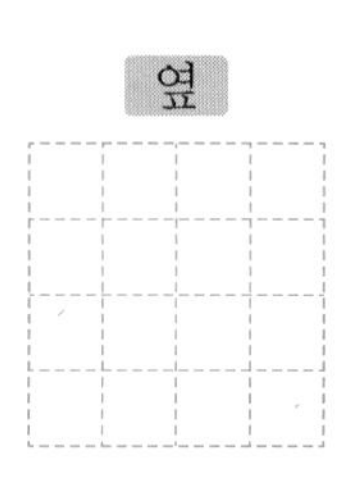

4 위

1	1	1
	3	
	1	

← 옆 / ↑ 앞

옆

5 위

3		
1		
2	1	1

← 옆 / ↑ 앞

옆

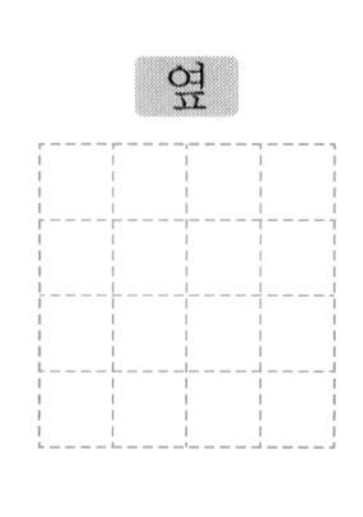

6 위

3		2
2		1
2	1	3

← 옆 / ↑ 앞

옆

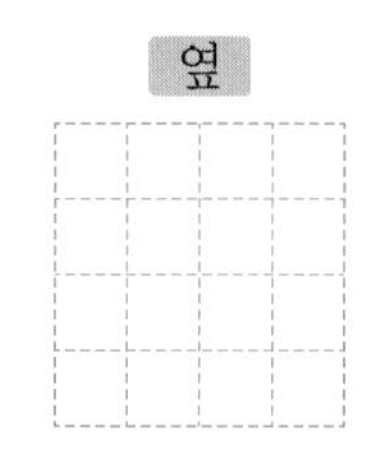

7 위

3	2	1
1		1
2		3

← 옆 / ↑ 앞

옆

8 위

1		1
1	1	1
1		3

← 옆 / ↑ 앞

옆

9 위

		3
1	1	1
		1

← 옆 / ↑ 앞

옆

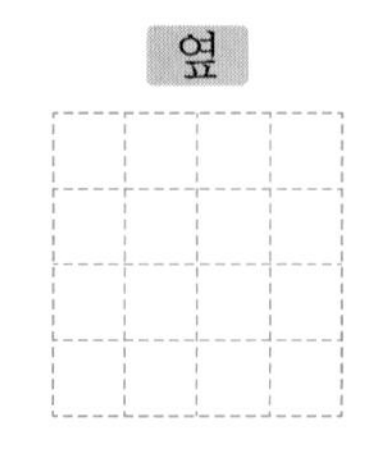

9 위, 앞, 옆에서 본 모양으로 쌓기나무의 개수 구하기

공부한 날 월 일

✹ 쌓기나무로 쌓은 모양을 위, 앞, 옆에서 본 모양입니다. 똑같은 모양으로 쌓는 데 필요한 쌓기나무의 개수를 구하시오.

1 위 앞 옆

㉠ ㉡ ㉢ ㉣

㉡, ㉣은 앞에서 본 모양, ㉠, ㉢은 옆에서 본 모양을 보면 알 수 있어.

㉠에 쌓인 쌓기나무 수 (2개)
㉡에 쌓인 쌓기나무 수 (1개)
㉢에 쌓인 쌓기나무 수 (3개)
㉣에 쌓인 쌓기나무 수 (1개)
⇨ 필요한 쌓기나무 수 (7개)

2 위 앞 옆

㉠ ㉡ ㉢ ㉣

㉠에 쌓인 쌓기나무 수 ( )
㉡에 쌓인 쌓기나무 수 ( )
㉢에 쌓인 쌓기나무 수 ( )
㉣에 쌓인 쌓기나무 수 ( )
⇨ 필요한 쌓기나무 수 ( )

3

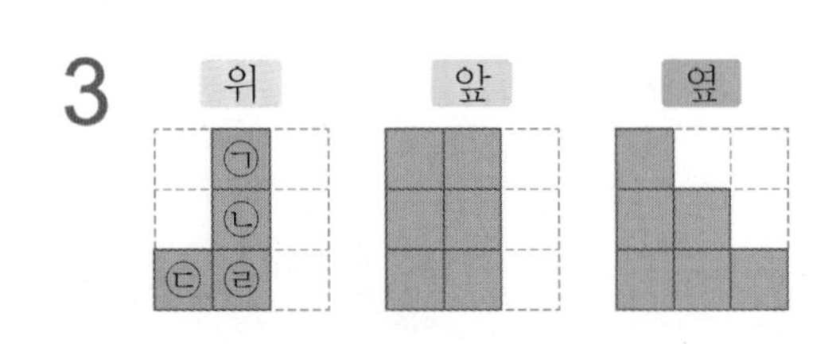

㉠에 쌓인 쌓기나무 수 ( )
㉡에 쌓인 쌓기나무 수 ( )
㉢에 쌓인 쌓기나무 수 ( )
㉣에 쌓인 쌓기나무 수 ( )
⇨ 필요한 쌓기나무 수 ( )

4 위 앞 옆

㉠ ㉡ ㉢ ㉣

㉠에 쌓인 쌓기나무 수 ( )
㉡에 쌓인 쌓기나무 수 ( )
㉢에 쌓인 쌓기나무 수 ( )
㉣에 쌓인 쌓기나무 수 ( )
⇨ 필요한 쌓기나무 수 ( )

10 위, 앞에서 본 모양으로 옆에서 본 모양 그리기

공부한 날 월 일

1 쌓기나무 7개로 쌓은 모양을 위와 앞에서 본 모양입니다. 옆에서 본 모양을 그려 보시오.

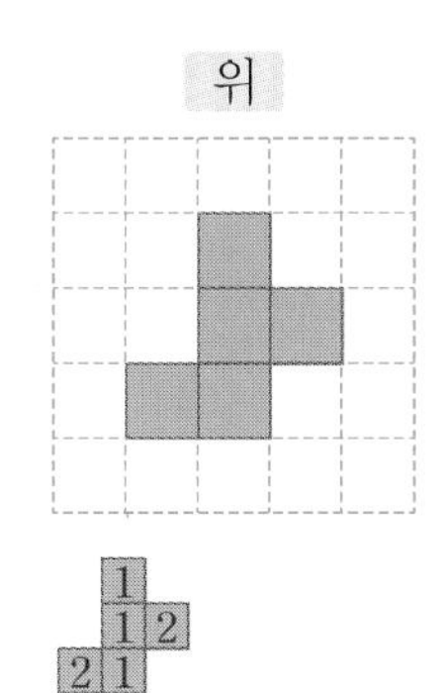

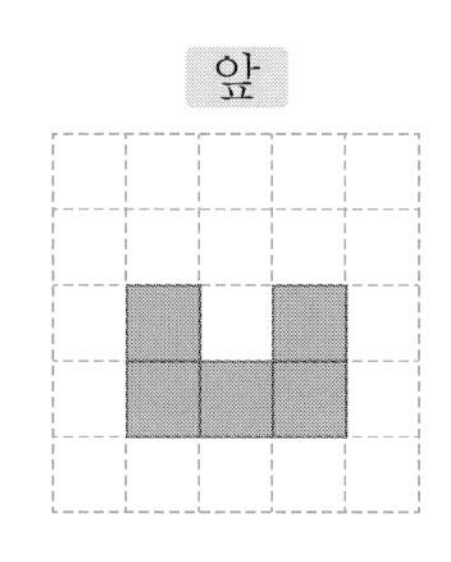

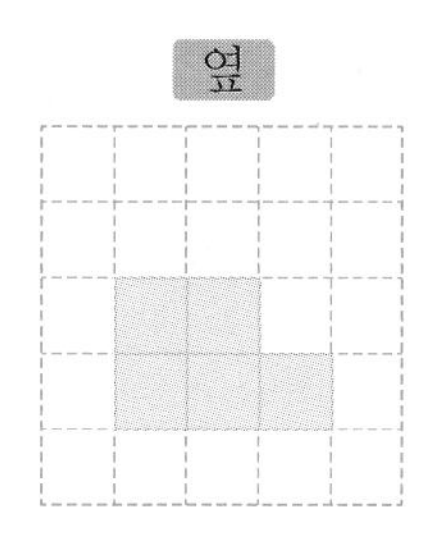

위에서 본 모양에 각 자리에 쌓은 쌓기나무의 개수를 써 봐.

2 쌓기나무 8개로 쌓은 모양을 위와 앞에서 본 모양입니다. 옆에서 본 모양을 그려 보시오.

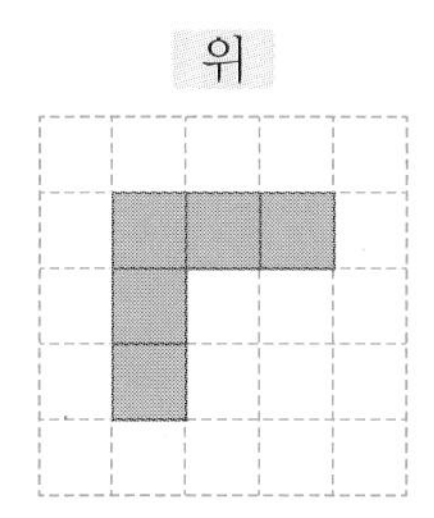

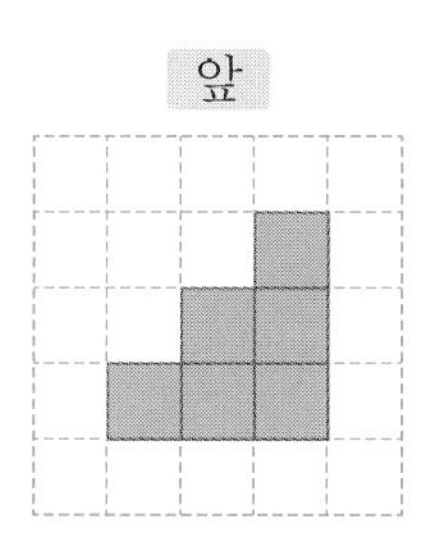

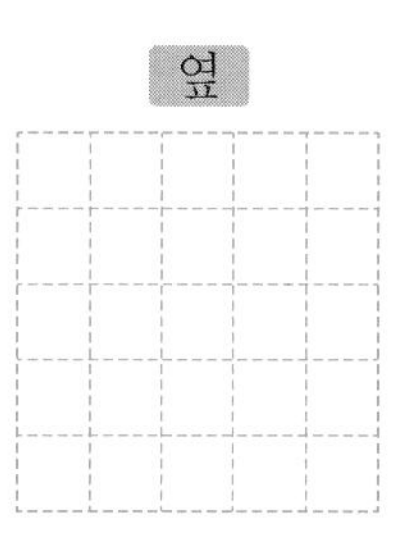

3 쌓기나무 9개로 쌓은 모양을 위와 앞에서 본 모양입니다. 옆에서 본 모양을 그려 보시오.

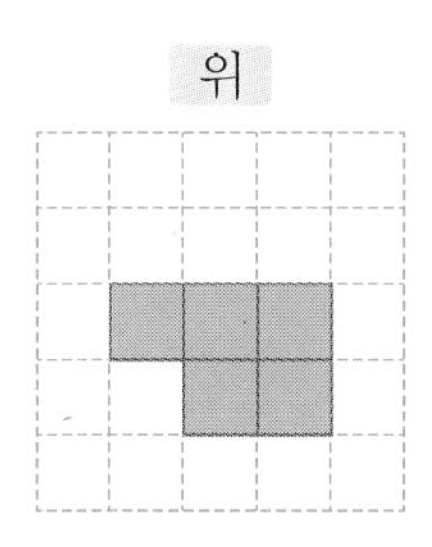

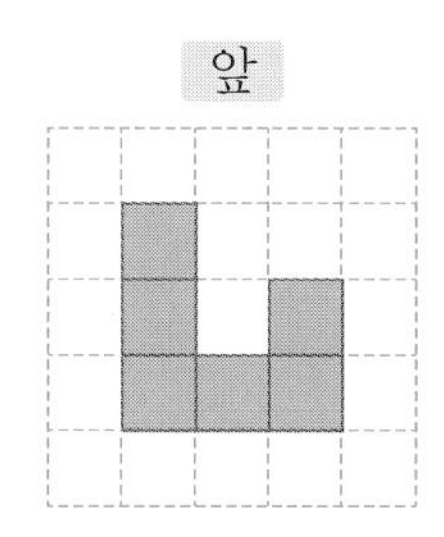

4 쌓기나무 11개로 쌓은 모양을 위와 앞에서 본 모양입니다. 옆에서 본 모양을 그려 보시오.

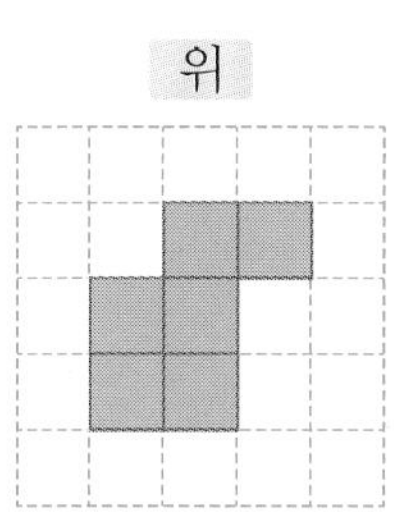

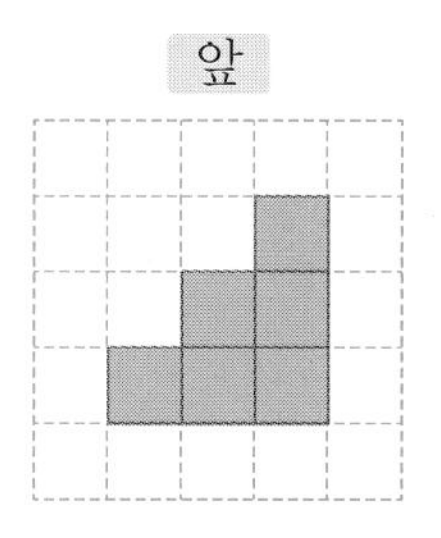

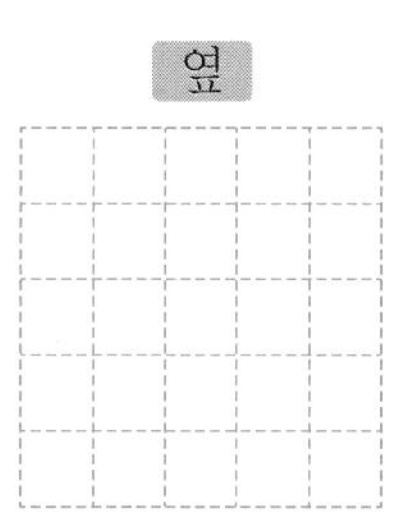

11 층별 모양 그리기

✱ 쌓기나무로 쌓은 모양을 보고 1층과 2층 모양을 각각 그려 보시오. [1~5]

1
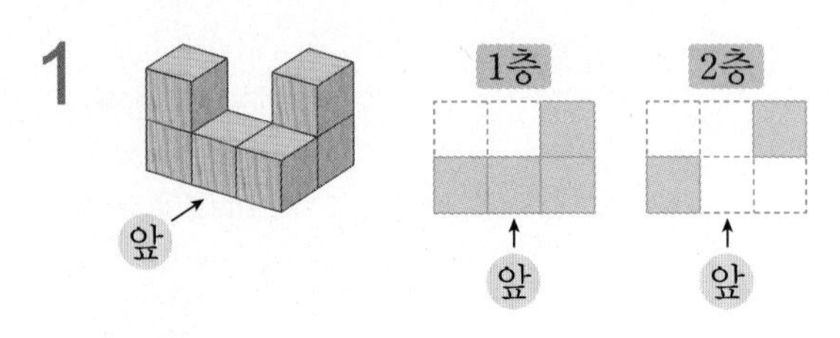

2
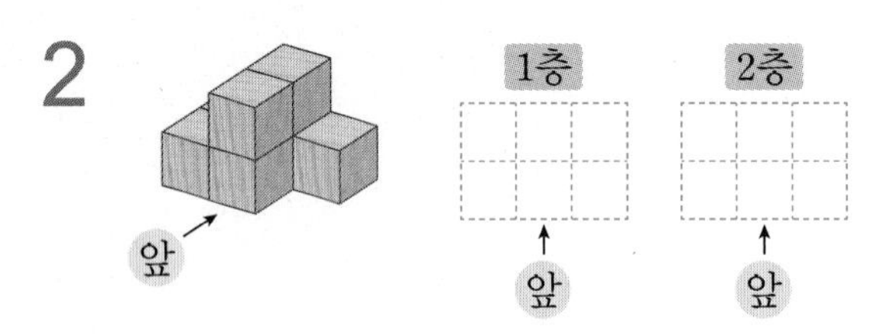

4
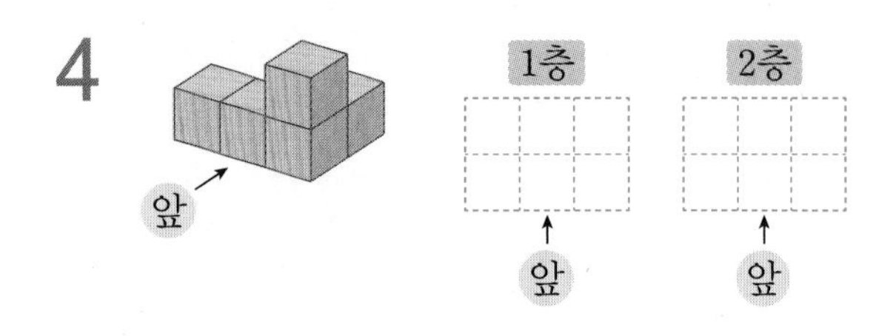

3
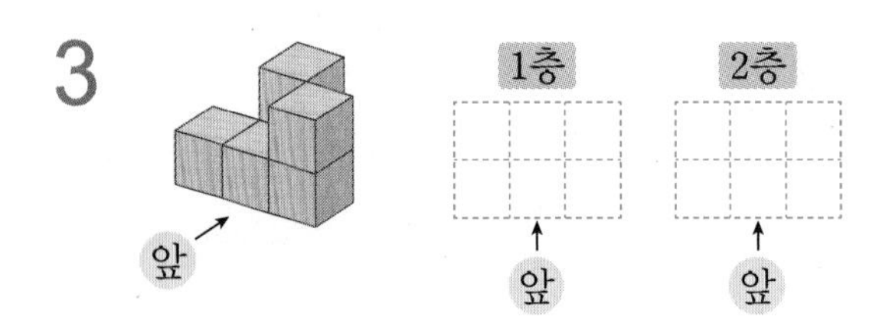

5
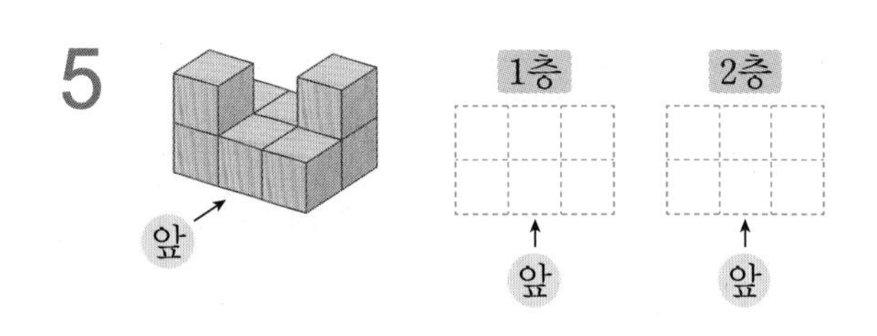

✱ 쌓기나무로 쌓은 모양과 1층 모양을 보고 2층과 3층 모양을 각각 그려 보시오. [6~9]

6
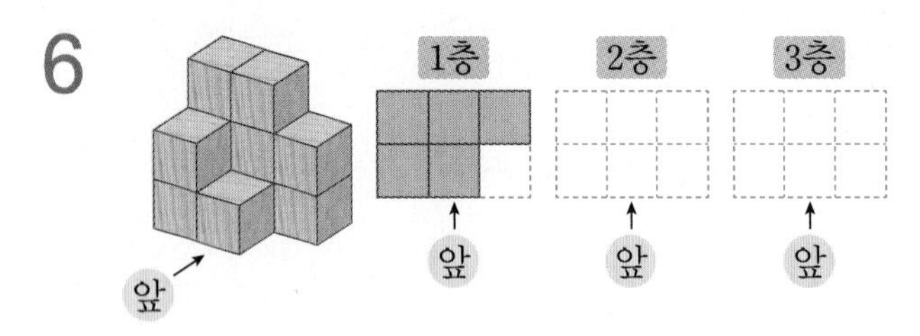

8
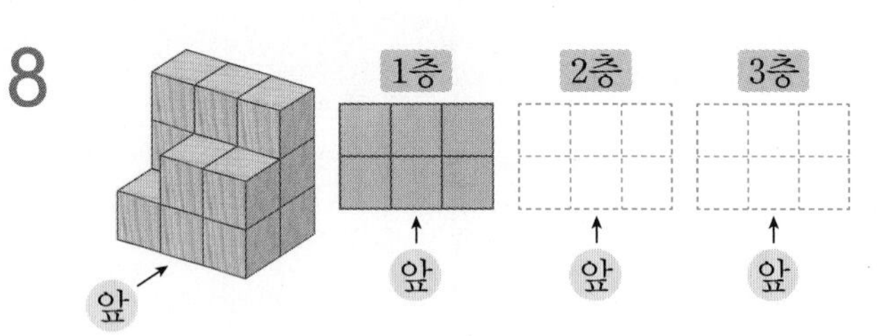

7
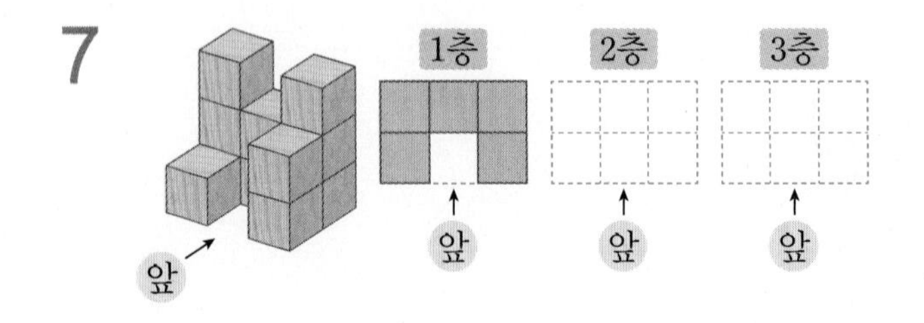

9
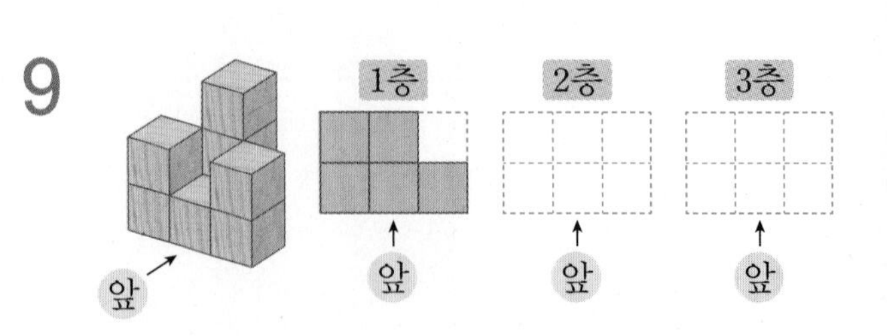

12 층별 모양에 맞는 쌓기나무 모양 찾기

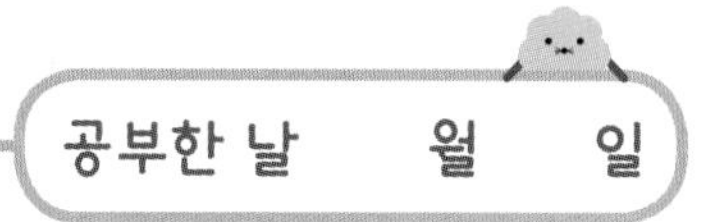

✹ 쌓기나무로 쌓은 모양을 층별로 나타낸 모양을 보고 쌓은 모양을 찾아 ○표 하시오.

1

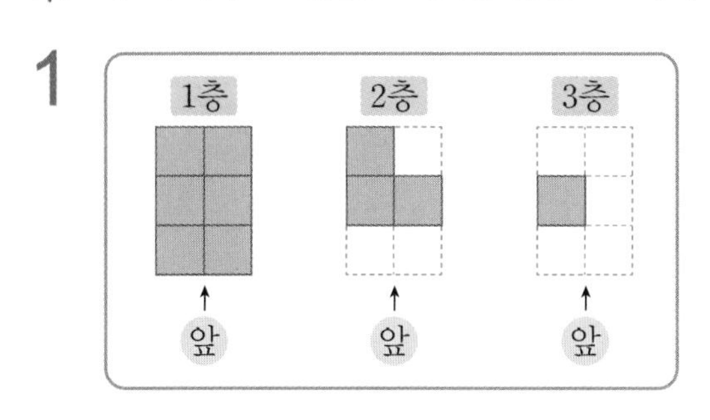

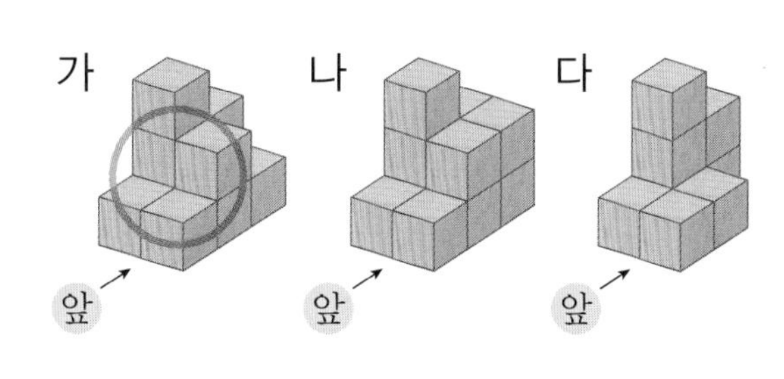

각 층에 사용된 쌓기나무의 개수는 층별로 나타낸 모양에서 색칠된 자리 수와 같아.

2

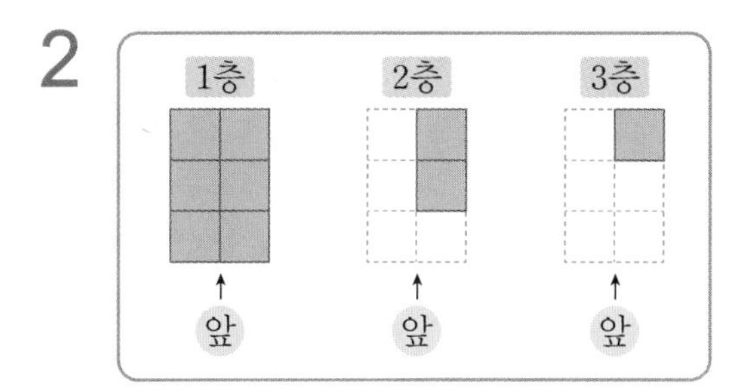

가 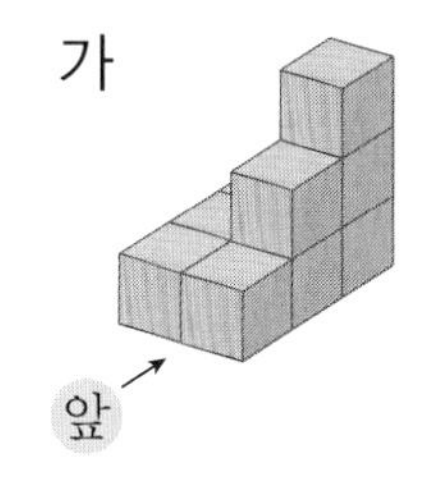

나 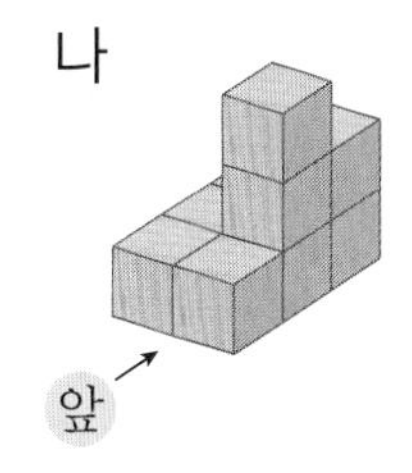

다 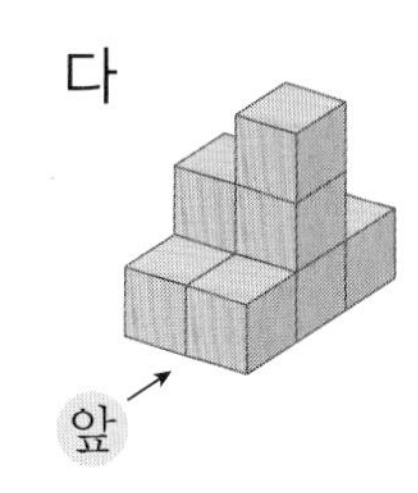

3

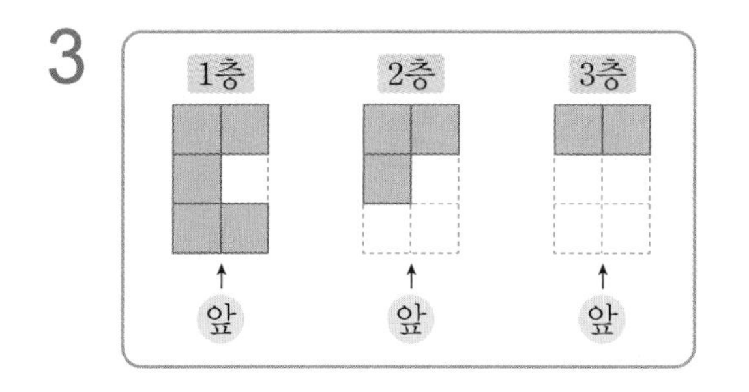

가 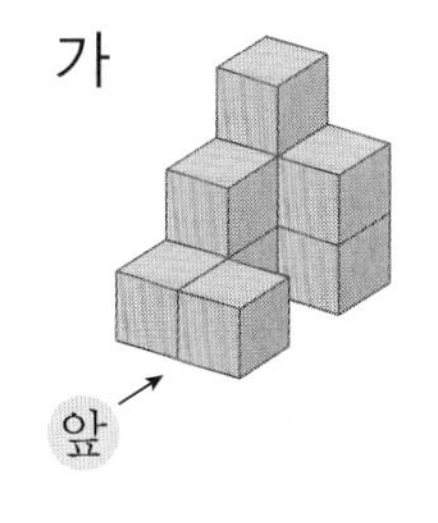

나 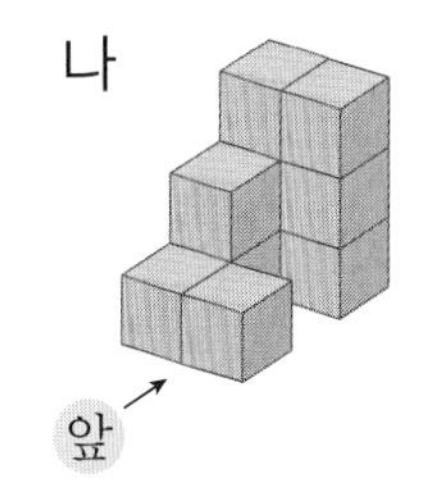

다 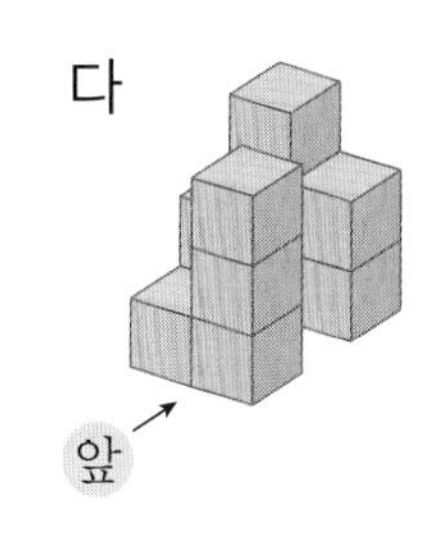

4

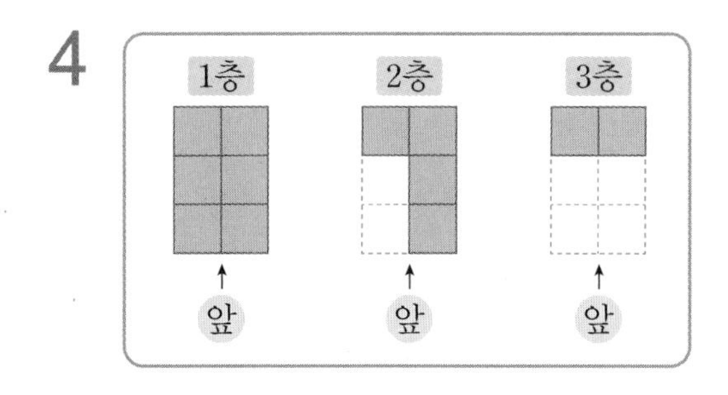

가 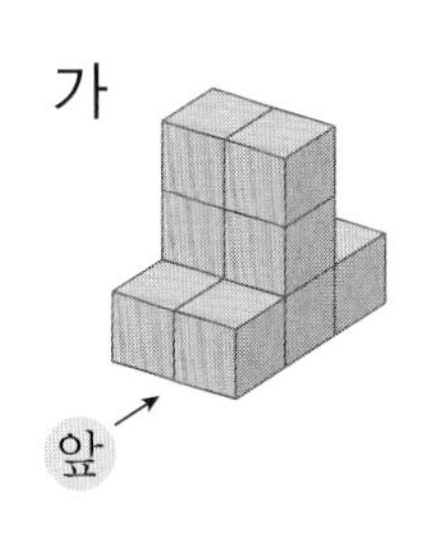

나 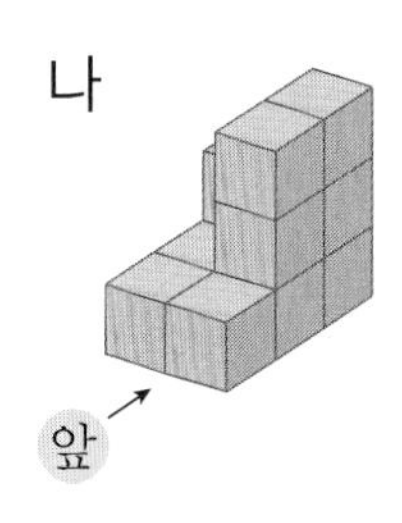

다 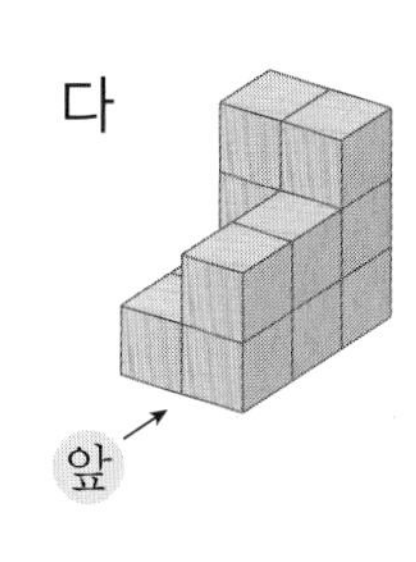

5

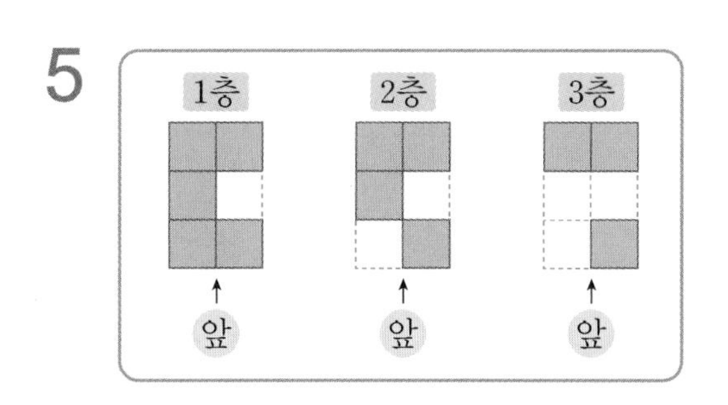

가 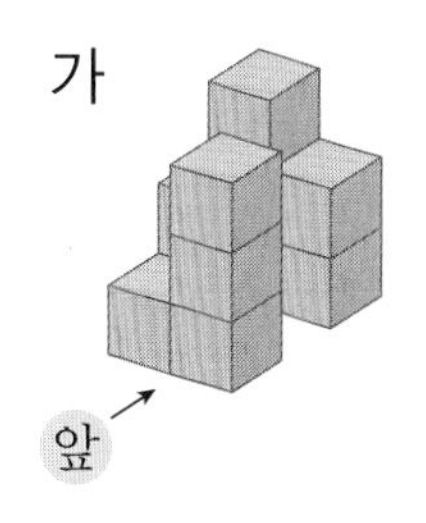

나 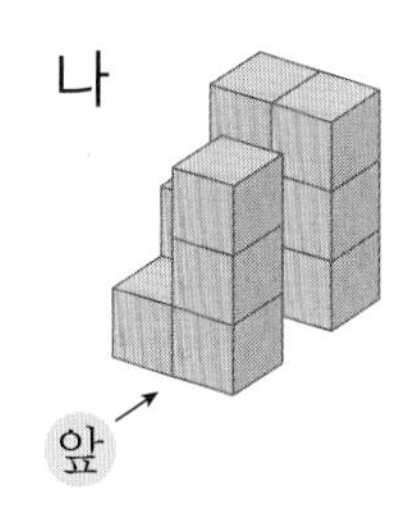

다 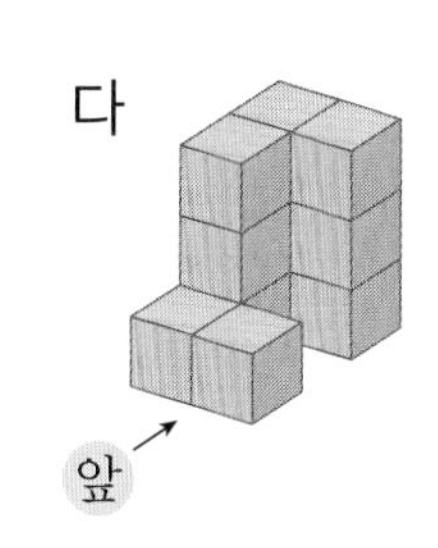

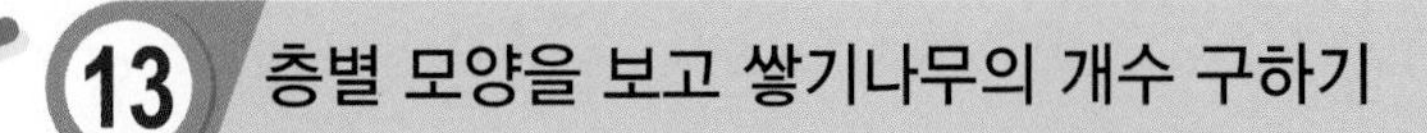

13 층별 모양을 보고 쌓기나무의 개수 구하기

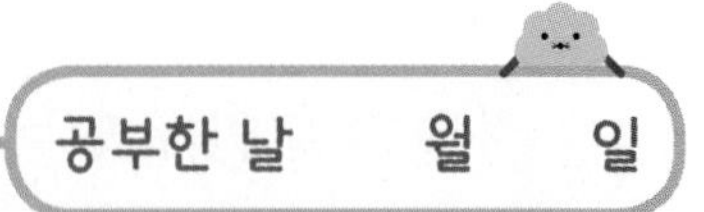

공부한 날 월 일

✸ 층별로 나타낸 모양을 보고 똑같은 모양으로 쌓는 데 필요한 쌓기나무의 개수를 구하시오.

1 1층 2층 3층

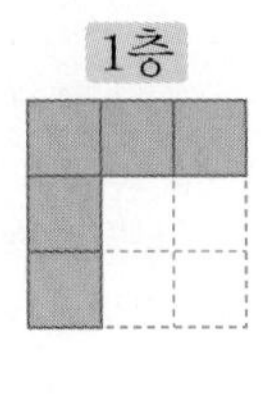
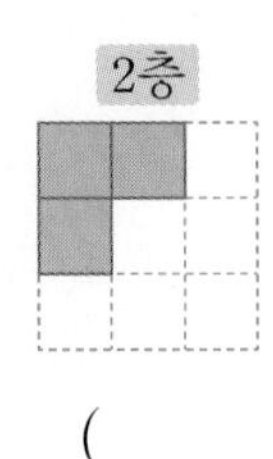
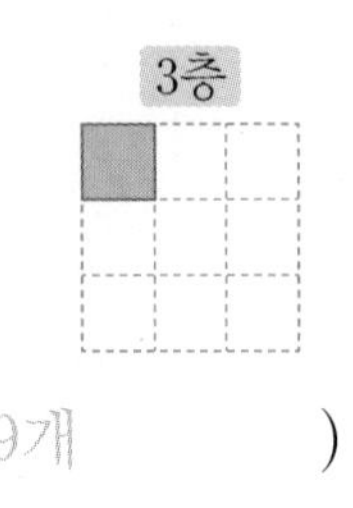

(9개)

각 층별로 쌓은 쌓기나무의 개수를 더해 봐.

1층: 5개, 2층: 3개, 3층: 1개
⇨ $5+3+1=9$(개)

2 1층 2층 3층

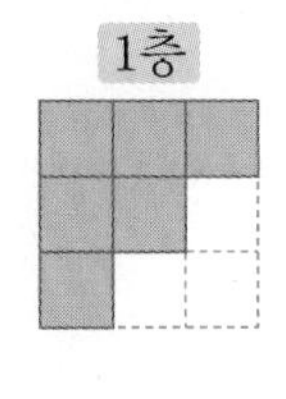
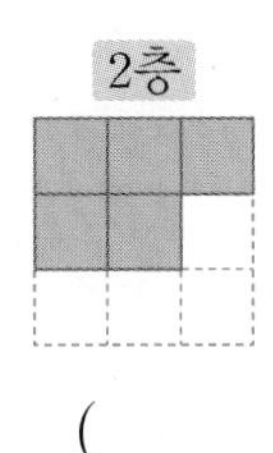
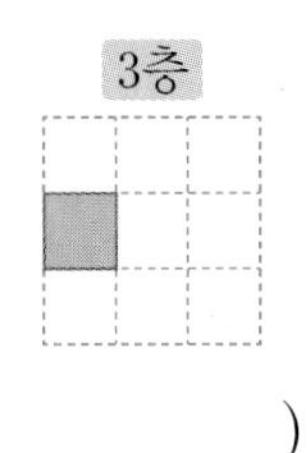

( )

3 1층 2층 3층

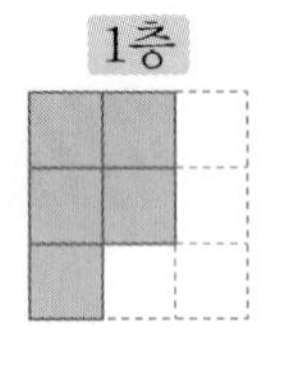
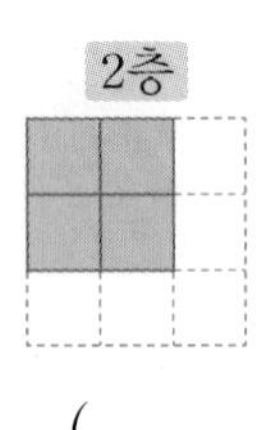
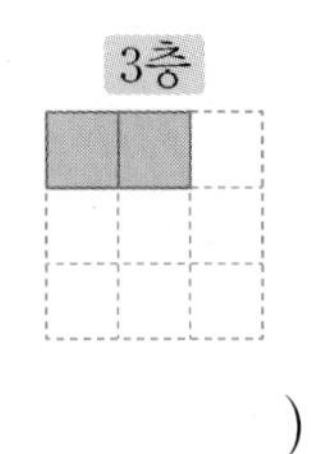

( )

4 1층 2층 3층

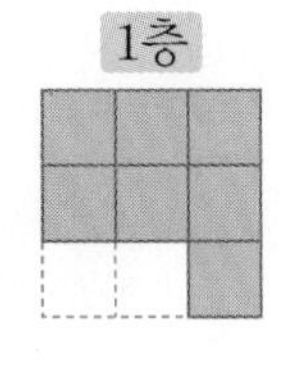
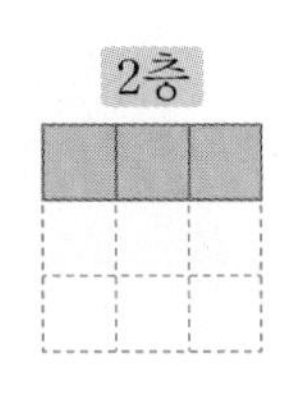
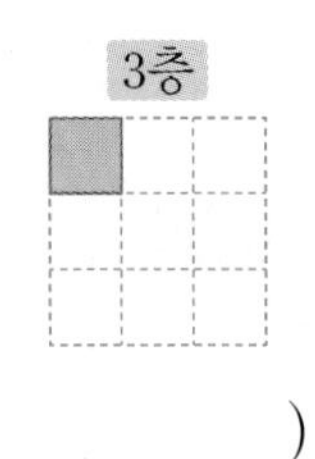

( )

5 1층 2층 3층

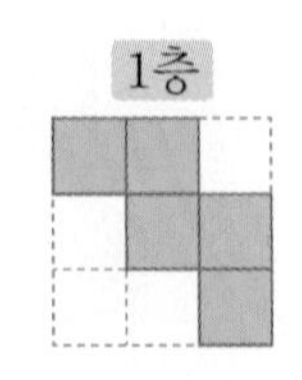
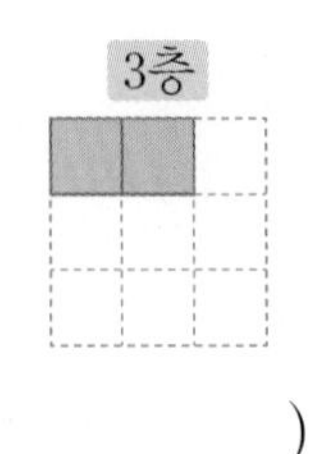

( )

6 1층 2층 3층

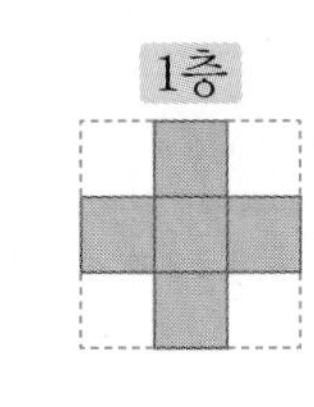
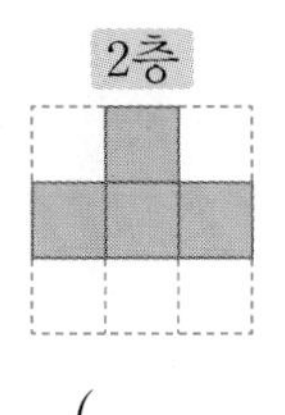
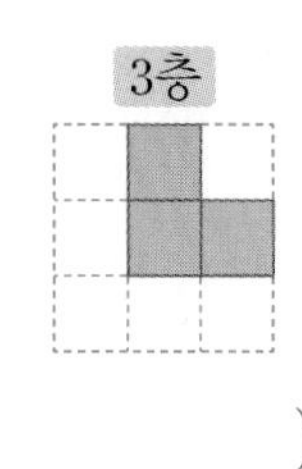

( )

7 1층 2층 3층

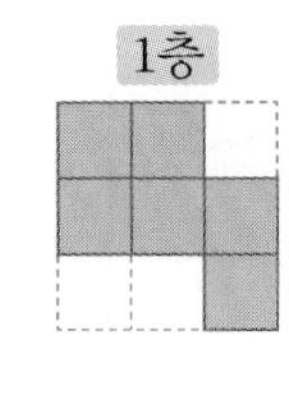
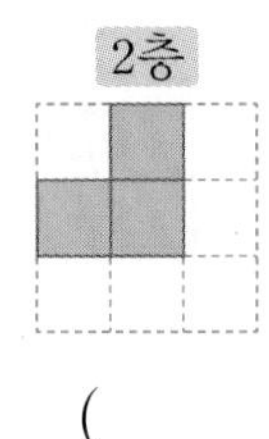

( )

8 1층 2층 3층

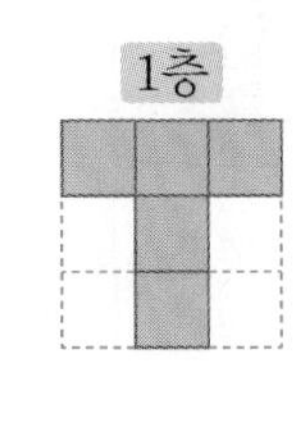
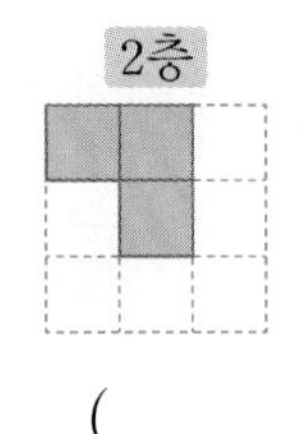
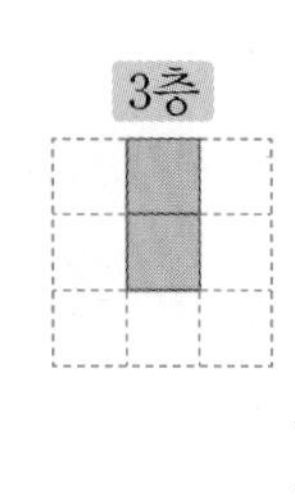

( )

9 1층 2층 3층

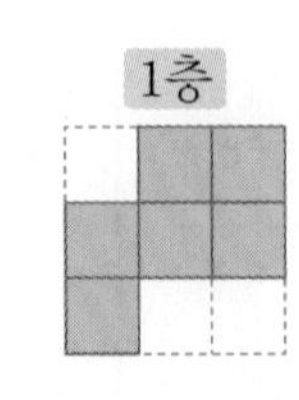
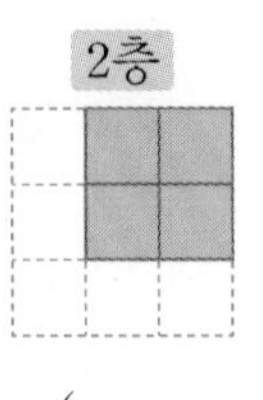

( )

14 층별 모양을 보고 위에서 본 모양에 수 쓰기

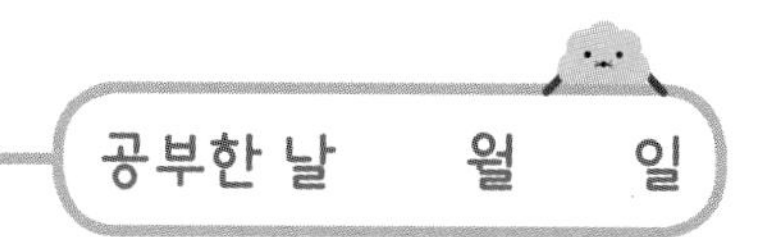

✹ 쌓기나무로 쌓은 모양을 층별로 나타낸 모양입니다. 위에서 본 모양을 그리고, 각 자리에 쌓은 쌓기나무의 개수를 써넣으시오.

1
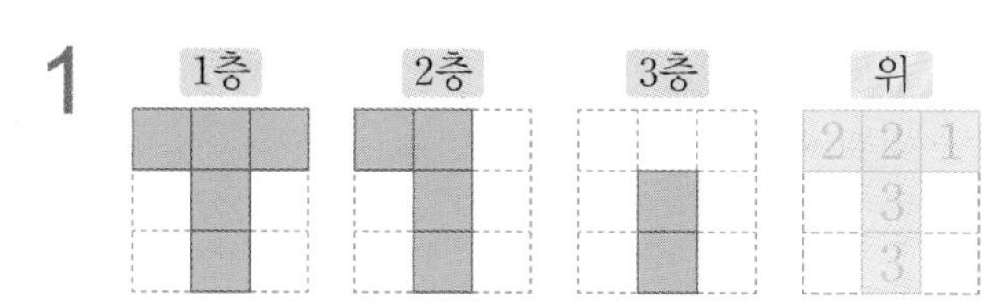

위에서 본 모양과
1층 모양은 서로 같아.

2
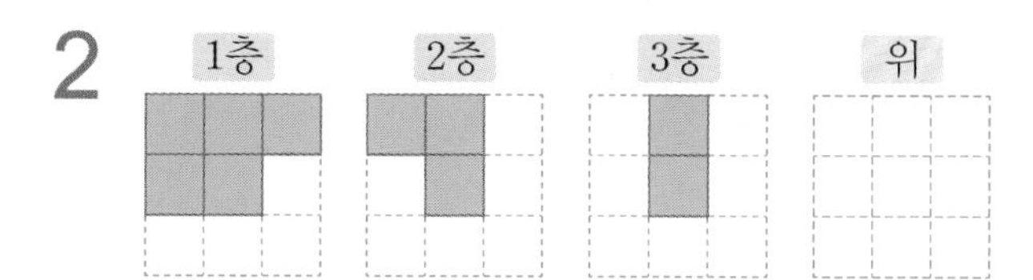

3
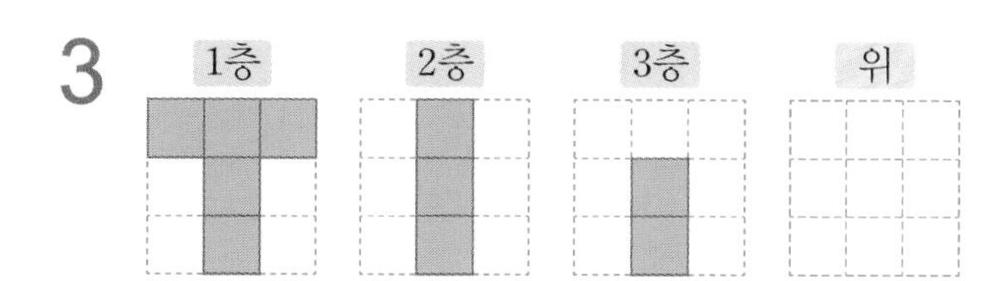

4
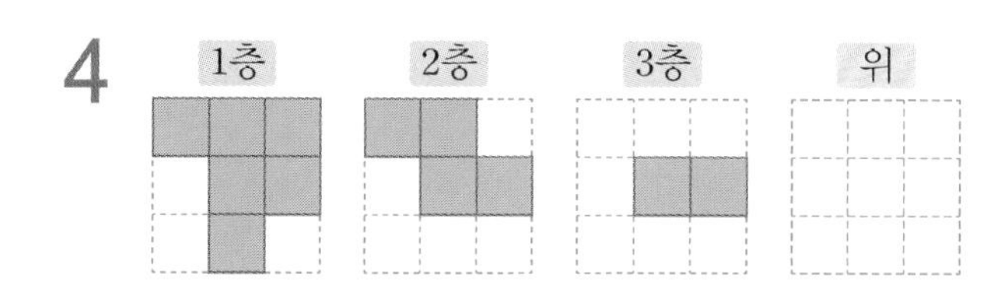

5
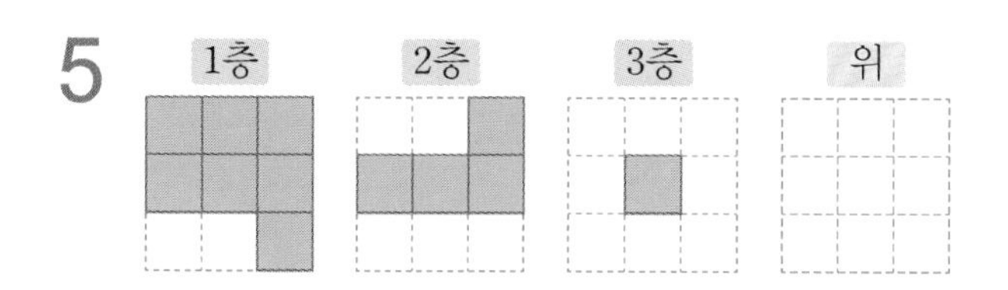

6
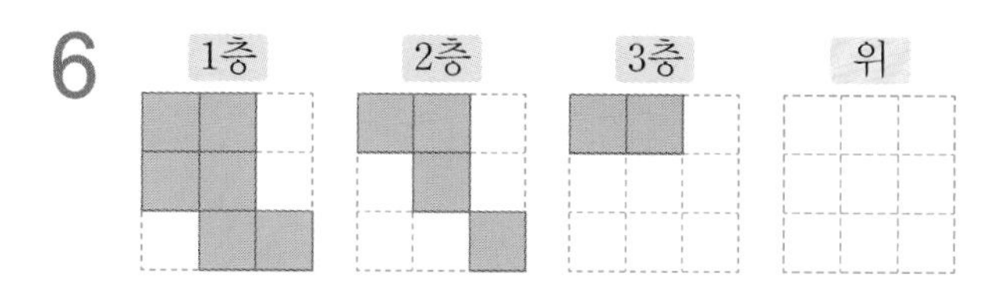

7
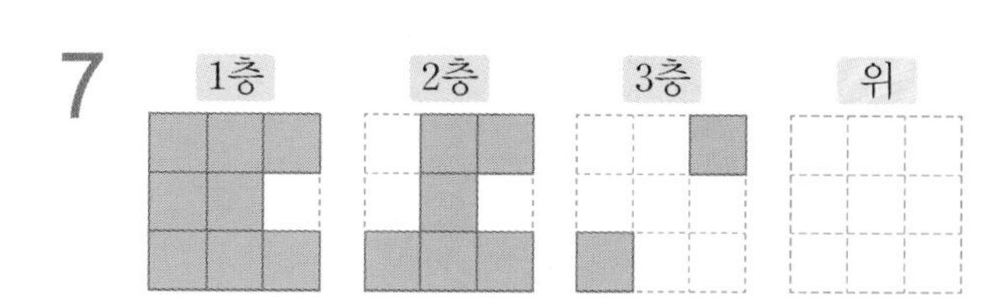

8
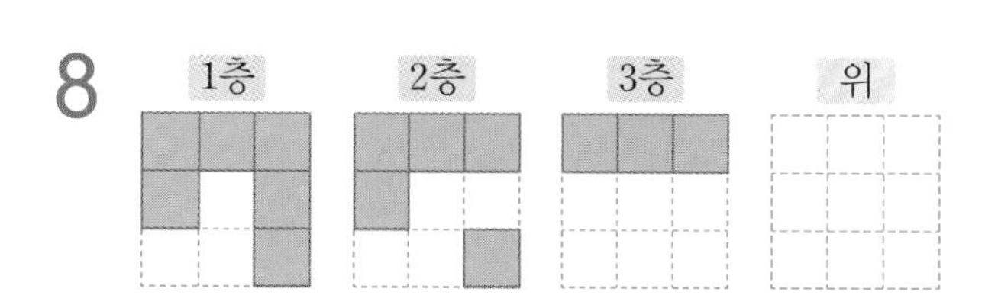

9
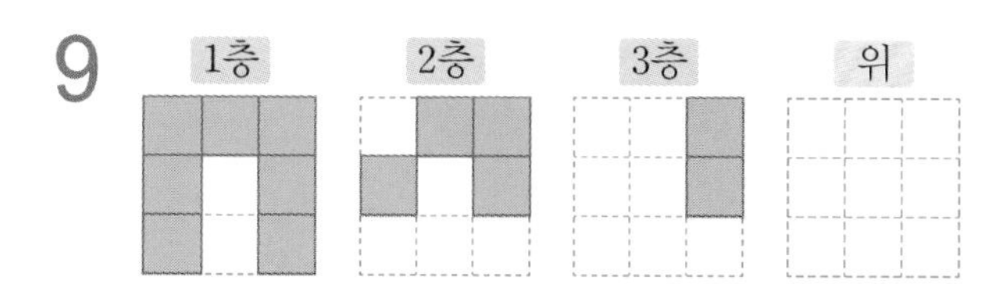

3 공간과 입체

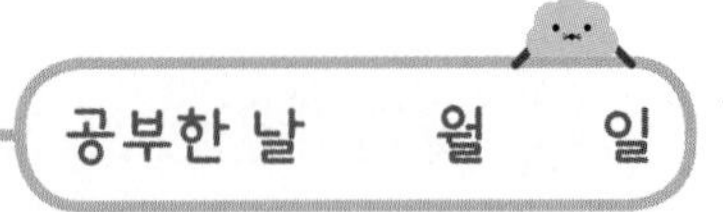

✸ 쌓기나무로 쌓은 모양을 층별로 나타낸 모양입니다. 앞에서 본 모양을 그려 보시오.

1

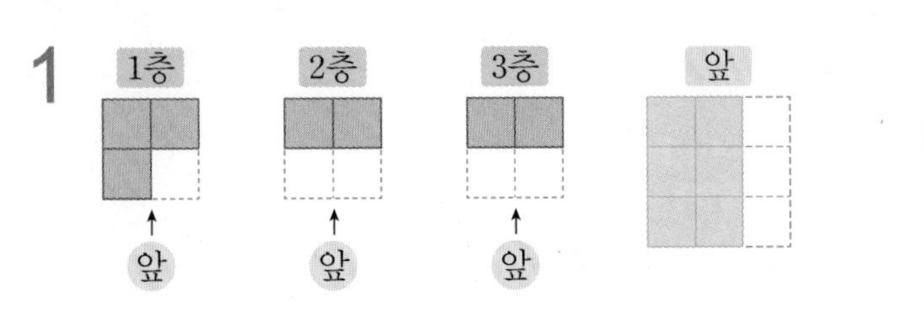

2

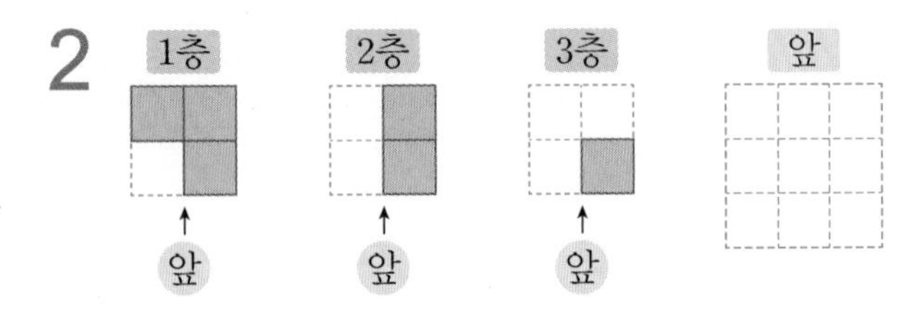

6

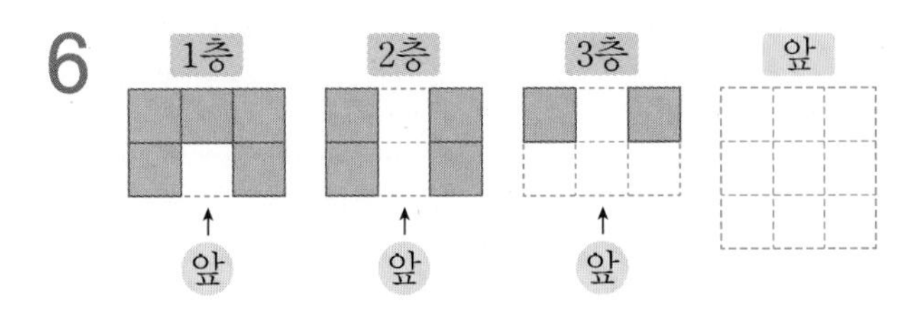

3

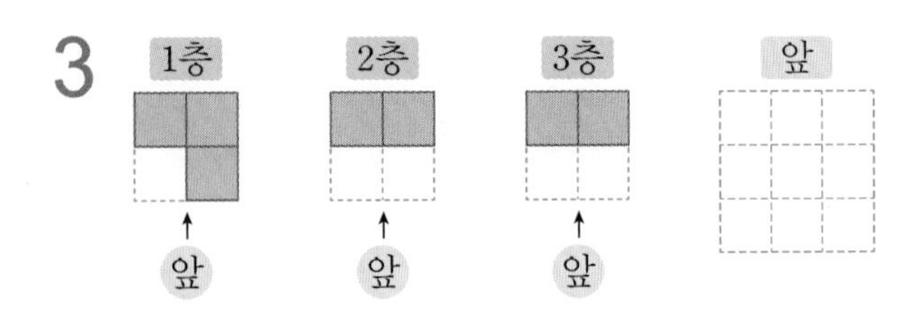

7

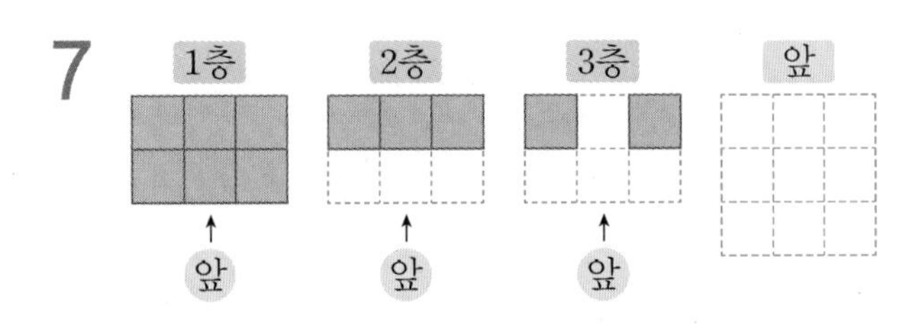

4

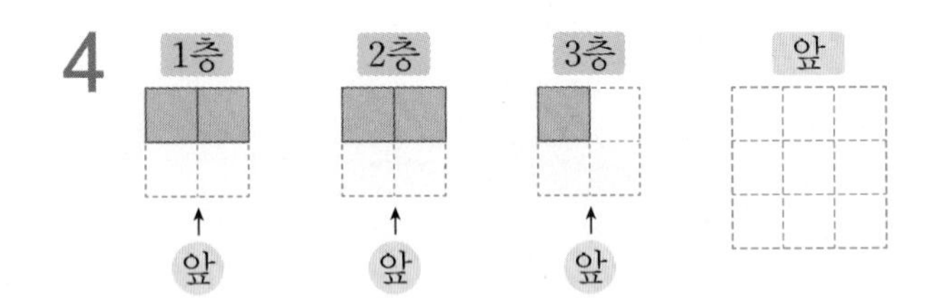

8

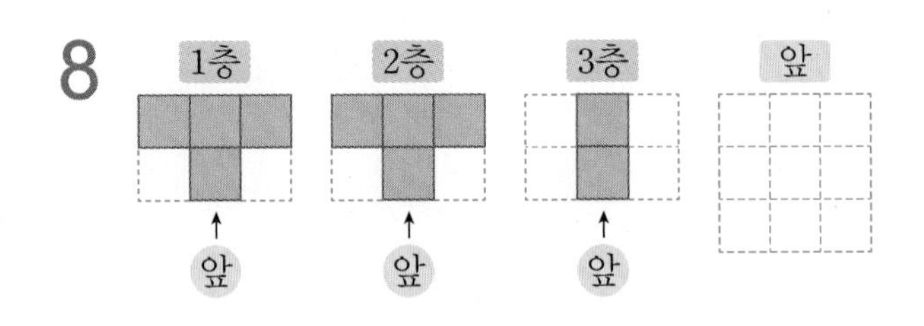

5

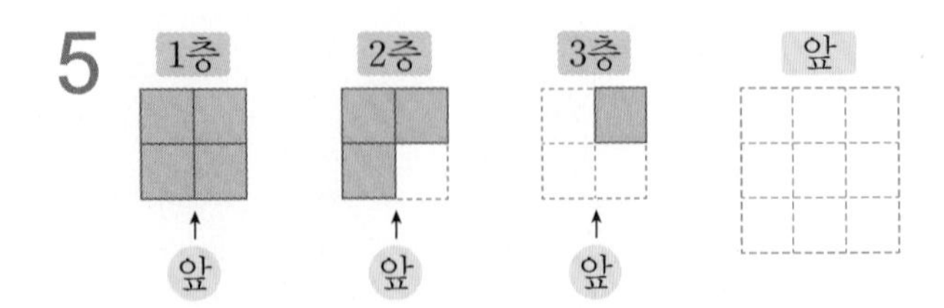

9

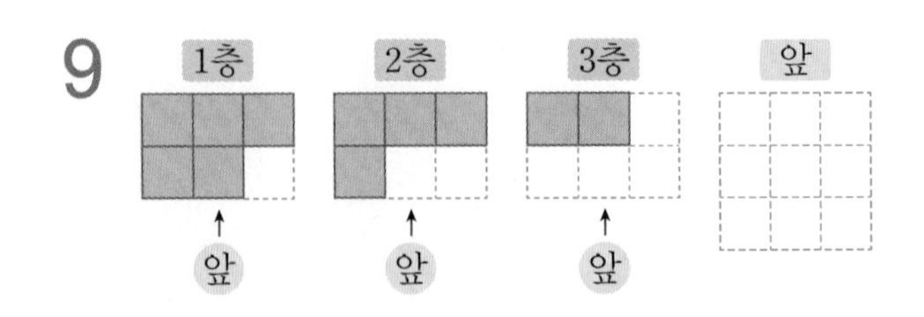

16 쌓기나무를 1개 더 붙여 만들 수 있는 모양 찾기

공부한 날 월 일

✹ 주어진 모양에 쌓기나무 1개를 붙여서 만들 수 있는 모양이 아닌 것의 기호를 쓰시오.

1 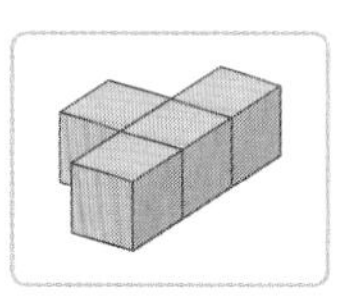

가 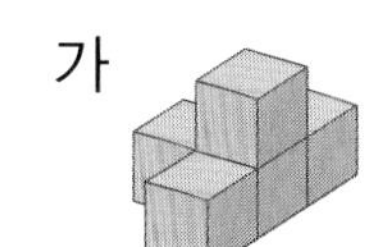

나 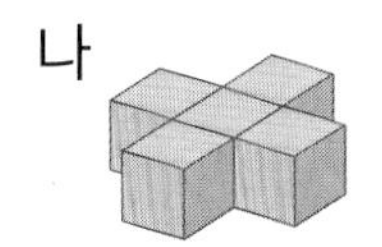

다 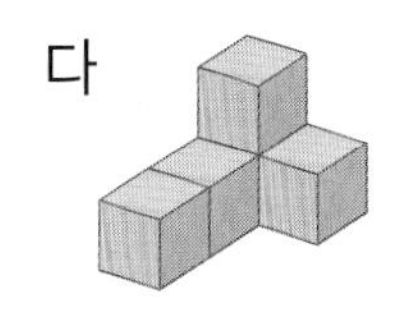

라 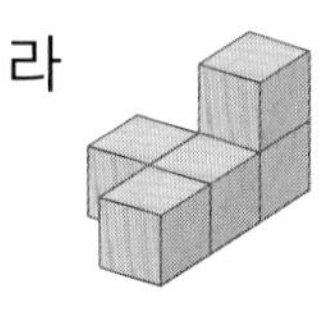

(다)

돌리거나 뒤집어서 같은 것은 같은 모양이야.

2 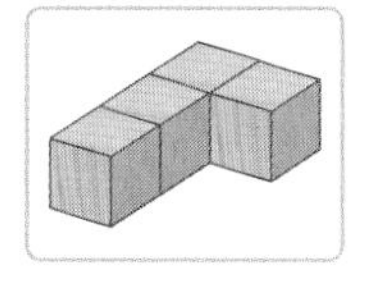

가 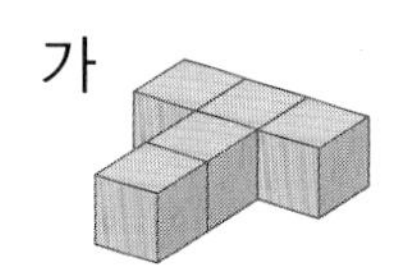

나 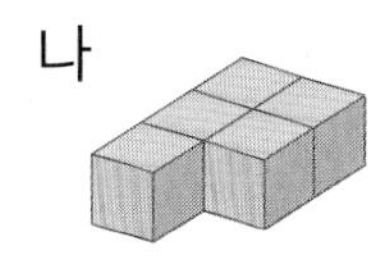

다 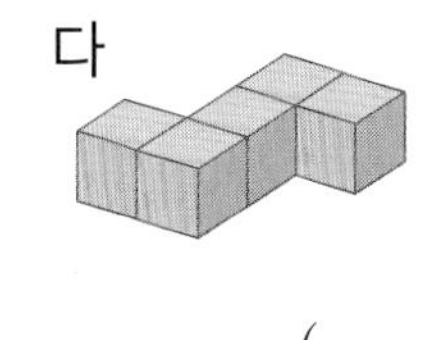

라 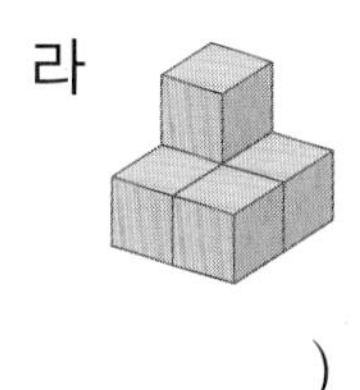

( )

3 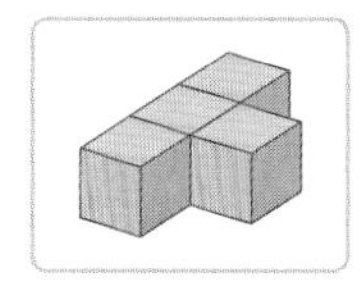

가

나 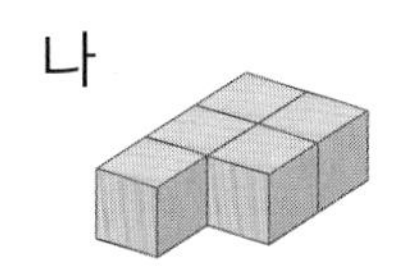

다

라 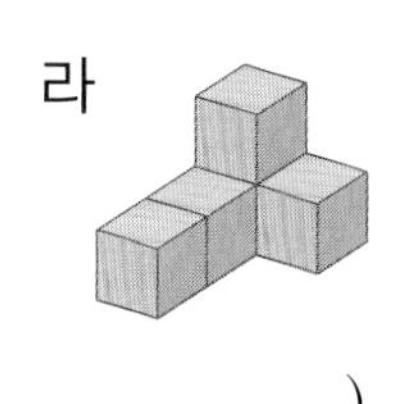

( )

4 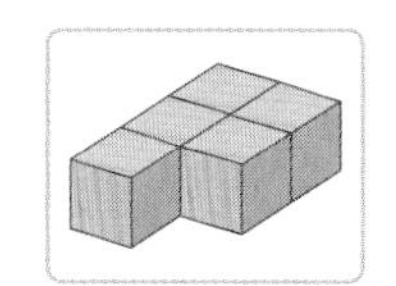

가

나 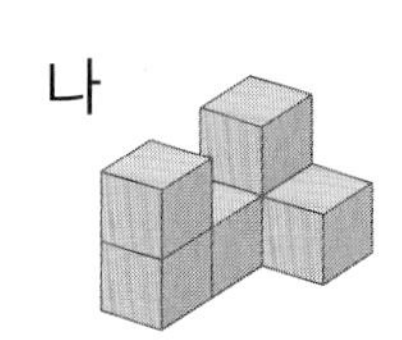

다

라 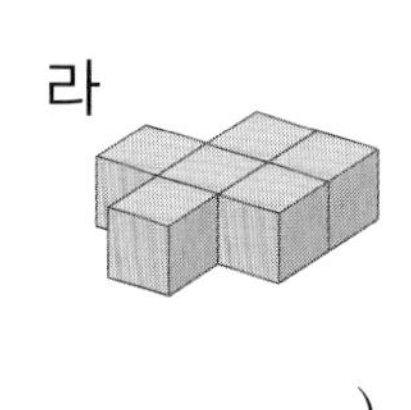

( )

5 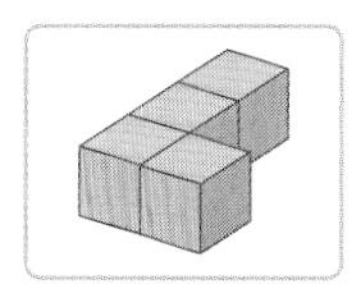

가

나 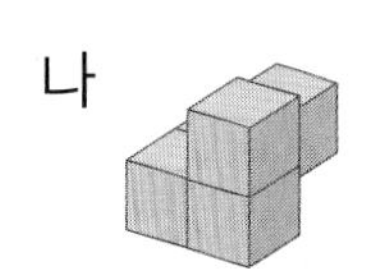

다

라 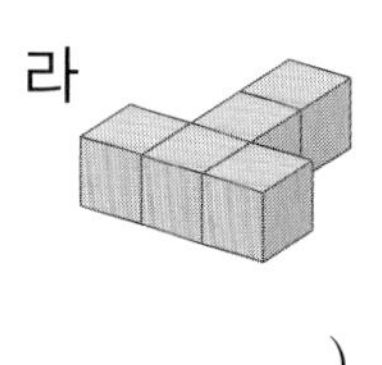

( )

3 공간과 입체

단원평가 3. 공간과 입체

1 주어진 모양과 똑같이 쌓는 데 필요한 쌓기나무의 개수를 구하시오.

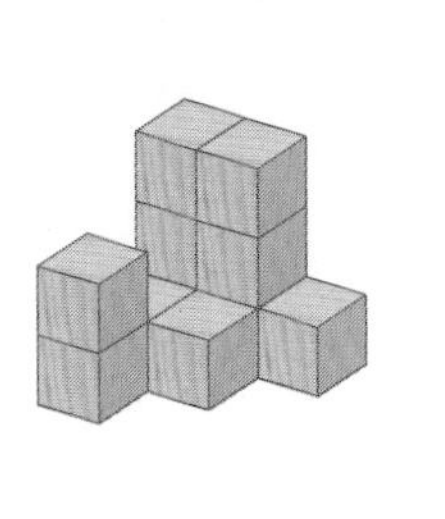
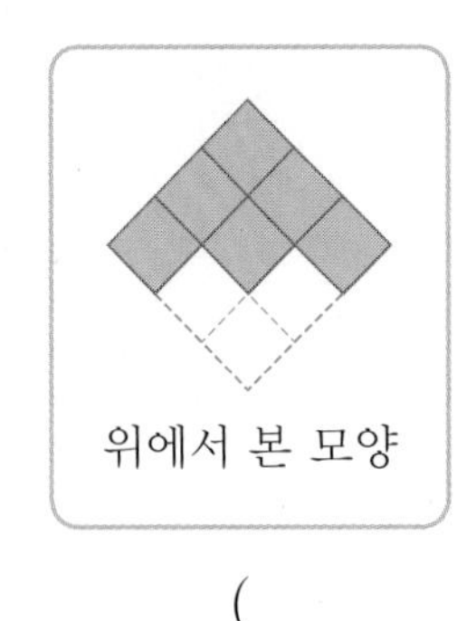

(　　　　　　　　　　)

• 층별 쌓기나무의 수를 세어 더해 봅니다.

2 쌓기나무로 쌓은 모양과 위에서 본 모양입니다. 앞과 옆에서 본 모양을 각각 그려 보시오.

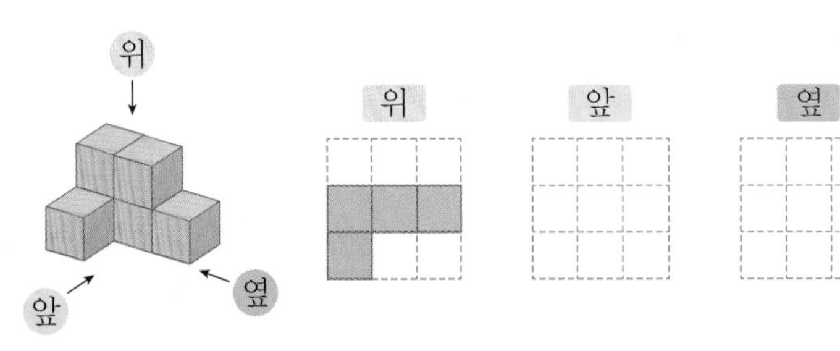

앞, 옆에서 보았을 때 각 줄에서 가장 높은 층만큼 그려야 해.

3 쌓기나무 8개로 쌓은 모양을 보고 위, 앞, 옆에서 본 모양을 각각 그려 보시오.

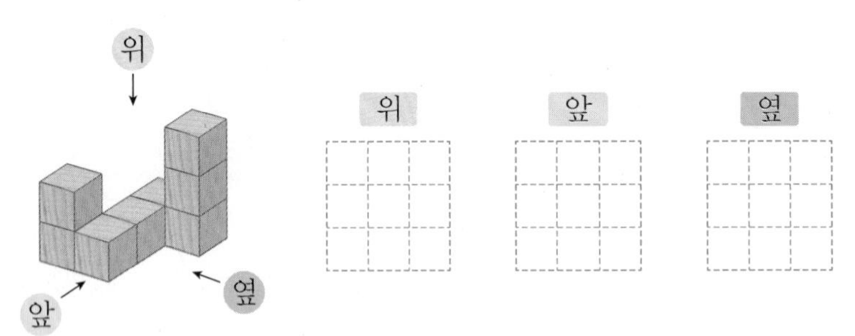

• 먼저 위에서 본 모양을 그려야 합니다.

✸ 쌓기나무로 쌓은 모양을 보고 위에서 본 모양에 수를 쓰시오. [4~5]

4

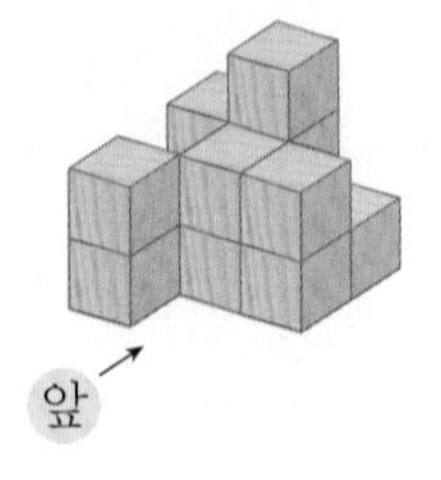

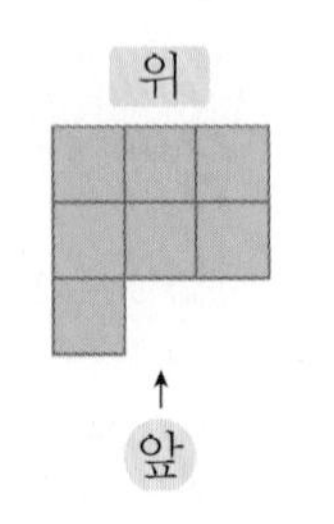

5

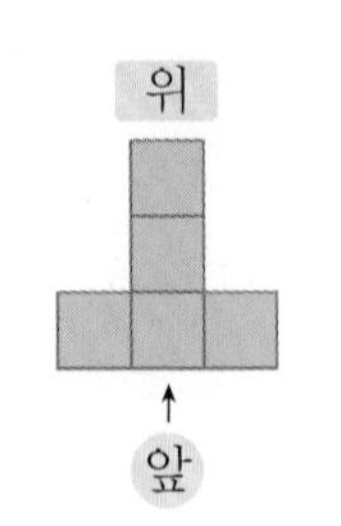

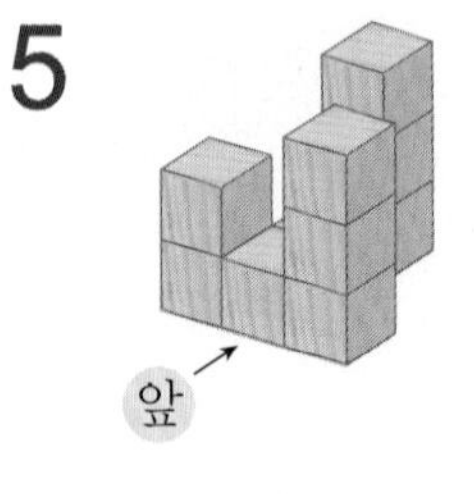

• 보이지 않는 쌓기나무도 생각하면서 수를 씁니다.

6 쌓기나무로 쌓은 모양을 보고 위에서 본 모양에 수를 썼습니다. 앞에서 본 모양을 그려 보시오.

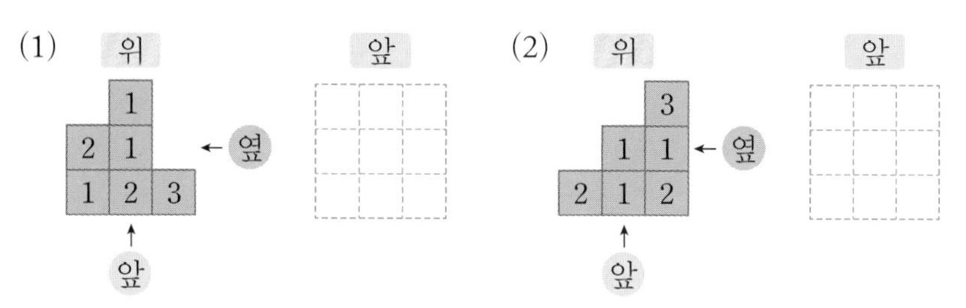

위에서 본 모양에 쓰인 수를 보고 앞에서 보았을 때 각 줄에서 가장 큰 수만큼 그려야 해.

7 쌓기나무로 쌓은 모양을 위, 앞, 옆에서 본 모양입니다. 똑같은 모양으로 쌓는 데 필요한 쌓기나무의 개수를 구하시오.

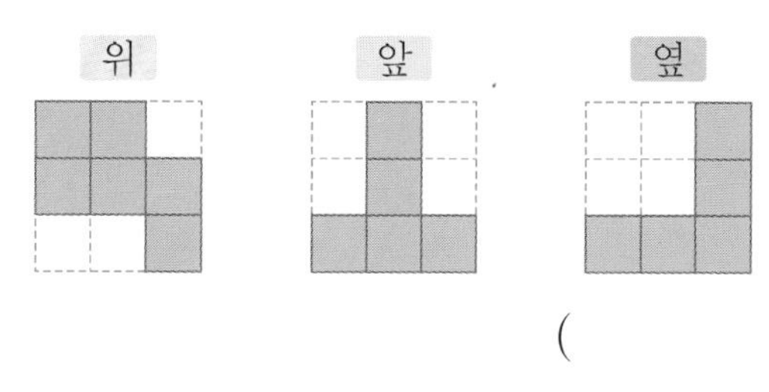

( )

• 위에서 본 모양과 앞에서 본 모양, 위에서 본 모양과 옆에서 본 모양을 보고 위에서 본 모양의 각 자리에 쌓은 쌓기나무의 수를 알아봅니다.

8 쌓기나무로 쌓은 모양과 1층 모양을 보고 2층과 3층 모양을 각각 그려 보시오.

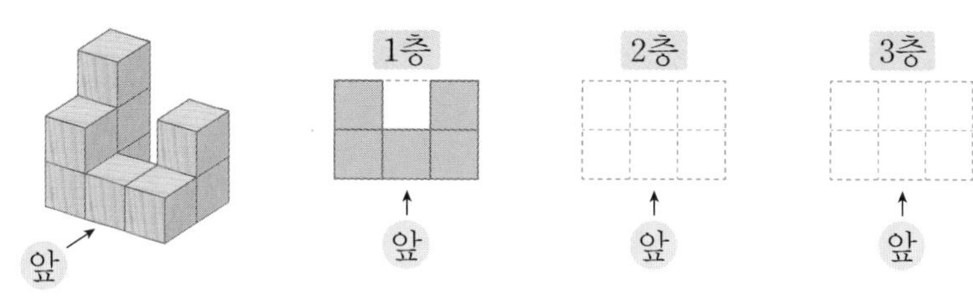

• 같은 위치에 있는 층은 같은 위치에 그립니다.

9 쌓기나무로 쌓은 모양을 층별로 나타낸 모양을 보고 앞에서 본 모양을 그려 보시오.

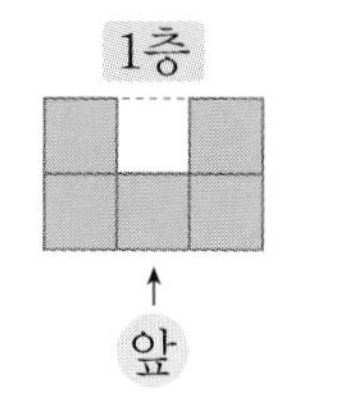

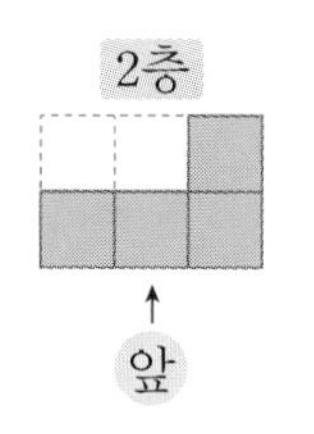

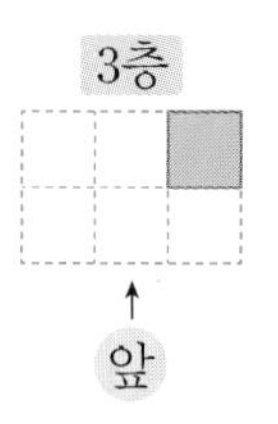

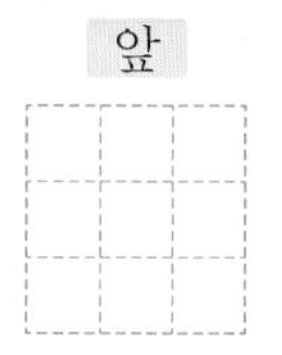

• 각 줄에서 가장 높은 층만큼 그립니다.

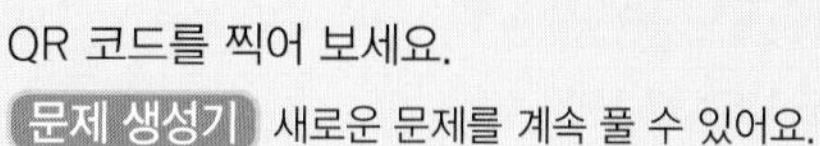

3 공간과 입체

4 비례식과 비례배분

제4화 태희와 민호는 요리보다 약을 좋아한다?

아~ 배고프다.
나도 그래.

아까 먹은 거 남았는데 줄까?
아냐, 아냐, 아냐!
배가 고픈 게 아니라 아픈 건가봐.

배가 아프다고?
아니, 또 괜찮은 거 같아. 하하~

아냐, 그래도 약은 먹어야지.
아…….
음식도 이상했는데 약은 얼마나 이상할까?

우린 약을 바로 만들어서 먹거든.
약을 직접 만든다고?

응. 먼저 이 하얀액체와 파란액체를 4 : 6으로 넣고~

노란액체와 빨간액체를 12 : 18로 넣으면 끝이야.

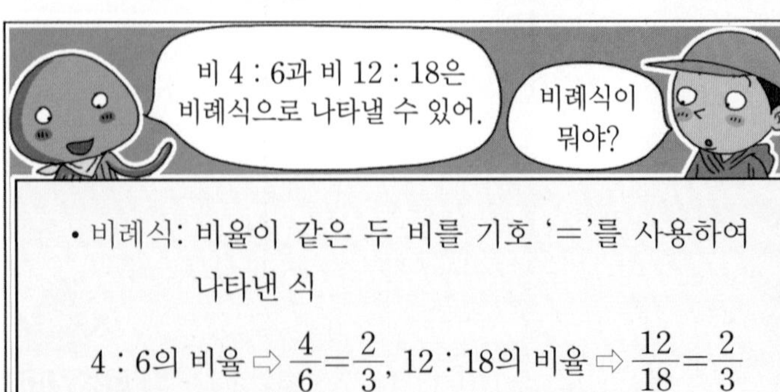

비 4 : 6과 비 12 : 18은 비례식으로 나타낼 수 있어.
비례식이 뭐야?

- 비례식: 비율이 같은 두 비를 기호 '='를 사용하여 나타낸 식

4 : 6의 비율 ⇨ $\frac{4}{6}=\frac{2}{3}$, 12 : 18의 비율 ⇨ $\frac{12}{18}=\frac{2}{3}$

비례식 4 : 6=12 : 18

자, 먹기 편하게 알약으로 만들었어.
아니야, 정말 다 나은거 같아.

이미 배운 내용	이번에 배울 내용	앞으로 배울 내용
[6-1 비와 비율] • 비 • 비율 • 백분율	• 비의 성질 • 간단한 자연수의 비 • 비례식 • 비례식의 성질 • 비례배분	[중학교] • 정비례와 반비례 • 일차방정식 • 일차함수

• 태희: $18\times\frac{2}{2+7}=18\times\frac{2}{9}$

$=4$(개)

• 민호: $18\times\frac{7}{2+7}=18\times\frac{7}{9}$

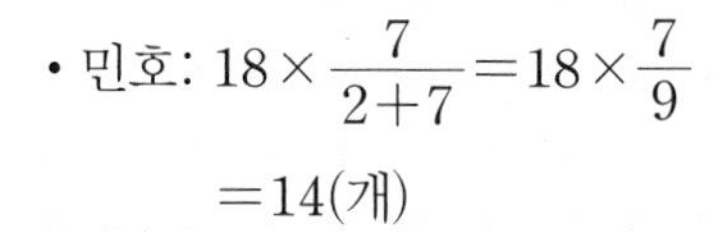

$=14$(개)

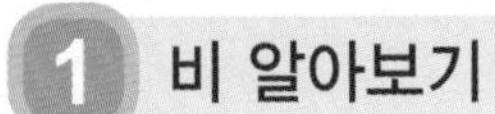

배운 것 확인하기

1 비 알아보기

✹ 그림을 보고 □ 안에 알맞은 수를 써넣으시오.

1

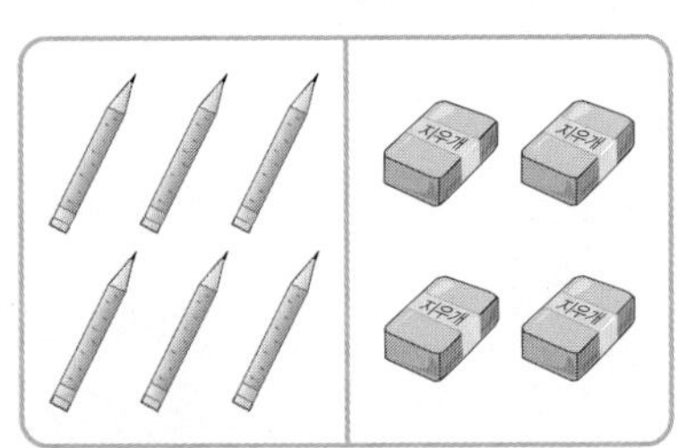

■와 ▲의 비
⇨ ■ : ▲

연필 수와 지우개 수의 비 ⇨ 6 : 4

지우개 수와 연필 수의 비 ⇨ 4 : 6

2

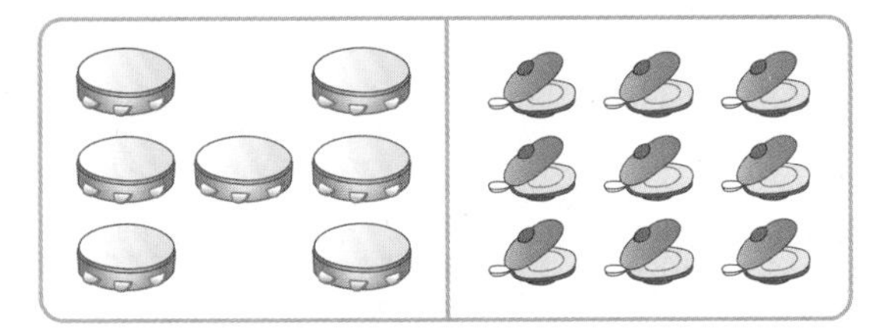

탬버린 수와 캐스터네츠 수의 비

⇨ □ : □

캐스터네츠 수와 탬버린 수의 비

⇨ □ : □

3

오리 수와 닭 수의 비 ⇨ □ : □

닭 수와 오리 수의 비 ⇨ □ : □

4

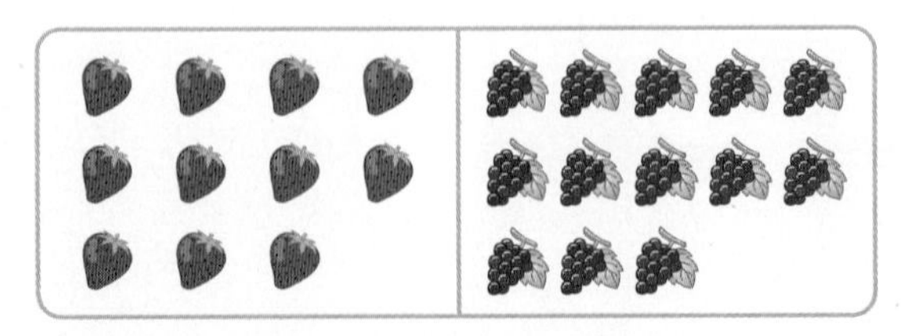

딸기 수와 포도 수의 비 ⇨ □ : □

포도 수와 딸기 수의 비 ⇨ □ : □

2 비로 나타내기

✹ 비로 나타내시오.

1 3 대 1

⇨ 3 : 1

'■에 대한 ~'에서
■는 기호 : 의
오른쪽에 있는 수야.

2 4에 대한 3의 비

⇨

3 2와 7의 비

⇨

4 8의 3에 대한 비

⇨

5 2 대 9

⇨

6 4와 7의 비

⇨

7 9에 대한 8의 비

⇨

8 3의 5에 대한 비

⇨

3 비율 알아보기

✸ 그림을 보고 비율을 분수로 나타내시오.

1

수박 수에 대한 사과 수의 비율

⇨ $\frac{1}{4}$

기준량에 대한 비교하는 양의 크기를
비율이라고 해.

2

곰 인형 수에 대한 토끼 인형 수의 비율

⇨

3

리코더 수와 캐스터네츠 수의 비율

⇨

4

개미 수의 무당벌레 수에 대한 비율

⇨

5

새우 수에 대한 오징어 수의 비율

⇨

4 백분율 알아보기

✸ 그림을 보고 전체에 대한 색칠한 부분의 비율을 백분율로 나타내시오.

1

기준량을 100으로 할 때의 비율을 백분율이라고 해.

(37 %)

2

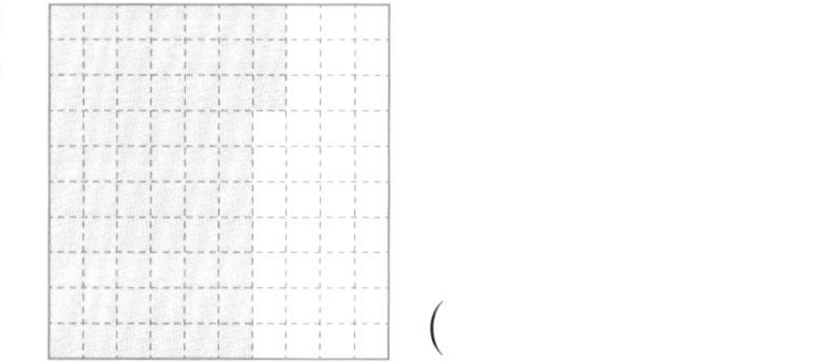

( )

3

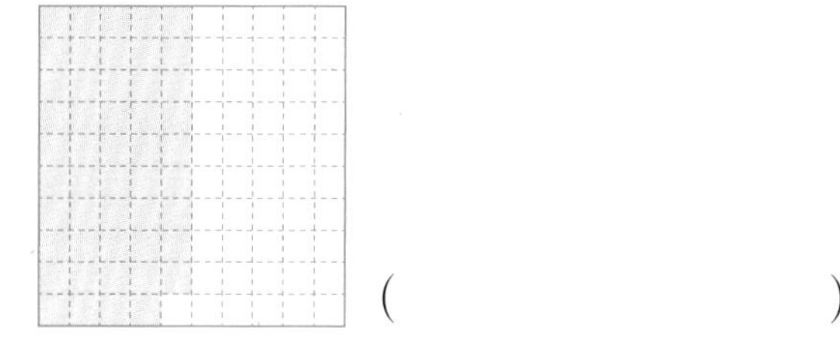

( )

4

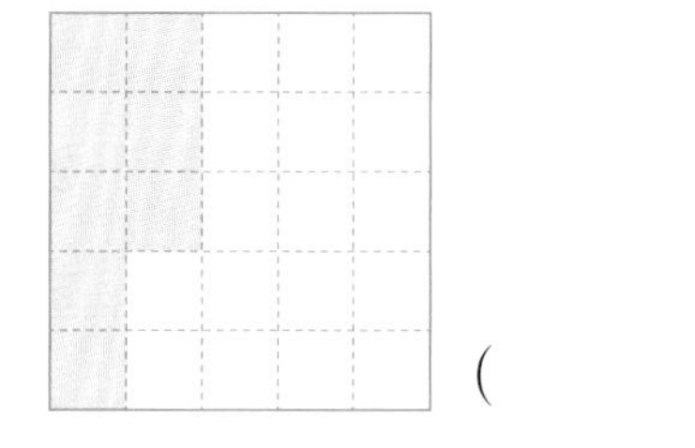

( )

5

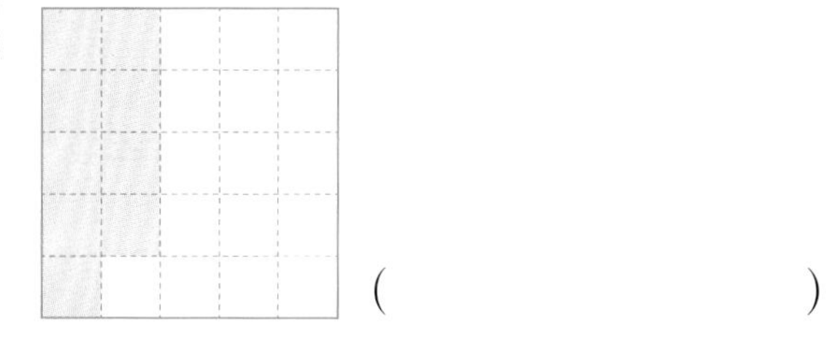

( )

6

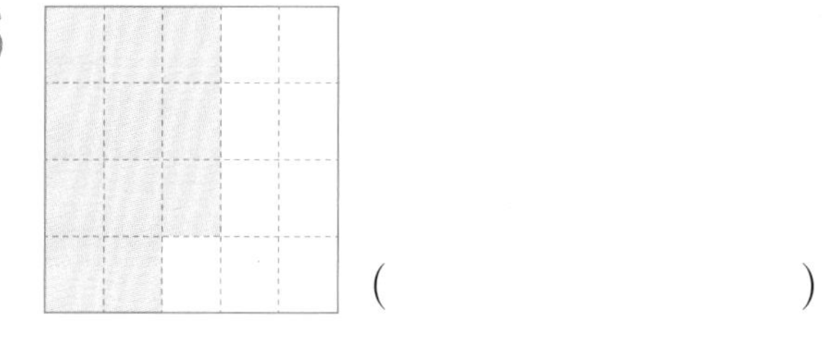

( )

1 비의 전항과 후항 알아보기

공부한 날 월 일

□ 안에 알맞은 수를 써넣으시오.

비 ■ : ▲에서 기호 ':' 앞에 있는 ■를 전항, 뒤에 있는 ▲를 후항이라고 해.

1 2 : 3
⇨ 전항 2, 후항 3

2 4 : 5
⇨ 전항 □, 후항 □

3 2 : 9
⇨ 전항 □, 후항 □

4 7 : 9
⇨ 전항 □, 후항 □

5 10 : 9
⇨ 전항 □, 후항 □

6 6 : 11
⇨ 전항 □, 후항 □

7 12 : 11
⇨ 전항 □, 후항 □

8 9 : 4
⇨ 전항 □, 후항 □

9 15 : 8
⇨ 전항 □, 후항 □

10 13 : 17
⇨ 전항 □, 후항 □

11 27 : 16
⇨ 전항 □, 후항 □

12 10 : 17
⇨ 전항 □, 후항 □

13 9 : 11
⇨ 전항 □, 후항 □

14 11 : 6
⇨ 전항 □, 후항 □

15 5 : 12
⇨ 전항 □, 후항 □

16 15 : 34
⇨ 전항 □, 후항 □

17 23 : 47
⇨ 전항 □, 후항 □

18 10 : 21
⇨ 전항 □, 후항 □

19 9 : 10
⇨ 전항 □, 후항 □

20 65 : 21
⇨ 전항 □, 후항 □

2 비의 성질(1)

공부한 날 월 일

✹ □ 안에 알맞은 수를 써넣으시오. [1~8]

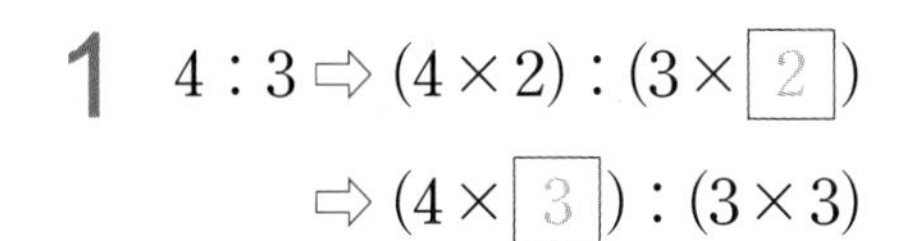

1 $4:3 \Rightarrow (4\times2):(3\times\boxed{2})$
$\Rightarrow (4\times\boxed{3}):(3\times3)$

비의 전항과 후항에 0이 아닌 같은 수를 곱하여도 비율은 같아.

2 $5:7 \Rightarrow (5\times2):(7\times\square)$
$\Rightarrow (5\times\square):(7\times3)$

3 $8:11 \Rightarrow (8\times3):(11\times\square)$
$\Rightarrow (8\times\square):(11\times5)$

4 $9:4 \Rightarrow (9\times4):(4\times\square)$
$\Rightarrow (9\times\square):(4\times6)$

5 $3:4 \Rightarrow (3\times3):(4\times\square)$
$\Rightarrow (3\times\square):(4\times6)$

6 $4:9 \Rightarrow (4\times4):(9\times\square)$
$\Rightarrow (4\times\square):(9\times8)$

7 $13:17 \Rightarrow (13\times3):(17\times\square)$
$\Rightarrow (13\times\square):(17\times9)$

8 $10:13 \Rightarrow (10\times5):(13\times\square)$
$\Rightarrow (10\times\square):(13\times8)$

✹ 비의 성질을 이용하여 □ 안에 알맞은 수를 써넣으시오. [9~14]

9 $3:8 \Rightarrow 6:\square \Rightarrow \square:24$
$\Rightarrow 12:\square$

10 $7:5 \Rightarrow 14:\square \Rightarrow \square:15$
$\Rightarrow 28:\square$

11 $2:5 \Rightarrow 4:\square \Rightarrow \square:15$
$\Rightarrow 8:\square$

12 $4:9 \Rightarrow 8:\square \Rightarrow \square:27$
$\Rightarrow 16:\square$

13 $5:8 \Rightarrow \square:16 \Rightarrow \square:24$
$\Rightarrow \square:32$

14 $6:10 \Rightarrow 12:\square \Rightarrow \square:30$
$\Rightarrow 24:\square$

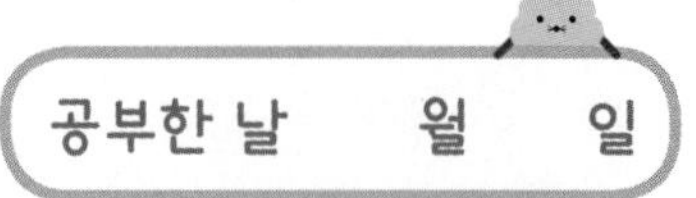

✹ □ 안에 알맞은 수를 써넣으시오. [1~8]

1 16 : 32 ⇨ (16÷2) : (32÷[2])
⇨ (16÷[4]) : (32÷4)

비의 전항과 후항을 0이 아닌 같은 수로 나누어도 비율은 같아.

5 15 : 45 ⇨ (15÷3) : (45÷□)
⇨ (15÷□) : (45÷15)

2 4 : 8 ⇨ (4÷2) : (8÷□)
⇨ (4÷□) : (8÷4)

6 20 : 16 ⇨ (20÷□) : (16÷2)
⇨ (20÷4) : (16÷□)

3 8 : 24 ⇨ (8÷2) : (24÷□)
⇨ (8÷□) : (24÷4)

7 24 : 36 ⇨ (24÷□) : (36÷3)
⇨ (24÷4) : (36÷□)

4 6 : 12 ⇨ (6÷2) : (12÷□)
⇨ (6÷□) : (12÷3)

8 40 : 16 ⇨ (40÷□) : (16÷4)
⇨ (40÷8) : (16÷□)

✹ 비의 성질을 이용하여 □ 안에 알맞은 수를 써넣으시오. [9~14]

9 18 : 24 ⇨ 9 : □ ⇨ □ : 8
⇨ 3 : □

12 30 : 6 ⇨ □ : 3 ⇨ 10 : □
⇨ □ : 1

10 30 : 45 ⇨ □ : 15 ⇨ 6 : □
⇨ □ : 3

13 36 : 60 ⇨ 12 : □ ⇨ □ : 10
⇨ 3 : □

11 32 : 72 ⇨ 16 : □ ⇨ □ : 18
⇨ 4 : □

14 48 : 24 ⇨ □ : 6 ⇨ 6 : □
⇨ □ : 1

공부한 날 월 일

1 가로와 세로의 비가 5 : 3인 직사각형을 찾아 ○표 하시오.

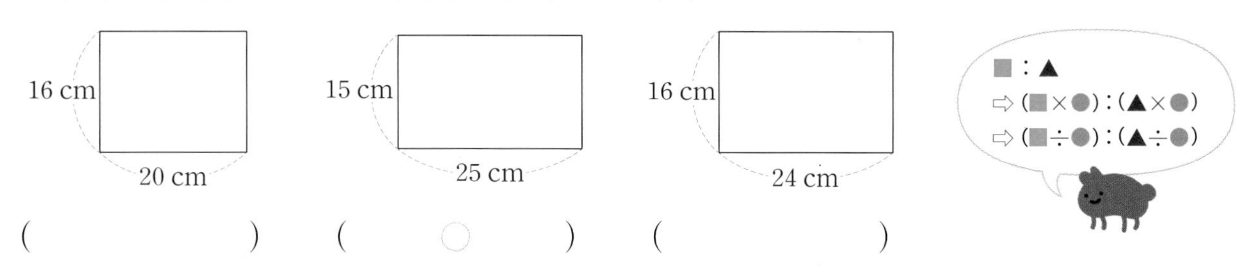

( ) (○) ( )

20 : 16 ⇨ 5 : 4, 25 : 15 ⇨ 5 : 3, 24 : 16 ⇨ 3 : 2

2 가로와 세로의 비가 3 : 4인 직사각형을 찾아 ○표 하시오.

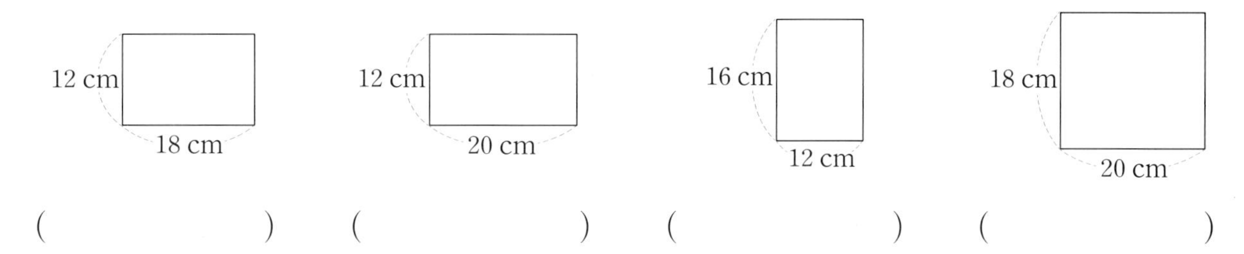

( ) ( ) ( ) ( )

3 가로와 세로의 비가 7 : 4인 직사각형을 찾아 ○표 하시오.

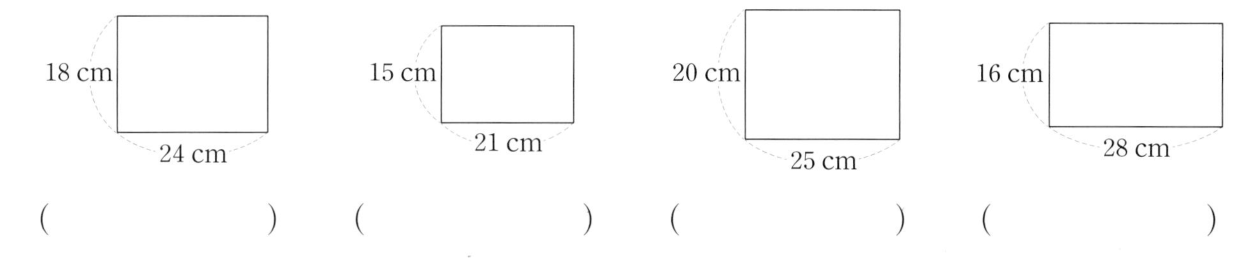

( ) ( ) ( ) ( )

4 가로와 세로의 비가 5 : 7인 직사각형을 찾아 ○표 하시오.

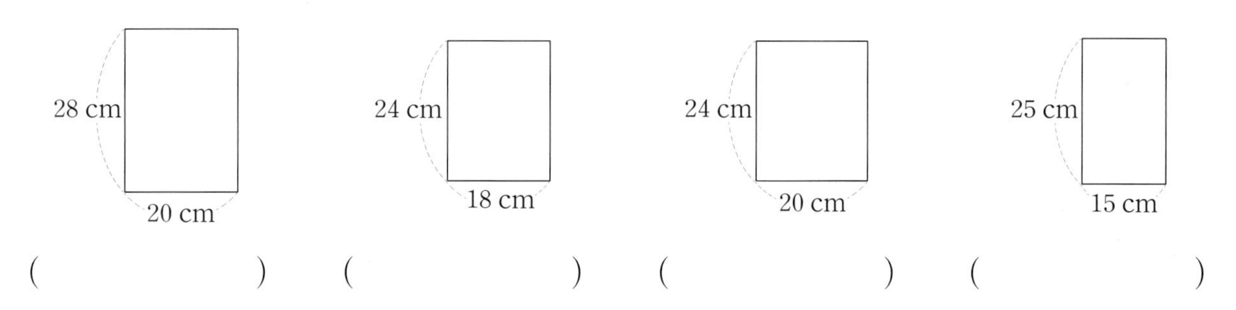

( ) ( ) ( ) ( )

5 간단한 자연수의 비 (1) – (자연수) : (자연수)

공부한 날 월 일

간단한 자연수의 비로 나타내시오.

1 12 : 3 ⇨ 예) 4 : 1

12 : 3 ⇨ (12 ÷ 3) : (3 ÷ 3)
⇨ 4 : 1

간단한 자연수의 비로 나타내려면 두 수의 공약수로 나누면 돼.

9 9 : 15

17 20 : 24

2 6 : 2

10 12 : 15

18 9 : 30

3 6 : 8

11 8 : 12

19 16 : 28

4 15 : 18

12 20 : 45

20 15 : 33

5 28 : 36

13 30 : 18

21 30 : 24

6 30 : 9

14 9 : 21

22 24 : 44

7 20 : 55

15 18 : 33

23 14 : 63

8 48 : 30

16 20 : 36

24 54 : 30

6 간단한 자연수의 비 (2) – (소수) : (소수)

공부한 날 월 일

✹ 간단한 자연수의 비로 나타내시오.

1 0.6 : 2.7 예 ⇨ 2 : 9

0.6 : 2.7
⇨ (0.6 × 10) : (2.7 × 10)
⇨ 6 : 27
⇨ (6 ÷ 3) : (27 ÷ 3)
⇨ 2 : 9

먼저 소수의 비를 자연수의 비로 고쳐 계산해.

2 0.2 : 0.3

3 1.2 : 0.7

4 0.5 : 1.5

5 0.4 : 0.6

6 1.6 : 3.2

7 2.5 : 3.5

8 2.3 : 4.7

9 1.5 : 1.9

10 1.4 : 0.8

11 0.7 : 0.5

12 1.2 : 2.8

13 0.4 : 1.3

14 2.4 : 2.8

15 5.2 : 3.9

16 1.2 : 3.2

17 4.5 : 1.2

18 0.42 : 0.48

19 0.15 : 0.45

20 1.04 : 2.02

21 0.52 : 0.48

22 0.76 : 0.38

23 0.84 : 1.56

24 0.8 : 0.27

7 간단한 자연수의 비 (3) – (분수) : (분수)

공부한 날 월 일

간단한 자연수의 비로 나타내시오.

1 $\frac{1}{2}:\frac{1}{3}$ 예 ⇨ 3 : 2

$\frac{1}{2}:\frac{1}{3}$ ⇨ $\left(\frac{1}{2}\times6\right):\left(\frac{1}{3}\times6\right)$

⇨ 3 : 2

2 $\frac{1}{3}:\frac{1}{4}$

3 $\frac{1}{2}:\frac{2}{3}$

4 $\frac{1}{6}:\frac{3}{8}$

5 $\frac{5}{12}:\frac{7}{18}$

6 $\frac{3}{4}:\frac{2}{5}$

7 $\frac{3}{10}:\frac{2}{5}$

8 $\frac{7}{10}:\frac{1}{2}$

9 $\frac{3}{4}:\frac{1}{2}$

두 분모의 공배수를 곱해
자연수의 비로 나타내.

10 $\frac{1}{4}:\frac{1}{10}$

11 $\frac{1}{6}:\frac{1}{9}$

12 $\frac{5}{6}:\frac{4}{9}$

13 $\frac{7}{45}:\frac{1}{30}$

14 $\frac{2}{7}:\frac{3}{4}$

15 $1\frac{2}{3}:1\frac{1}{4}$

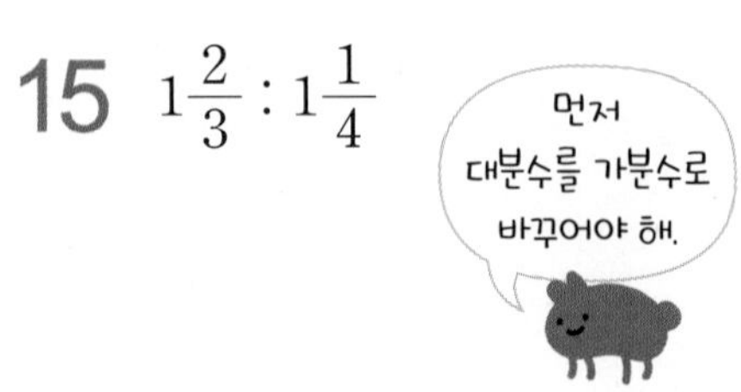

16 $2\frac{3}{4}:1\frac{5}{6}$

17 $1\frac{4}{9}:\frac{7}{15}$

18 $\frac{1}{4}:1\frac{1}{4}$

19 $2\frac{2}{5}:2\frac{2}{3}$

20 $2\frac{1}{10}:\frac{7}{12}$

21 $2\frac{3}{4}:1\frac{3}{5}$

22 $\frac{11}{15}:1\frac{1}{5}$

23 $1\frac{1}{5}:1\frac{1}{8}$

24 $1\frac{3}{5}:1\frac{1}{4}$

8 간단한 자연수의 비 (4) – (자연수) : (소수), (소수) : (자연수)

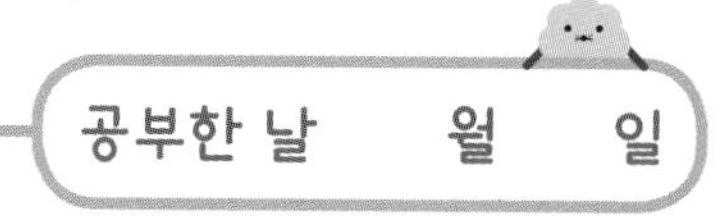

✸ 간단한 자연수의 비로 나타내시오.

1 2 : 0.6 (예) ⇨ 10 : 3

2 : 0.6 ⇨ (2 × 10) : (0.6 × 10)
⇨ 20 : 6
⇨ (20 ÷ 2) : (6 ÷ 2)
⇨ 10 : 3

먼저 소수를 자연수 또는 분수로 고쳐야 해.

2 3 : 0.1

3 5 : 0.1

4 6 : 0.3

5 8 : 0.6

6 10 : 0.7

7 12 : 1.8

8 14 : 4.9

9 35 : 1.4

10 48 : 1.2

11 0.7 : 5

12 0.5 : 15

13 0.6 : 20

14 0.8 : 6

15 0.9 : 15

16 2.6 : 4

17 1.5 : 2

18 8.4 : 4

19 5.4 : 3

20 1.2 : 16

21 1.4 : 7

22 6 : 1.4

23 2.8 : 4

24 8 : 3.6

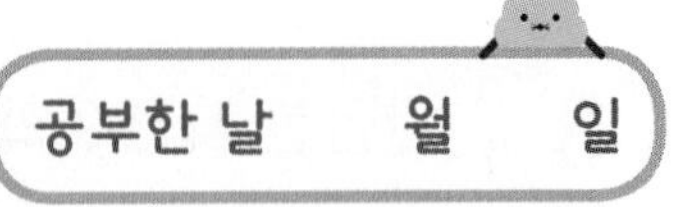

9 간단한 자연수의 비 ⑤ – (자연수) : (분수), (분수) : (자연수)

공부한 날 월 일

✹ 간단한 자연수의 비로 나타내시오.

1 $4 : \frac{2}{3}$ 예 ⇨ 6 : 1

$4 : \frac{2}{3}$ ⇨ $(4 \times 3) : \left(\frac{2}{3} \times 3\right)$
⇨ 12 : 2
⇨ $(12 \div 2) : (2 \div 2)$
⇨ 6 : 1

먼저 분수의 분모를 곱해
자연수의 비로 나타내야 해.

2 $6 : \frac{1}{2}$

3 $8 : \frac{1}{2}$

4 $5 : \frac{1}{6}$

5 $8 : \frac{1}{4}$

6 $8 : \frac{2}{3}$

7 $6 : \frac{3}{4}$

8 $10 : \frac{5}{6}$

9 $\frac{1}{3} : 4$

10 $\frac{1}{5} : 5$

11 $\frac{1}{8} : 3$

12 $\frac{1}{6} : 3$

13 $\frac{3}{5} : 9$

14 $\frac{3}{4} : 8$

15 $\frac{3}{4} : 12$

16 $\frac{5}{6} : 12$

17 $2\frac{2}{3} : 6$

18 $1\frac{3}{4} : 14$

19 $1\frac{4}{7} : 11$

20 $1\frac{3}{5} : 8$

21 $2\frac{2}{5} : 4$

10 간단한 자연수의 비 ⑹ – (소수) : (분수), (분수) : (소수)

공부한 날 월 일

간단한 자연수의 비로 나타내시오.

1 $1.2 : 2\frac{1}{4}$ 예 ⇨ $8 : 15$

$1.2 : 2\frac{1}{4}$ ⇨ $1.2 : \frac{9}{4} = \frac{12}{10} : \frac{9}{4}$

⇨ $\left(\frac{12}{10} \times 20\right) : \left(\frac{9}{4} \times 20\right)$

⇨ $24 : 45$

⇨ $(24 \div 3) : (45 \div 3) = 8 : 15$

2 $0.3 : \frac{1}{4}$

3 $0.4 : \frac{8}{15}$

4 $1.5 : \frac{9}{10}$

5 $\frac{3}{5} : 0.75$

6 $0.13 : 4\frac{1}{3}$

7 $0.48 : \frac{4}{25}$

8 $0.2 : 1\frac{3}{7}$

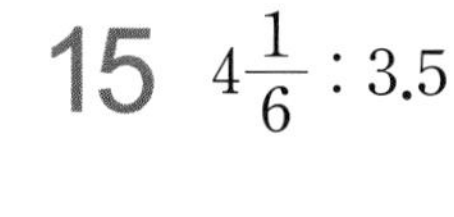

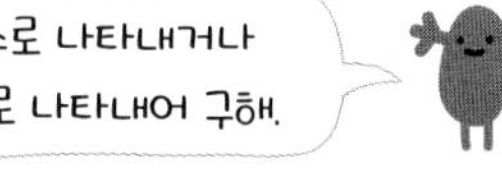

소수를 분수로 나타내거나
분수를 소수로 나타내어 구해.

9 $\frac{3}{5} : 1.2$

10 $1.5 : \frac{8}{15}$

11 $\frac{1}{10} : 0.15$

12 $\frac{3}{4} : 1.26$

13 $1\frac{1}{8} : 0.6$

14 $\frac{7}{15} : 2.6$

15 $4\frac{1}{6} : 3.5$

16 $2.25 : \frac{3}{4}$

17 $1.2 : 1\frac{1}{8}$

18 $2\frac{1}{2} : 2.8$

19 $1.4 : 2\frac{2}{5}$

20 $2\frac{2}{3} : 2.8$

21 $2.1 : 1\frac{3}{8}$

11 비례식의 외항과 내항 알아보기

공부한 날 월 일

□ 안에 알맞은 수를 써넣으시오.

1 2 : 3=4 : 6

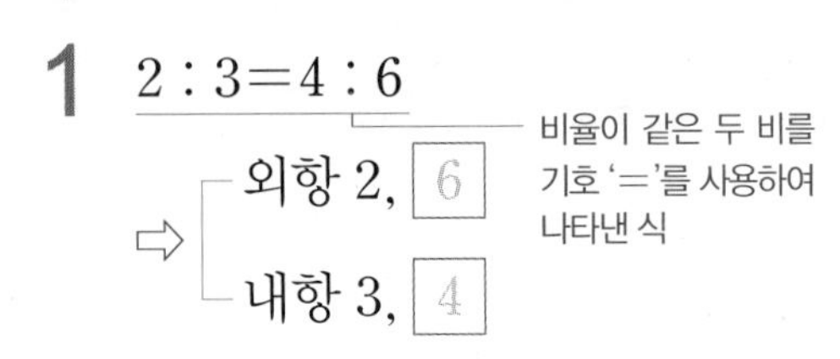

⇨ 외항 2, 6
내항 3, 4

비율이 같은 두 비를 기호 '='를 사용하여 나타낸 식

비례식에서 바깥쪽에 있는 두 항을 외항, 안쪽에 있는 두 항을 내항이라고 해.

10 3 : 5=9 : 15

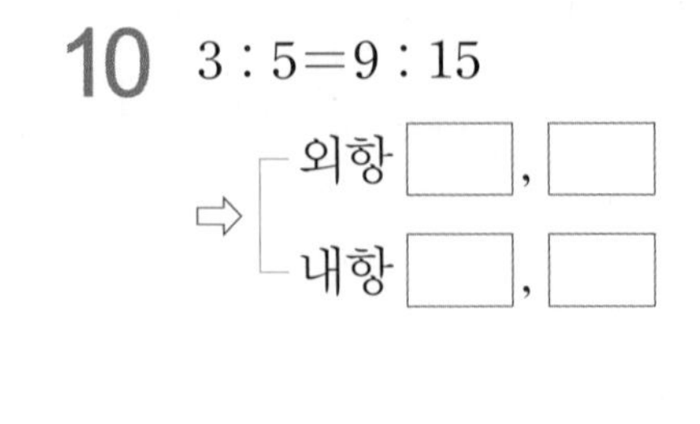

⇨ 외항 □, □
내항 □, □

2 4 : 5=8 : 10

⇨ 외항 4, □
내항 5, □

6 15 : 8=30 : 16

⇨ 외항 □, □
내항 □, □

11 8 : 3=16 : 6

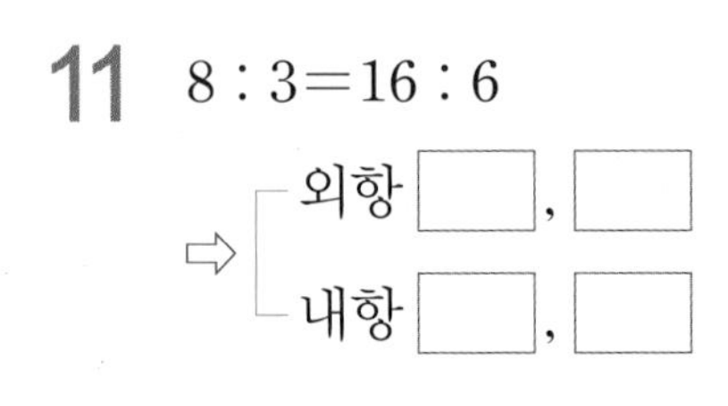

⇨ 외항 □, □
내항 □, □

3 10 : 3=30 : 9

⇨ 외항 □, 9
내항 □, 30

7 3 : 5=15 : 25

⇨ 외항 □, □
내항 □, □

12 2 : 9=8 : 36

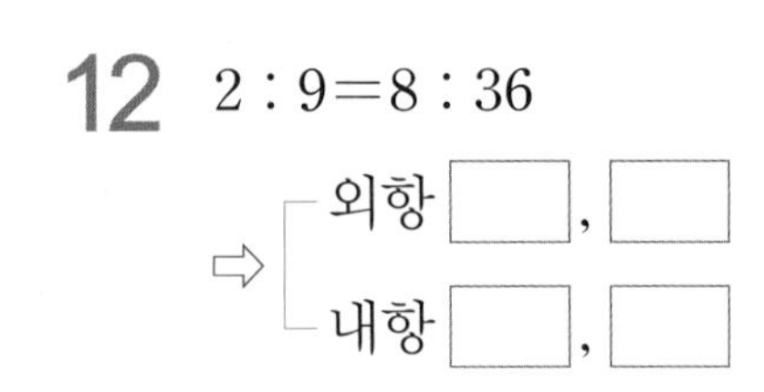

⇨ 외항 □, □
내항 □, □

4 7 : 9=14 : 18

⇨ 외항 7, □
내항 9, □

8 27 : 16=54 : 32

⇨ 외항 □, □
내항 □, □

13 4 : 7=8 : 14

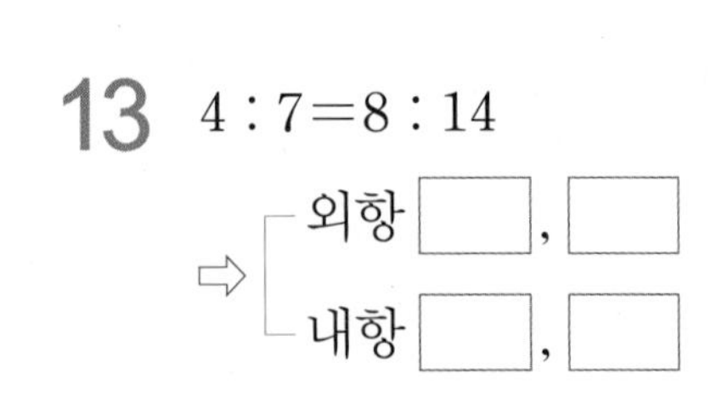

⇨ 외항 □, □
내항 □, □

5 6 : 11=24 : 44

⇨ 외항 □, 44
내항 □, 24

9 4 : 7=16 : 28

⇨ 외항 □, □
내항 □, □

14 5 : 7=20 : 28

⇨ 외항 □, □
내항 □, □

12 비례식으로 나타내기

공부한 날 월 일

✹ 비율이 같은 두 비를 찾아 비례식으로 나타내시오.

1

2 : 5   6 : 10   10 : 25   5 : 2

예 2 : 5 = 10 : 25

$2:5 \Rightarrow \frac{2}{5}$, $6:10 \Rightarrow \frac{6}{10}=\frac{3}{5}$, $10:25 \Rightarrow \frac{10}{25}=\frac{2}{5}$, $5:2 \Rightarrow \frac{5}{2}$

비율이 같은 비는
모두 비례식으로
나타낼 수 있어.

2

3 : 4   4 : 6   6 : 8   12 : 15

☐ : ☐ = ☐ : ☐

3

12 : 14   4 : 7   16 : 28   8 : 7

☐ : ☐ = ☐ : ☐

4

5 : 3   10 : 7   15 : 9   20 : 9

☐ : ☐ = ☐ : ☐

5

6 : 9   9 : 6   24 : 36   27 : 12

☐ : ☐ = ☐ : ☐

6

3 : 13   6 : 39   9 : 13   12 : 52

☐ : ☐ = ☐ : ☐

7

3 : 1   9 : 4   72 : 28   63 : 28

☐ : ☐ = ☐ : ☐

8

40 : 96   15 : 24   5 : 12   12 : 36

☐ : ☐ = ☐ : ☐

9

7 : 10   14 : 21   35 : 40   21 : 30

☐ : ☐ = ☐ : ☐

10

4 : 6   16 : 13   8 : 13   24 : 39

☐ : ☐ = ☐ : ☐

11

6 : 18   6 : 16   15 : 40   18 : 45

☐ : ☐ = ☐ : ☐

13 비례식의 성질(1)

✺ 비례식에서 외항의 곱과 내항의 곱을 각각 구하시오.

1 $3:4=6:8$

⇨ (외항의 곱) $3\times8=24$
⇨ (내항의 곱) $4\times6=24$

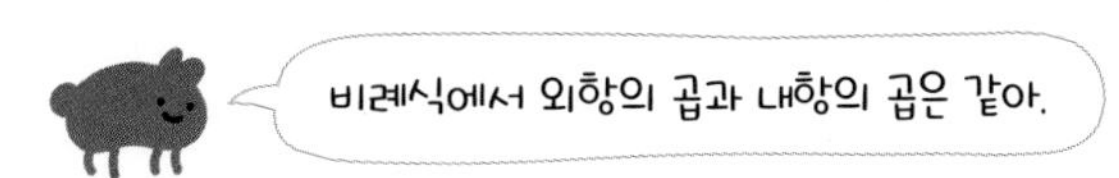

2 $2:5=4:10$

⇨ (외항의 곱) ....
⇨ (내항의 곱) ....

3 $\frac{2}{5}:\frac{3}{4}=\frac{2}{10}:\frac{3}{8}$

⇨ (외항의 곱) ....
⇨ (내항의 곱) ....

4 $1.6:1.2=4:3$

⇨ (외항의 곱) ....
⇨ (내항의 곱) ....

5 $\frac{3}{4}:\frac{5}{7}=\frac{3}{28}:\frac{5}{49}$

⇨ (외항의 곱) ....
⇨ (내항의 곱) ....

6 $3:5=9:15$

⇨ (외항의 곱) ....
⇨ (내항의 곱) ....

7 $7:4=14:8$

⇨ (외항의 곱) ....
⇨ (내항의 곱) ....

8 $\frac{2}{3}:\frac{5}{6}=\frac{2}{9}:\frac{5}{18}$

⇨ (외항의 곱) ....
⇨ (내항의 곱) ....

9 $2.5:3.5=5:7$

⇨ (외항의 곱) ....
⇨ (내항의 곱) ....

10 $\frac{2}{3}:\frac{6}{7}=7:9$

⇨ (외항의 곱) ....
⇨ (내항의 곱) ....

14 비례식의 성질 (2)

공부한 날 월 일

다음 중 비례식인 것을 모두 찾아 ○표 하시오.

1

$5:6=15:18$ (○)

$10:4=2:5$

$6:7=12:14$ (○)

$3:5=9:25$

$16:15=4:3$

$5:6=15:18$
⇨ (외항의 곱) $5\times18=90$
(내항의 곱) $6\times15=90$

$6:7=12:14$
⇨ (외항의 곱) $6\times14=84$
(내항의 곱) $7\times12=84$

2

$4:9=8:36$

$7:4=28:16$

$18:30=3:5$

$10:4=15:12$

$2:5=20:8$

3

$\frac{1}{3}:\frac{5}{7}=7:15$

$\frac{1}{2}:\frac{1}{3}=6:9$

$0.4:0.6=2:3$

$1.2:3.2=8:3$

$15:5=12:4$

4

$40:15=16:5$

$4:7=11:21$

$48:70=\frac{4}{7}:\frac{5}{6}$

$4:9=12:27$

$3:11=20:55$

5

$3.5:5=14:20$

$21:27=7:9$

$4:9=14:27$

$20:16=1:\frac{4}{5}$

$18:9=25:12$

4 비례식과 비례배분

15 비례식의 성질 (3)

공부한 날 월 일

✹ 비례식의 성질을 이용하여 □ 안에 알맞은 수를 써넣으시오.

1 $\boxed{4} : 7 = 8 : 14$

$\square \times 14 = 7 \times 8$
$\square \times 14 = 56$
$\square = 4$

비례식에서
외항의 곱과 내항의 곱은
같다는 성질을 이용해.

2 $\square : 5 = 12 : 20$

3 $\square : 7 = 12 : 21$

4 $\square : 25 = 6 : 15$

5 $\square : 35 = 5 : 7$

6 $\square : 0.3 = 12 : 0.4$

7 $\square : 4.4 = 7 : 2.8$

8 $\square : 3.5 = 2 : 1.4$

9 $\square : 0.1 = 9 : 0.3$

10 $\square : 0.9 = 12 : 0.4$

11 $\square : \frac{1}{5} = 5 : \frac{1}{4}$

12 $\square : \frac{5}{6} = 30 : 2\frac{1}{12}$

13 $\square : \frac{4}{5} = 5 : \frac{4}{9}$

14 $\square : \frac{4}{9} = 27 : \frac{4}{7}$

15 $\square : \frac{4}{5} = 25 : 1\frac{1}{9}$

16 비례식의 성질(4)

공부한 날 월 일

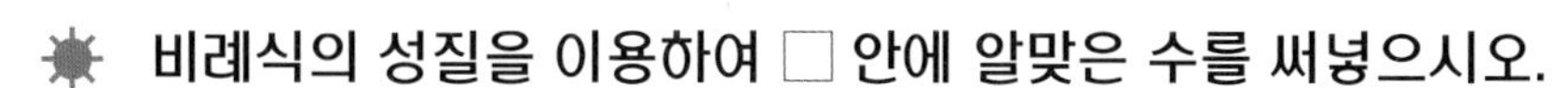

1 $9 : \boxed{4} = 27 : 12$

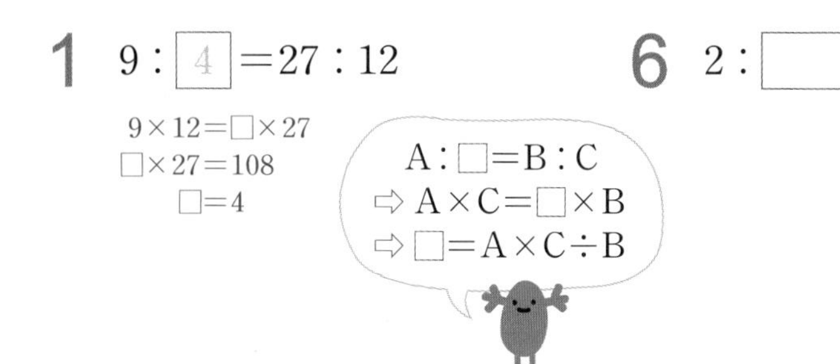

2 $12 : \square = 24 : 14$

3 $5 : \square = 30 : 54$

4 $2 : \square = 8 : 28$

5 $12 : \square = 36 : 60$

6 $2 : \square = 3 : 0.6$

7 $8 : \square = 3 : 1.2$

8 $3 : \square = 2 : 0.4$

9 $4 : \square = 2 : 0.8$

10 $66 : \square = 22 : 1.1$

11 $7 : \square = 9 : \frac{6}{7}$

12 $6 : \square = 9 : \frac{1}{2}$

13 $20 : \square = 12 : \frac{4}{5}$

14 $54 : \square = 24 : \frac{5}{9}$

15 $5 : \square = 9 : \frac{4}{5}$

17 비례식의 성질 (5)

비례식의 성질을 이용하여 □ 안에 알맞은 수를 써넣으시오.

1. $7:10=\boxed{14}:20$

$7\times20=10\times\square$
$10\times\square=140$
$\square=14$

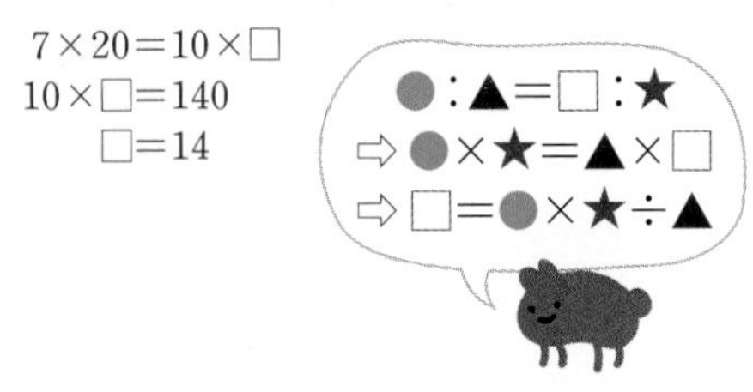

2. $3:9=\square:45$

3. $5:6=\square:18$

4. $9:4=\square:12$

5. $12:18=\square:54$

6. $4:0.8=\square:1.2$

7. $12:4.5=\square:1.5$

8. $15:1.5=\square:0.3$

9. $9:2.7=\square:0.6$

10. $56:0.8=\square:0.6$

11. $20:\frac{5}{7}=\square:\frac{3}{4}$

12. $24:\frac{2}{3}=\square:\frac{5}{36}$

13. $14:1\frac{3}{5}=\square:\frac{4}{7}$

14. $10:\frac{2}{7}=\square:\frac{3}{5}$

15. $21:\frac{3}{5}=\square:\frac{5}{7}$

18 비례식의 성질(6)

공부한 날 월 일

비례식의 성질을 이용하여 □ 안에 알맞은 수를 써넣으시오.

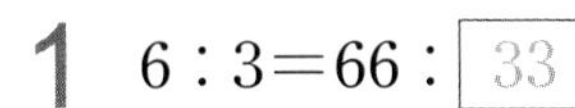

1 $6:3=66:\boxed{33}$

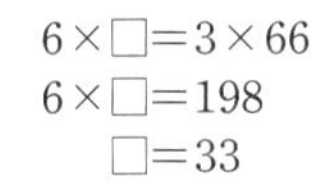

$6\times\square=3\times66$
$6\times\square=198$
$\square=33$

2 $5:2=40:\square$

3 $3:8=27:\square$

4 $12:20=36:\square$

5 $7:6=42:\square$

6 $23:2.3=47:\square$

7 $68:1.7=36:\square$

8 $67:0.67=45:\square$

9 $55:2.75=32:\square$

10 $4:4.4=3:\square$

11 $48:\frac{3}{5}=35:\square$

12 $8:\frac{2}{9}=27:\square$

13 $42:\frac{3}{5}=50:\square$

14 $10:\frac{2}{7}=21:\square$

15 $16:1\frac{2}{5}=5:\square$

19 비례식 활용 (1)

공부한 날 월 일

1 연우와 동생의 나이의 비가 3 : 2입니다. 연우의 나이가 12살이라면 동생의 나이는 몇 살입니까?

(8살)

동생의 나이를 □살이라 놓고 비례식으로 나타내면 3 : 2=12 : □입니다.
⇨ 3×□=2×12, 3×□=24, □=8

주어진 비의 전항과 후항을 알아보고 비례식으로 나타내 봐.

2 밀가루와 계란을 3 : 1로 섞어서 빵의 반죽을 만들려고 합니다. 밀가루를 12 kg 넣었다면 계란은 몇 kg을 넣어야 합니까?

( )

3 지윤이는 설탕과 물을 2 : 5로 섞어서 설탕물을 만들려고 합니다. 물을 200 g 넣었다면 설탕은 몇 g을 넣어야 합니까?

( )

4 어른과 초등학생의 박물관 입장료의 비는 3 : 2입니다. 어른의 입장료가 1200원일 때, 초등학생의 입장료는 얼마입니까?

( )

5 요리사가 간장과 식초를 4 : 3으로 섞어서 양념장을 만들려고 합니다. 식초를 0.36 L 넣었다면 간장은 몇 L를 넣어야 합니까?

( )

6 어머니께서 고춧가루와 새우젓을 8 : 3으로 섞어서 김치 양념을 만들려고 합니다. 고춧가루를 24컵 넣었다면 새우젓은 몇 컵을 넣어야 합니까?

( )

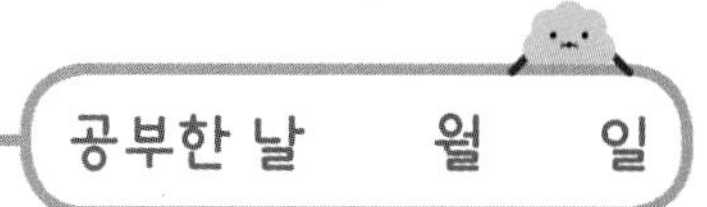

1 맞물려 돌아가는 두 톱니바퀴가 있습니다. 톱니바퀴 ㉮가 3바퀴 도는 동안 톱니바퀴 ㉯는 4바퀴 돕니다. 톱니바퀴 ㉮가 42바퀴 도는 동안 톱니바퀴 ㉯는 몇 바퀴 돕니까?

(56바퀴)

톱니바퀴 ㉮가 42바퀴 도는 동안에 톱니바퀴 ㉯가 도는 수를 □바퀴라 하면 3 : 4＝42 : □입니다.
⇨ 3×□＝4×42, 3×□＝168, □＝56

2 오른쪽 그림은 과수원을 줄여서 그린 것으로 실제 과수원의 세로는 100 m입니다. 실제 과수원의 가로는 몇 m입니까?

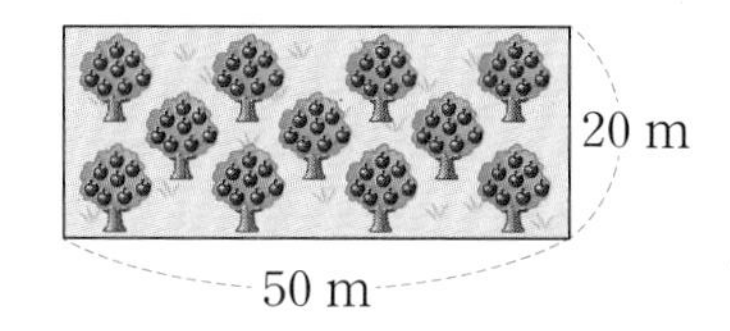

( )

3 어떤 사람이 10일 동안 일을 하고 50만 원을 받았습니다. 이 사람이 8일 동안 일을 하면 얼마를 받을 수 있습니까?

( )

4 2분에 $1\frac{1}{2}$ L의 물이 나오는 수도가 있습니다. 이 수도로 90 L들이 물통을 가득 채우려면 몇 분 동안 수도를 틀어 놓아야 합니까?

( )

5 지환이네 과일 가게에서는 키위가 7개에 3500원입니다. 지환이네 과일 가게에서 10000원으로 살 수 있는 키위는 모두 몇 개입니까?

( )

6 어느 복사기는 8초에 7장을 복사할 수 있습니다. 이 복사기로 35장을 복사하려면 시간이 얼마나 걸립니까?

( )

21 등식을 비례식으로 나타내기

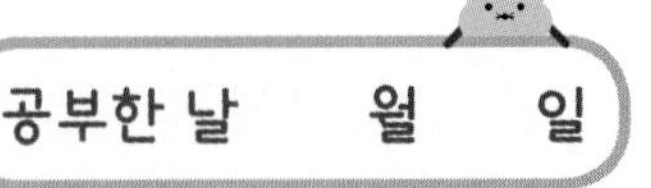

등식을 보고 비례식으로 나타내시오.

1 ㉠$\times 3=$㉡$\times 2$

⇨ ㉠ : ㉡ $=2$: 3

비로 나타내려면 곱한 두 수의 순서를 바꾸어 써야 해.

2 ㉠$\times 5=$㉡$\times 3$

⇨ ㉠ : ㉡ $=3$: □

3 ㉠$\times 4=$㉡$\times 7$

⇨ ㉠ : ㉡ $=7$: □

4 ㉠$\times \frac{1}{6}=$㉡$\times \frac{1}{11}$

⇨ ㉠ : ㉡ $=$ □ : 11

5 ㉠$\times \frac{1}{8}=$㉡$\times \frac{1}{9}$

⇨ ㉠ : ㉡ $=$ □ : 9

6 ■$\times 3=$▲$\times 7$

⇨ ■ : ▲ $=7$: □

7 ■$\times 20=$▲$\times 31$

⇨ ■ : ▲ $=31$: □

8 ■$\times \frac{1}{12}=$▲$\times \frac{1}{5}$

⇨ ■ : ▲ $=12$: □

9 ■$\times \frac{1}{17}=$▲$\times \frac{1}{14}$

⇨ ■ : ▲ $=$ □ : 14

10 ■$\times \frac{1}{50}=$▲$\times \frac{1}{49}$

⇨ ■ : ▲ $=$ □ : 49

11 $A\times 7=B\times 6$

⇨ A : B $=6$: □

12 $A\times 23=B\times 47$

⇨ A : B $=47$: □

13 $A\times 17=B\times 31$

⇨ A : B $=31$: □

14 $A\times \frac{7}{12}=B\times \frac{5}{18}$

⇨ A : B $=$ □ : 21

15 $A\times 1\frac{1}{4}=B\times 2\frac{1}{2}$

⇨ A : B $=$ □ : 1

22 비례식을 세워 도형에서 모르는 변의 길이 구하기

공부한 날 월 일

모르는 변의 길이를 □로 놓고 비례식을 세워서 문제를 해결해 봐.

1 직사각형의 가로와 세로의 비는 1 : 2입니다. 가로가 15 cm라면 세로는 몇 cm입니까?

(30 cm)

(가로) : (세로)=1 : 2=15 : □
⇨ 1×□=2×15, □=30

2 직사각형의 가로와 세로의 비는 3 : 5입니다. 가로가 45 cm라면 세로는 몇 cm입니까?

( )

3 직각삼각형의 밑변의 길이와 높이의 비는 6 : 7입니다. 밑변의 길이가 42 cm라면 높이는 몇 cm입니까?

( )

4 사다리꼴의 윗변의 길이와 아랫변의 길이의 비는 11 : 9입니다. 윗변의 길이가 88 cm라면 아랫변의 길이는 몇 cm입니까?

( )

5 평행사변형의 밑변의 길이와 높이의 비는 21 : 17입니다. 높이가 51 cm라면 밑변의 길이는 몇 cm입니까?

( )

6 마름모의 한 대각선의 길이와 다른 대각선의 길이의 비는 7 : 8입니다. 한 대각선의 길이가 28 cm라면 다른 대각선의 길이는 몇 cm입니까?

( )

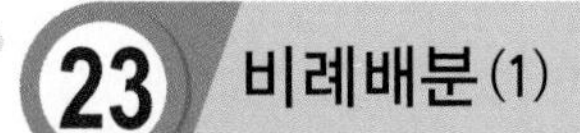

1 9를 2 : 1로 나누려고 합니다. □ 안에 알맞은 수를 써넣으시오.

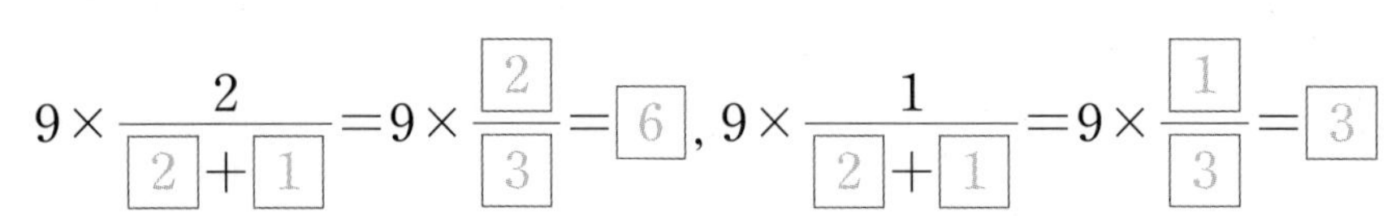

$9\times\frac{2}{2+1}=9\times\frac{2}{3}=6$, $9\times\frac{1}{2+1}=9\times\frac{1}{3}=3$

2 40을 3 : 2로 나누려고 합니다. □ 안에 알맞은 수를 써넣으시오.

$$40\times\frac{3}{3+\square}=40\times\frac{\square}{\square}=\square,\ 40\times\frac{2}{3+\square}=40\times\frac{\square}{\square}=\square$$

3 65를 5 : 8로 나누려고 합니다. □ 안에 알맞은 수를 써넣으시오.

$$65\times\frac{5}{\square+\square}=65\times\frac{\square}{\square}=\square,\ 65\times\frac{8}{\square+\square}=65\times\frac{\square}{\square}=\square$$

4 77을 7 : 4로 나누려고 합니다. □ 안에 알맞은 수를 써넣으시오.

$$77\times\frac{7}{\square+\square}=77\times\frac{\square}{\square}=\square,\ 77\times\frac{4}{\square+\square}=77\times\frac{\square}{\square}=\square$$

5 84를 8 : 13으로 나누려고 합니다. □ 안에 알맞은 수를 써넣으시오.

$$84\times\frac{8}{\square+\square}=84\times\frac{\square}{\square}=\square,\ 84\times\frac{13}{\square+\square}=84\times\frac{\square}{\square}=\square$$

6 150을 2 : 3으로 나누려고 합니다. □ 안에 알맞은 수를 써넣으시오.

$$150\times\frac{2}{\square+\square}=150\times\frac{\square}{\square}=\square,\ 150\times\frac{3}{\square+\square}=150\times\frac{\square}{\square}=\square$$

공부한 날 월 일

☀ □ 안에 알맞은 수를 써넣으시오.

1 300을 2 : 4로 나누면 2 : 4=1 : $\boxed{2}$ 이므로

$300\times\dfrac{1}{1+\boxed{2}}=300\times\dfrac{\boxed{1}}{\boxed{3}}=\boxed{100}$, $300\times\dfrac{\boxed{2}}{1+\boxed{2}}=300\times\dfrac{\boxed{2}}{\boxed{3}}=\boxed{200}$ 입니다.

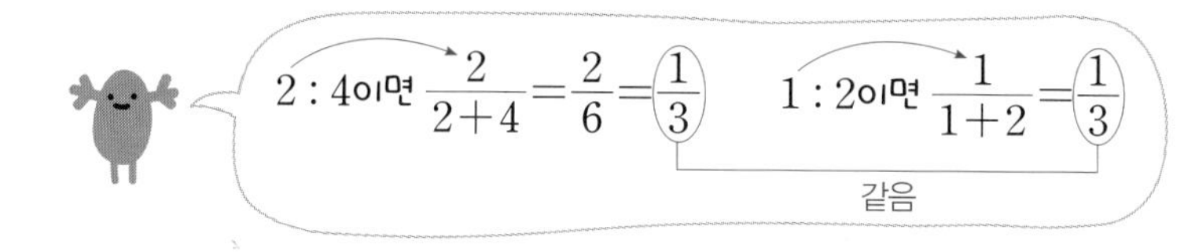

2 : 4이면 $\dfrac{2}{2+4}=\dfrac{2}{6}=\dfrac{1}{3}$
1 : 2이면 $\dfrac{1}{1+2}=\dfrac{1}{3}$
같음

2 560을 24 : 60으로 나누면 24 : 60=2 : $\boxed{}$ 이므로

$560\times\dfrac{2}{2+\boxed{}}=560\times\dfrac{\boxed{}}{\boxed{}}=\boxed{}$, $560\times\dfrac{\boxed{}}{2+\boxed{}}=560\times\dfrac{\boxed{}}{\boxed{}}=\boxed{}$ 입니다.

3 450을 12 : 42로 나누면 12 : 42=2 : $\boxed{}$ 이므로

$450\times\dfrac{2}{2+\boxed{}}=450\times\dfrac{\boxed{}}{\boxed{}}=\boxed{}$, $450\times\dfrac{\boxed{}}{2+\boxed{}}=450\times\dfrac{\boxed{}}{\boxed{}}=\boxed{}$ 입니다.

4 500을 4 : 6으로 나누면 4 : 6=2 : $\boxed{}$ 이므로

$500\times\dfrac{2}{2+\boxed{}}=500\times\dfrac{\boxed{}}{\boxed{}}=\boxed{}$, $500\times\dfrac{\boxed{}}{2+\boxed{}}=500\times\dfrac{\boxed{}}{\boxed{}}=\boxed{}$ 입니다.

5 840을 12 : 16으로 나누면 12 : 16=3 : $\boxed{}$ 이므로

$840\times\dfrac{3}{3+\boxed{}}=840\times\dfrac{\boxed{}}{\boxed{}}=\boxed{}$, $840\times\dfrac{\boxed{}}{3+\boxed{}}=840\times\dfrac{\boxed{}}{\boxed{}}=\boxed{}$ 입니다.

25 비례배분 활용 (1)

공부한 날 월 일

1 어느 날 낮과 밤의 길이의 비가 5 : 7이라면 밤은 몇 시간입니까?

(14시간)

하루는 24시간입니다.

⇨ $24 \times \frac{7}{5+7} = 24 \times \frac{7}{12} = 14$(시간)

2 한 상자에 사탕이 45개 들어 있습니다. 이 사탕을 동수와 은수가 5 : 4로 나누어 가진다면 은수가 가지는 사탕은 몇 개입니까?

( )

3 바늘 한 쌈은 24개입니다. 바늘 한 쌈을 어머니와 고모가 7 : 5로 나누어 가진다면 어머니가 가지는 바늘은 몇 개입니까?

( )

4 마늘 한 접은 100개입니다. 마늘 한 접을 태호와 호정이가 13 : 7로 나누어 가진다면 호정이가 가지는 마늘은 몇 개입니까?

( )

5 연필 한 타는 12자루입니다. 연필 한 타를 미라와 근우가 7 : 5로 나누어 가진다면 근우가 가지는 연필은 몇 자루입니까?

( )

6 용규가 4월 한 달 동안 운동을 한 날과 안 한 날을 조사하였더니 운동을 한 날과 안 한 날의 비가 8 : 7이었습니다. 용규가 4월에 운동을 한 날은 며칠입니까?

( )

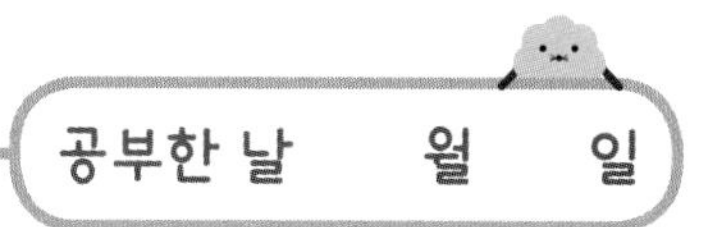

1 연필 48자루를 지연이와 민수가 5 : 7로 나누어 가졌습니다. 두 사람 중에서 누가 연필을 몇 자루 더 많이 가졌는지 구하시오.

(민수), (8자루)

지연: $48 \times \frac{5}{5+7} = 48 \times \frac{5}{12} = 20$(자루), 민수: $48 \times \frac{7}{5+7} = 48 \times \frac{7}{12} = 28$(자루)
⇨ $28 - 20 = 8$(자루)

지연이와 민수가
가지는 연필의 수를
비례배분으로
구해 봐.

2 붙임딱지 40장을 준영이와 선희가 3 : 2로 나누어 가졌습니다. 두 사람 중에서 누가 붙임딱지를 몇 장 더 많이 가졌는지 구하시오.

( ), ( )

3 귤 55개를 서준이와 다현이가 7 : 4로 나누어 가졌습니다. 두 사람 중에서 누가 귤을 몇 개 더 적게 가졌는지 구하시오.

( ), ( )

4 구슬 70개를 동진이와 은진이가 3 : 4로 나누어 가졌습니다. 두 사람 중에서 누가 구슬을 몇 개 더 적게 가졌는지 구하시오.

( ), ( )

5 사탕 72개를 윤석이와 지원이가 11 : 13으로 나누어 가졌습니다. 두 사람 중에서 누가 사탕을 몇 개 더 많이 가졌는지 구하시오.

( ), ( )

6 꿀떡 84개를 태호와 유정이가 8 : 13으로 나누어 가졌습니다. 두 사람 중에서 누가 꿀떡을 몇 개 더 많이 가졌는지 구하시오.

( ), ( )

27 비례배분 활용(3)

공부한 날 월 일

1 가로와 세로의 비가 3 : 5이고 둘레가 48 cm인 직사각형이 있습니다. 이 직사각형의 세로는 몇 cm입니까?

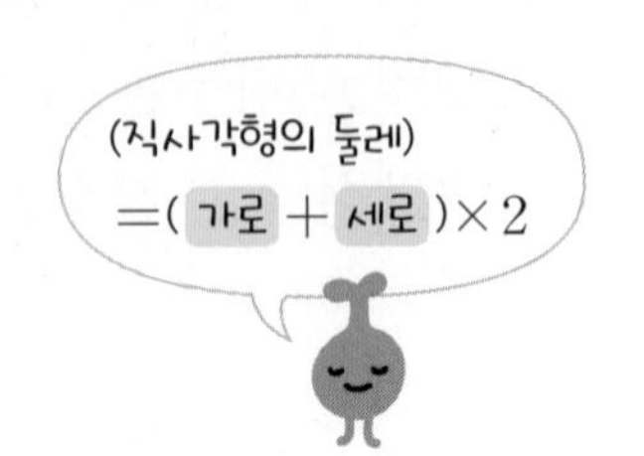

(15 cm)

(가로)+(세로)$=48\div2=24$(cm)

⇨ (직사각형의 세로)$=24\times\frac{5}{3+5}=24\times\frac{5}{8}=15$(cm)

2 가로와 세로의 비가 1 : 3이고 둘레가 64 cm인 직사각형이 있습니다. 이 직사각형의 가로는 몇 cm입니까?

( )

3 가로와 세로의 비가 2 : 3이고 둘레가 80 cm인 직사각형이 있습니다. 이 직사각형의 세로는 몇 cm입니까?

( )

4 가로와 세로의 비가 5 : 4이고 둘레가 108 cm인 직사각형이 있습니다. 이 직사각형의 가로는 몇 cm입니까?

( )

5 가로와 세로의 비가 7 : 8이고 둘레가 120 cm인 직사각형이 있습니다. 이 직사각형의 세로는 몇 cm입니까?

( )

6 가로와 세로의 비가 11 : 13이고 둘레가 144 cm인 직사각형이 있습니다. 이 직사각형의 가로는 몇 cm입니까?

( )

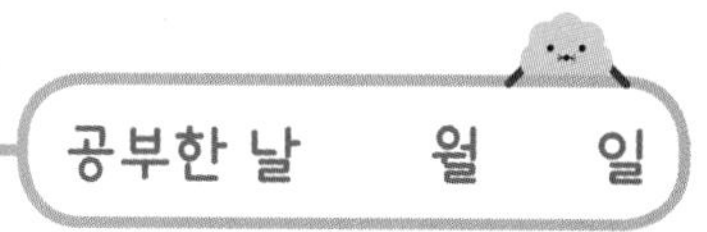

1 딸기를 성수와 명수가 1 : 3의 비로 나누어 먹었더니 성수가 8개를 먹었습니다. 성수와 명수가 먹은 전체 딸기는 몇 개입니까?

(32개)

전체 딸기 수를 □개라 놓고 식을 세우면 $\square \times \frac{1}{1+3} = \square \times \frac{1}{4} = 8$입니다.
⇨ $\square = 8 \times 4 = 32$

전체의 양을
□로 놓고 비례배분한
식을 세워 봐.

2 찌개와 나물을 만드는 데 간장을 4 : 3의 비로 사용하였더니 찌개에 24 mL를 넣었습니다. 찌개와 나물을 만드는 데 사용한 전체 간장은 몇 mL입니까?

( )

3 구슬을 희주와 동호가 5 : 4의 비로 나누어 가졌더니 희주가 가진 구슬이 20개입니다. 전체 구슬은 몇 개입니까?

( )

4 시장에서 사 온 꼴뚜기와 주꾸미의 무게를 재어 보니 2 : 5이고 꼴뚜기가 8 kg입니다. 꼴뚜기와 주꾸미의 전체 무게는 몇 kg입니까?

( )

5 귤을 재호와 하나가 7 : 4의 비로 나누어 먹었더니 하나가 16개를 먹었습니다. 재호와 하나가 먹은 전체 귤은 몇 개입니까?

( )

6 붙임딱지를 현진이와 서현이가 4 : 5의 비로 나누어 가졌더니 서현이가 가진 붙임딱지가 30장입니다. 전체 붙임딱지는 몇 장입니까?

( )

1 비례식은 어느 것입니까? ( )

① $7:10$ ② $3\times4=12$ ③ $15\div3=5$
④ $4:5=8:10$ ⑤ $6\times2=24\div2$

• 비율이 같은 두 비를 기호 '='를 사용하여 나타낸 식을 비례식이라고 합니다.

2 비율이 같은 두 비를 찾아 비례식으로 나타내시오.

$2:9$	$3:7$	$26:117$	$56:24$	$72:14$

( )

• 비율이 같은 비는 모두 비례식으로 나타낼 수 있습니다.

3 비례식의 성질을 이용하여 □ 안에 알맞은 수를 써넣으시오.

(1) $\square:5=35:25$ (2) $24:\square=\frac{1}{7}:\frac{1}{8}$

4 간단한 자연수의 비로 나타내시오.

(1) $0.5:1.5$ (2) $\frac{1}{3}:\frac{3}{4}$

• 분수나 소수를 자연수로 나타내야 합니다.

✱ 오른쪽 그림과 같이 맞물려 돌아가는 두 톱니바퀴가 있습니다. 톱니바퀴 ㉮가 2바퀴 도는 동안 톱니바퀴 ㉯는 3바퀴 돕니다. 물음에 답하시오. [5~6]

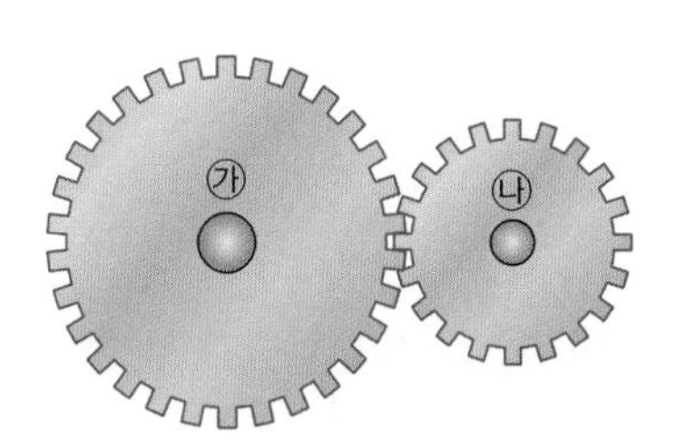

5 톱니바퀴 ㉯가 도는 바퀴 수에 대한 톱니바퀴 ㉮가 도는 바퀴 수의 비는 얼마입니까?

( )

• ■에 대한 ▲의 비 ⇨ ▲ : ■

6 톱니바퀴 ㉮가 36바퀴 도는 동안에 톱니바퀴 ㉯는 몇 바퀴 돌게 됩니까?

( )

• 비례식을 세워 봅니다.

7 길이가 98 cm인 끈을 남김없이 사용하여 가로와 세로의 비가 3 : 4인 가장 큰 직사각형을 1개 만들었습니다. 직사각형의 넓이는 몇 cm^2입니까?

(　　　　　　　　)

8 멀리뛰기 선수 진호와 민준이의 멀리뛰기 기록의 비는 4 : 5입니다. 진호가 680 cm를 뛰었다면 민준이는 몇 cm를 뛰었습니까?

(　　　　　　　　)

• 민준이가 뛴 거리를 □로 놓고 비례식을 세워 봅니다.

✱ 재영이와 민경이는 과수원에서 배를 땄습니다. 재영이가 10개를 따는 동안 민경이는 6개를 땄습니다. 물음에 답하시오. [9 ~ 10]

9 재영이와 민경이가 딴 배의 수를 간단한 자연수의 비로 나타내시오.

(　　　　　　　　)

• 재영이가 딴 배는 10개이고 민경이가 딴 배는 6개입니다.

10 두 사람이 딴 배가 모두 120개라면 재영이가 딴 배는 몇 개인지 식을 쓰고 답을 구하시오.

• 비례배분을 이용하여 식을 세워 계산해 봅니다.

QR 코드를 찍어 보세요.
문제 생성기 새로운 문제를 계속 풀 수 있어요.

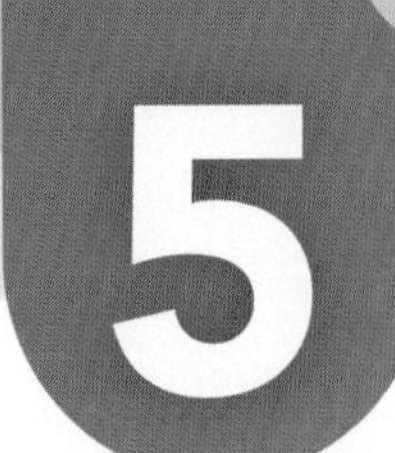

원의 넓이

제5화 화성의 놀이기구는?

하나 궁금한 게 있어.
뭔데?

우주선을 타고 하늘을 나는데 이상한 걸 봤어.

어떤 거?
저게 뭐야?

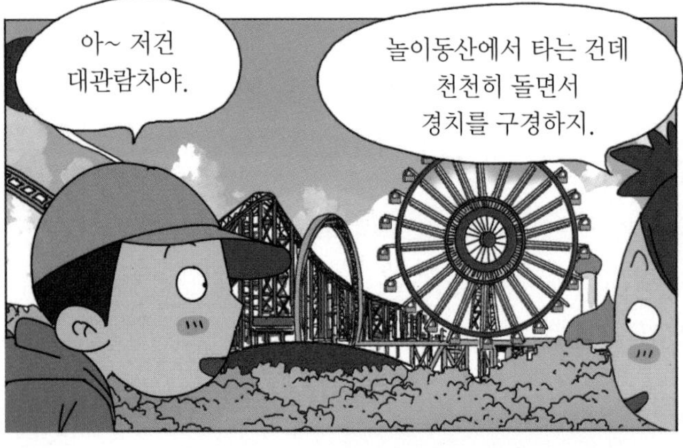

아~ 저건 대관람차야.
놀이동산에서 타는 건데 천천히 돌면서 경치를 구경하지.

원주가 엄청 길어서 뭔지 궁금했어.

원주?

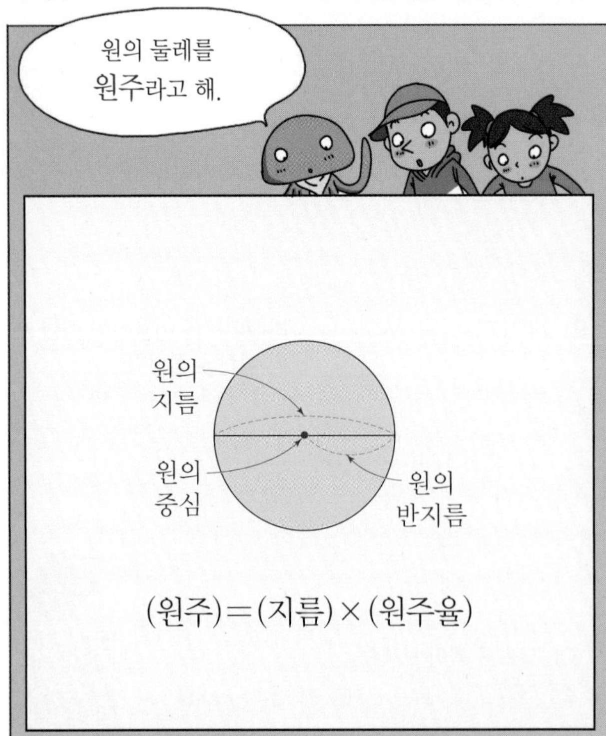

혹시 화성에도 저런 놀이기구가 있어?
응. 화성은 하늘에서 구경하는 놀이기구가 있어.

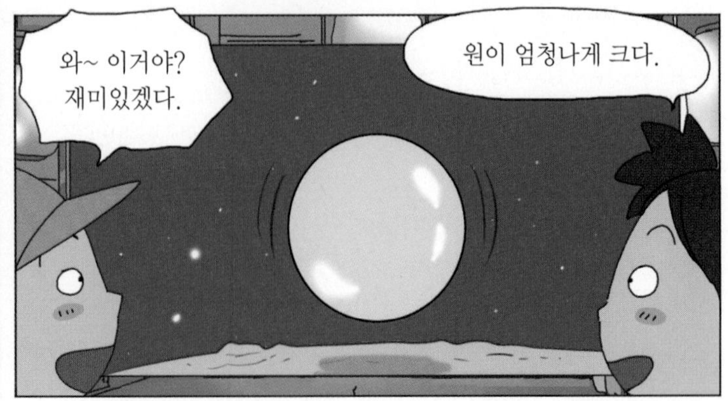

와~ 이거야? 재미있겠다.
원이 엄청나게 크다.

이미 배운 내용	이번에 배울 내용	앞으로 배울 내용
[3-2 원] • 원의 구성 요소 알아보기 [5-1 다각형의 둘레와 넓이] • 다각형의 둘레 • 다각형의 넓이	• 원주와 지름의 관계 알아보기 • 원주율 알아보기 • 원주와 지름 구하기 • 원의 넓이 구하기 • 여러 가지 원의 넓이 구하기	[6-2 원기둥, 원뿔, 구] • 원기둥, 원뿔, 구 알아보기

(원의 넓이)
=(원주율)×(반지름)×(반지름)

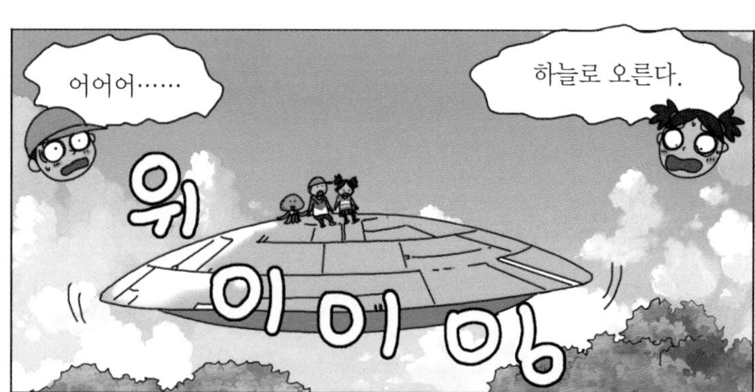

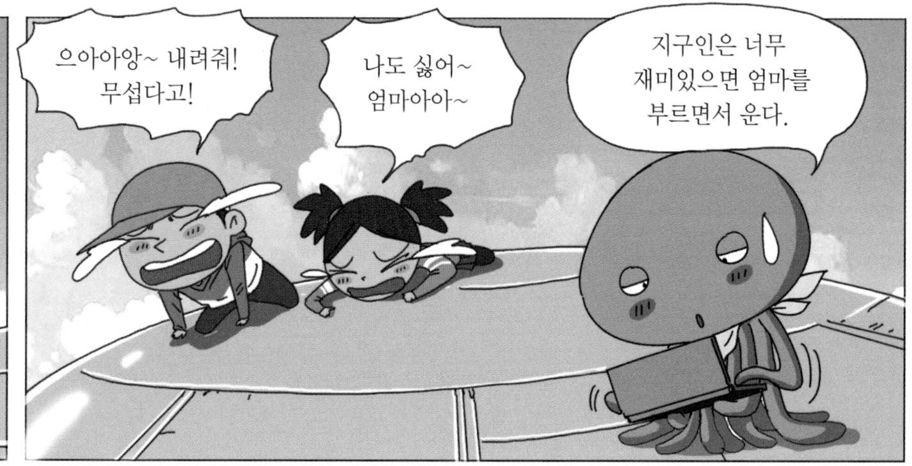

배운 것 확인하기

1 원의 반지름

✹ 원의 반지름의 길이를 구하시오. [1~9]

1

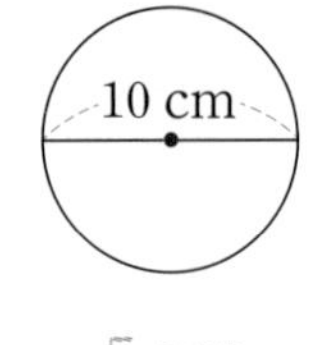

원의 반지름은 원의 지름의 반이야.

(5 cm)

10÷2=5(cm)

2

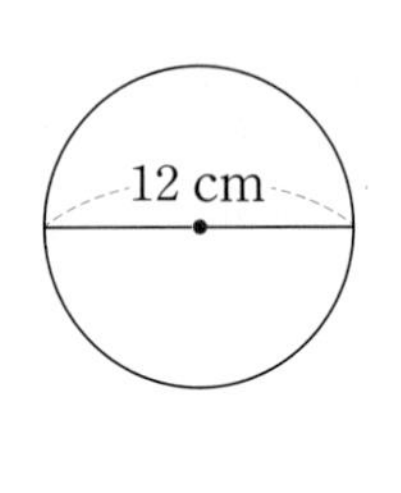

( )

6

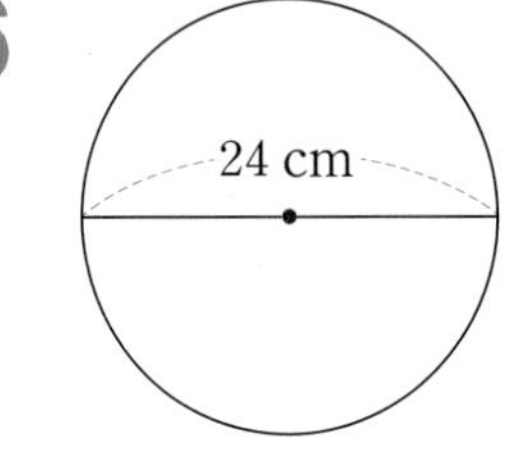

( )

3

14 cm

( )

7

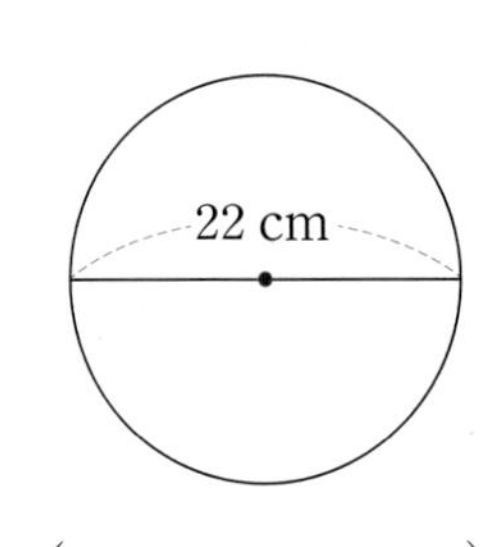

( )

4

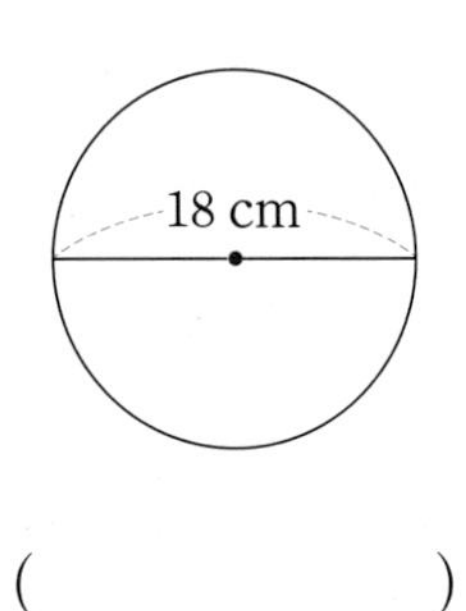

( )

8

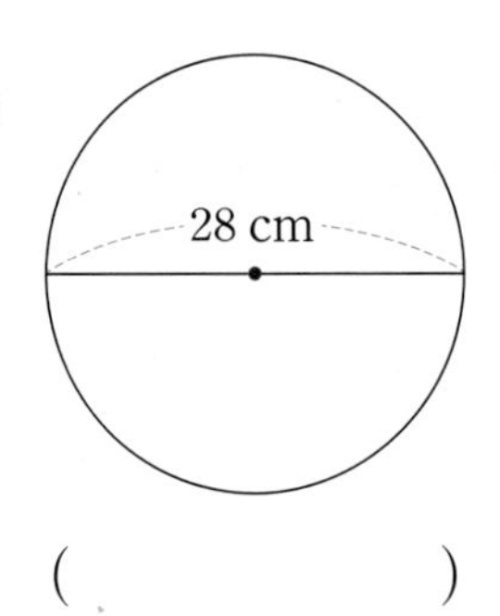

( )

5

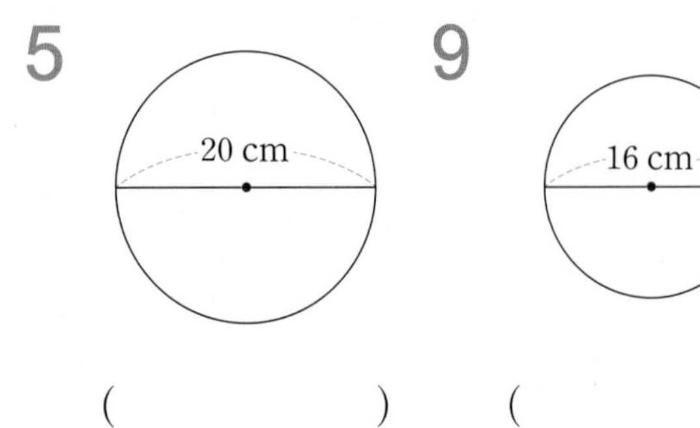

( )

9

( )

2 원의 지름

✹ 원의 지름의 길이를 구하시오. [1~9]

1

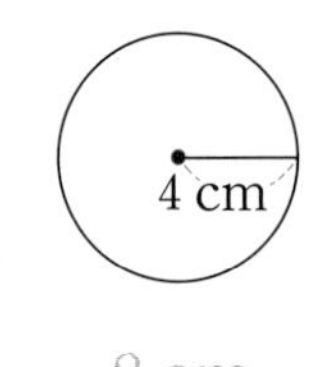

(8 cm)

4×2=8(cm)

2

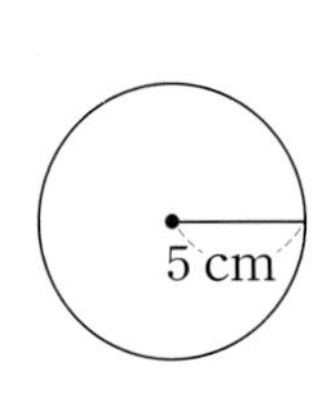

( )

6

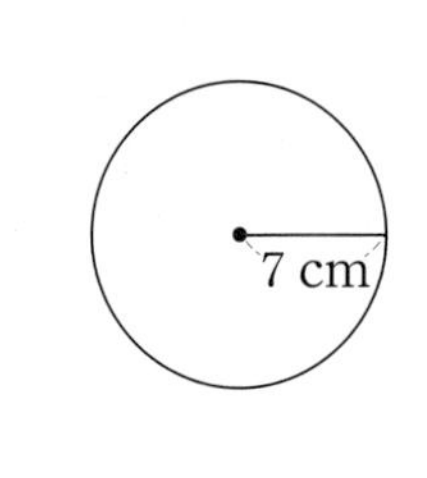

( )

3

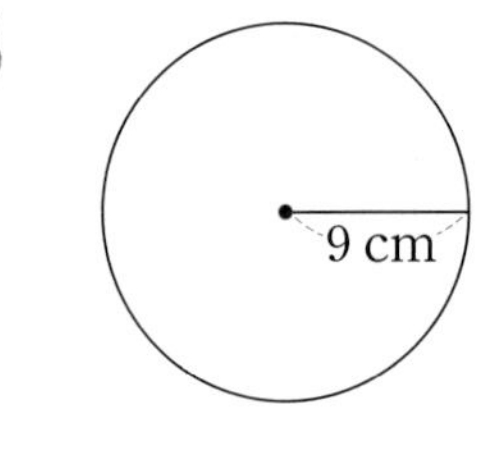

( )

7

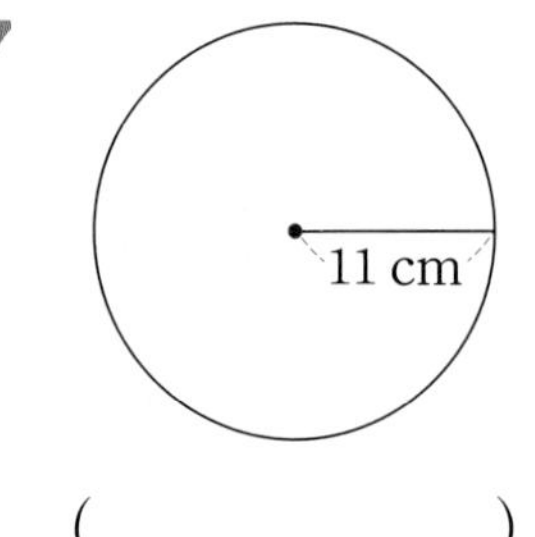

( )

4

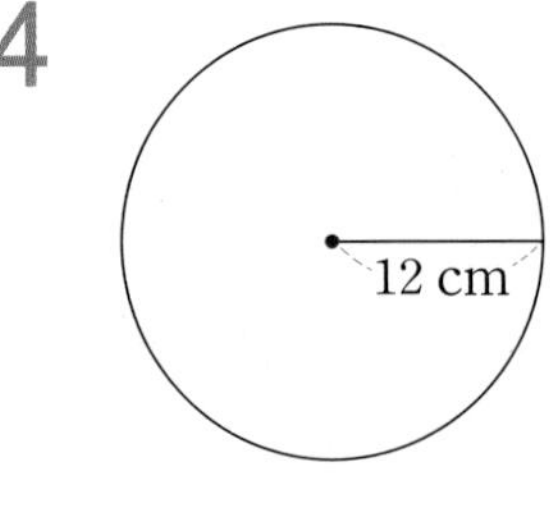

( )

8

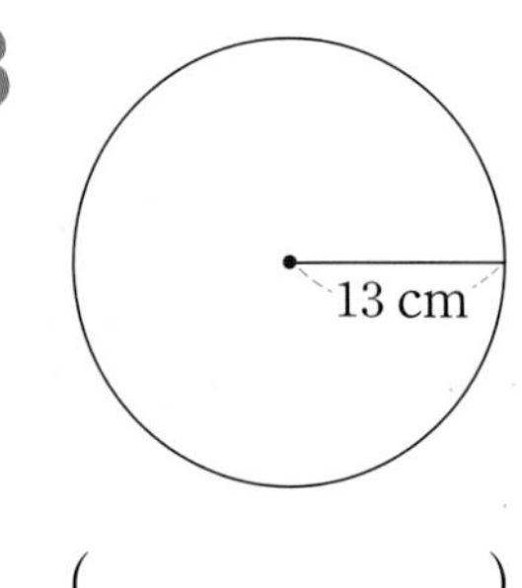

( )

5

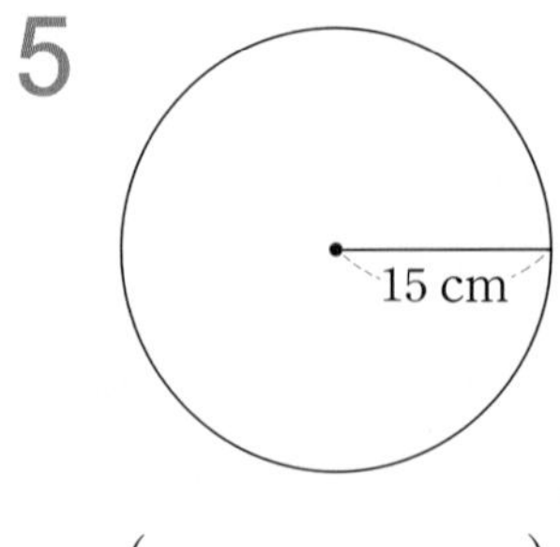

( )

9

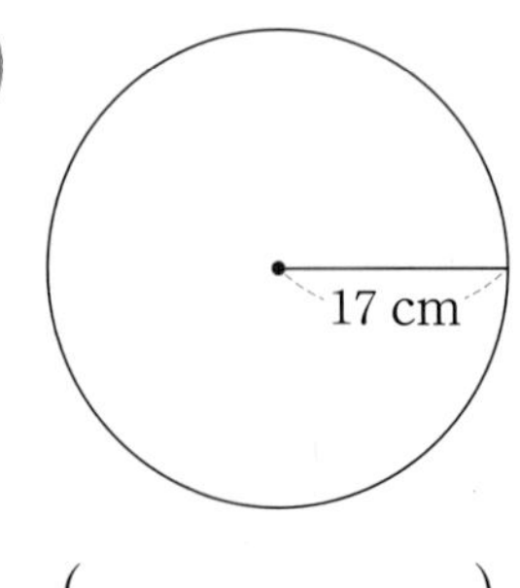

( )

3 소수의 곱셈-(자연수)×(소수), (소수)×(자연수)

✸ 계산을 하시오. [1~5]

1 $6 \times 1.25 = 7.5$

$6 \times 125 = 750$

$\frac{1}{100}$배, $\frac{1}{100}$배

$6 \times 1.25 = 7.5$

2 32×0.24

4 21×1.72

3 56×1.82

5 18×0.17

✸ 계산을 하시오. [6~11]

6 29×0.18

9 64×1.25

7 32×0.04

10 155×0.96

8 24×0.96

11 149×0.27

4 도형의 넓이

✸ 도형의 넓이를 구하시오. [1~5]

1 (직사각형: 4 cm, 8 cm)

(직사각형의 넓이)
=(가로)×(세로)

(32 cm²)

(직사각형의 넓이)$=8 \times 4 = 32$ (cm²)

2

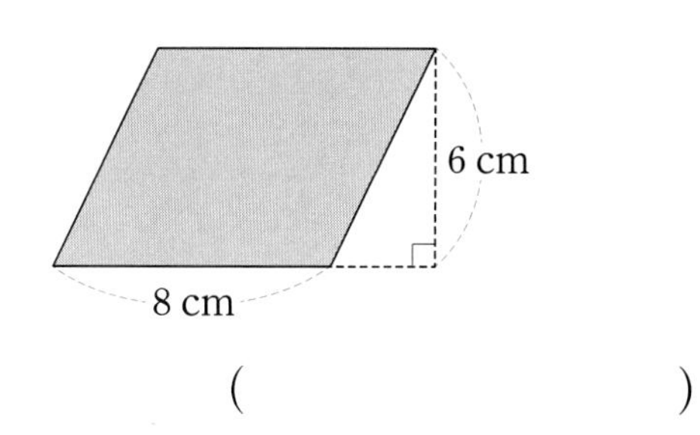

(　　　　　　)

3

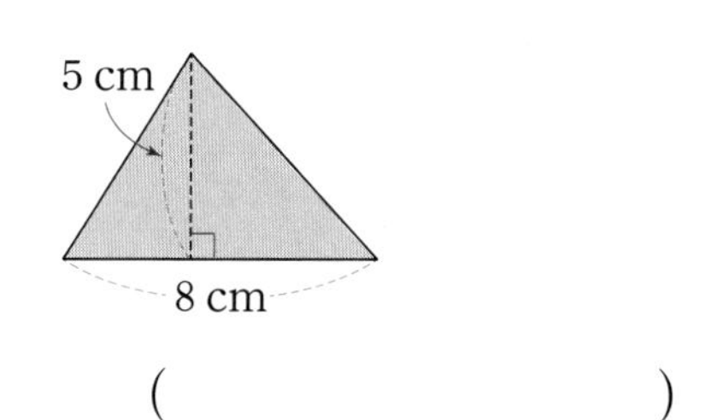

(　　　　　　)

4

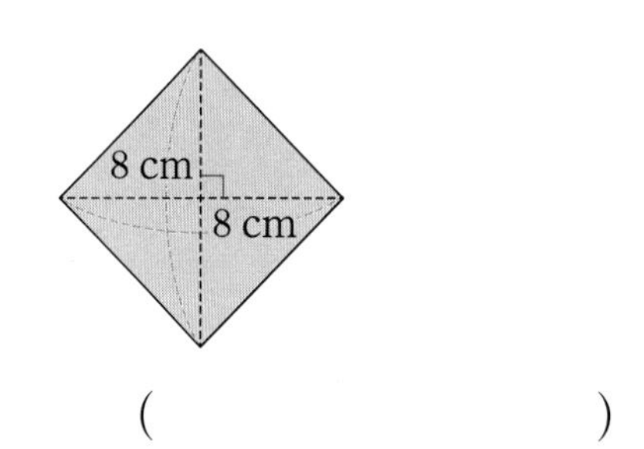

(　　　　　　)

5

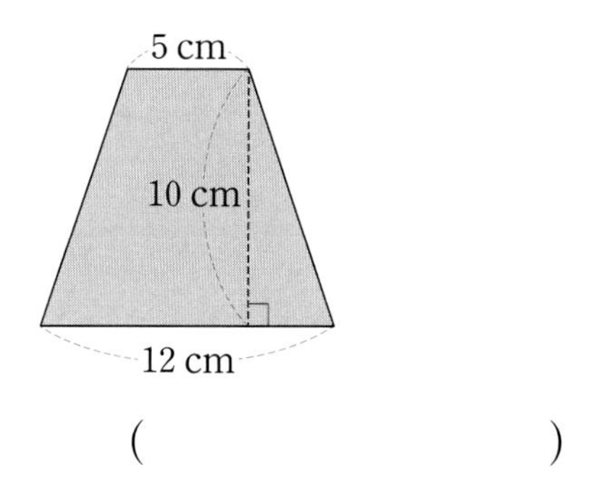

(　　　　　　)

5 원의 넓이

1 지름을 알 때 원주 구하기

공부한 날 월 일

✹ 원주를 구하시오.

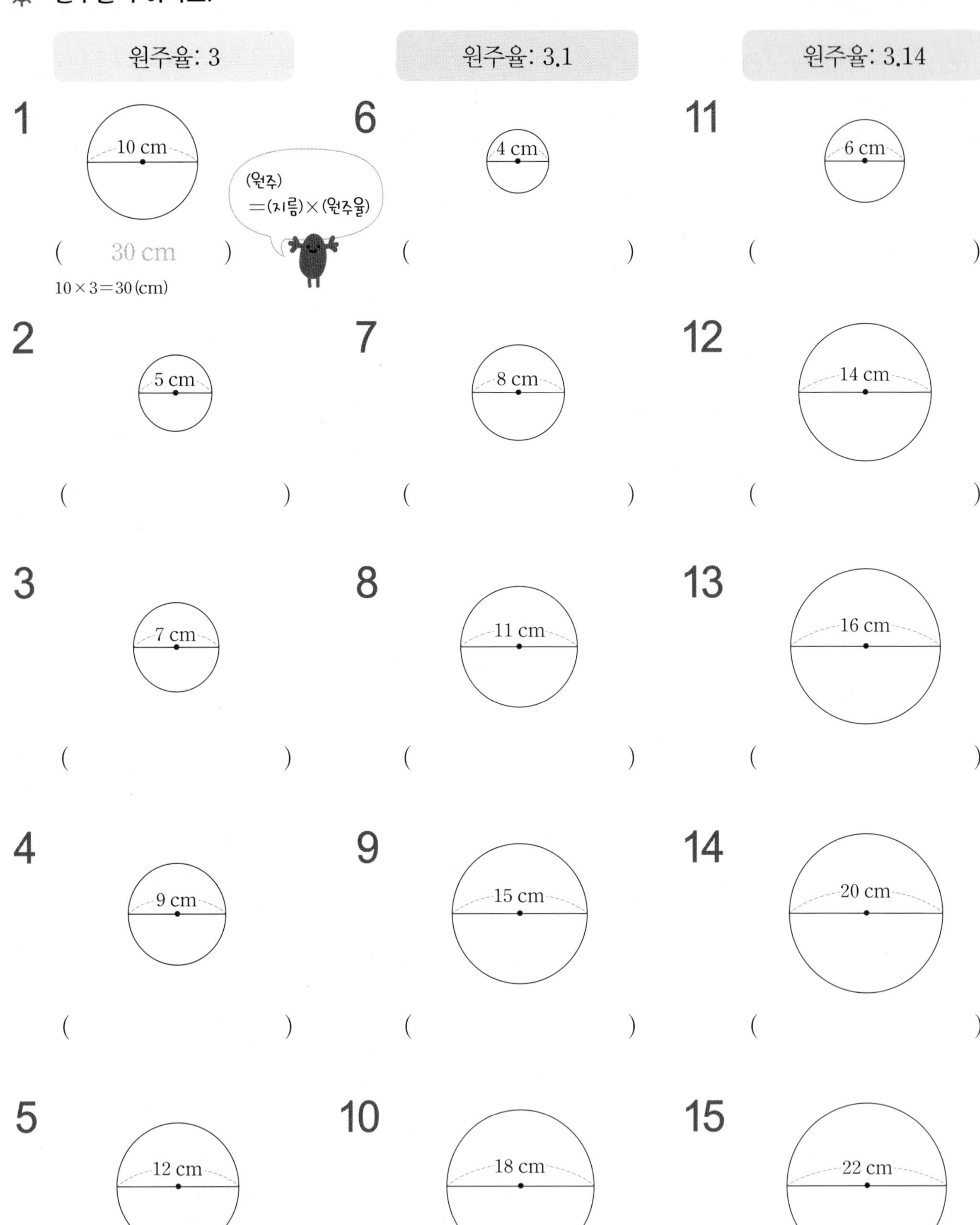

2 반지름을 알 때 원주 구하기

공부한 날 월 일

✱ 원주를 구하시오.

5 원의 넓이

3 원주를 알 때 지름 구하기

공부한 날 월 일

✸ 원의 지름을 구하시오.

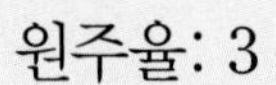

원주율: 3

1

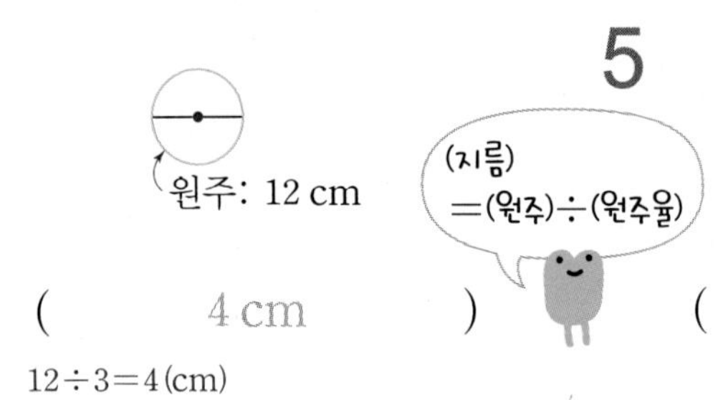

원주: 12 cm

(4 cm)

12÷3=4(cm)

2

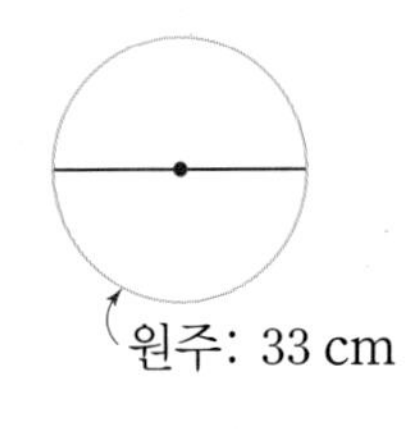

원주: 33 cm

(   )

3

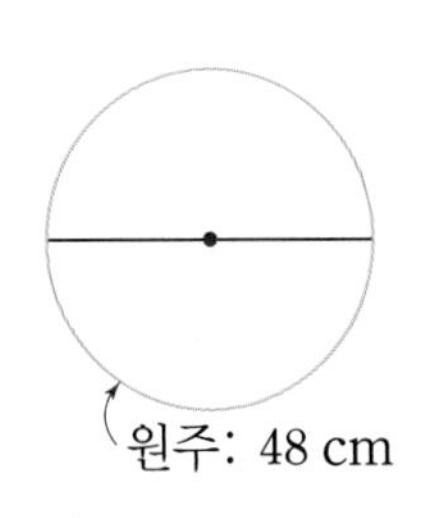

원주: 48 cm

(   )

4

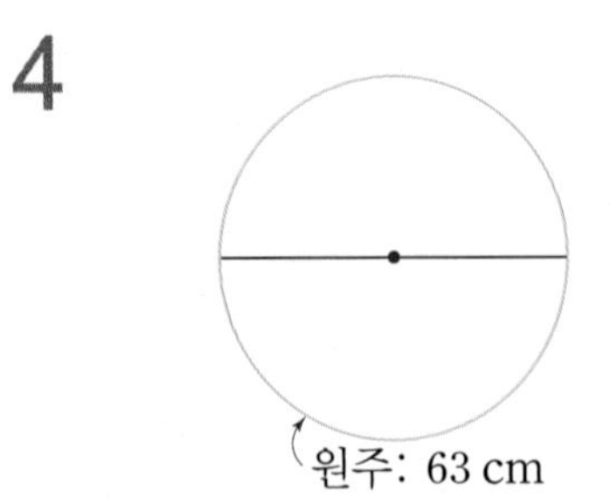

원주: 63 cm

(   )

원주율: 3.1

5

원주: 15.5 cm

(   )

6

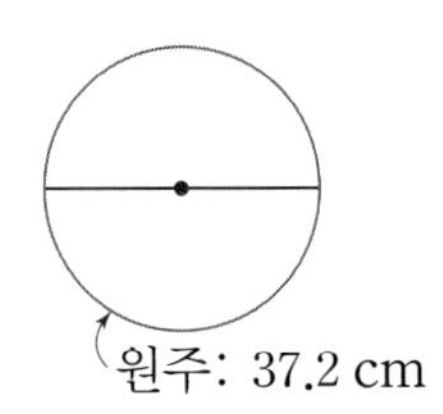

원주: 37.2 cm

(   )

7

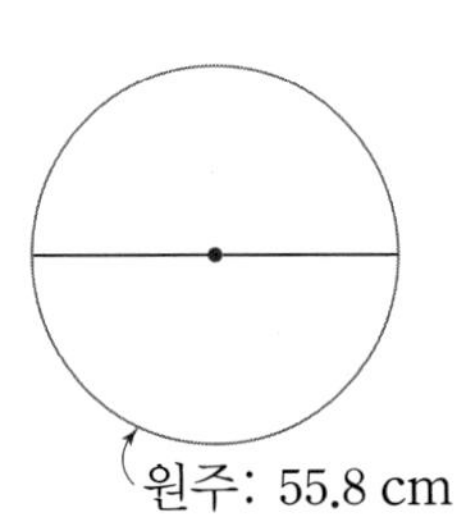

원주: 55.8 cm

(   )

8

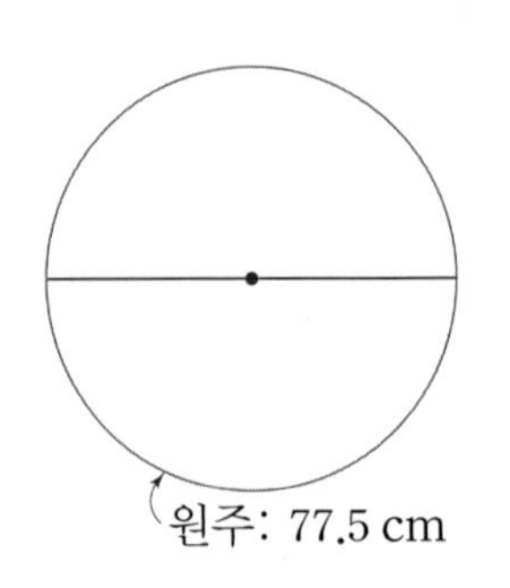

원주: 77.5 cm

(   )

원주율: 3.14

9

원주: 25.12 cm

(   )

10

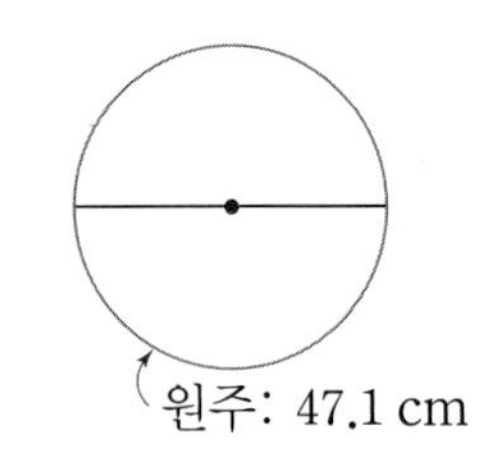

원주: 47.1 cm

(   )

11

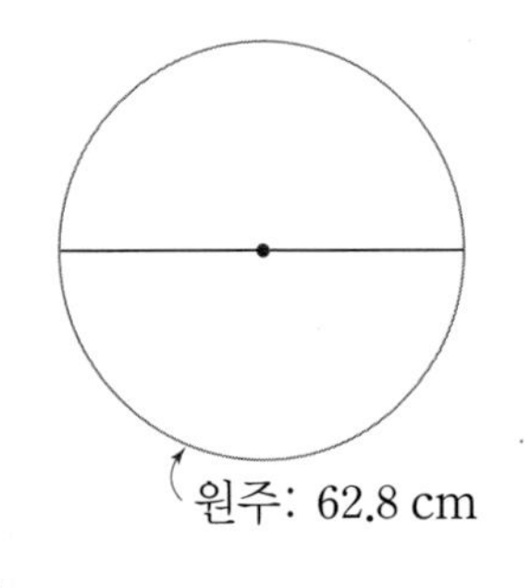

원주: 62.8 cm

(   )

12

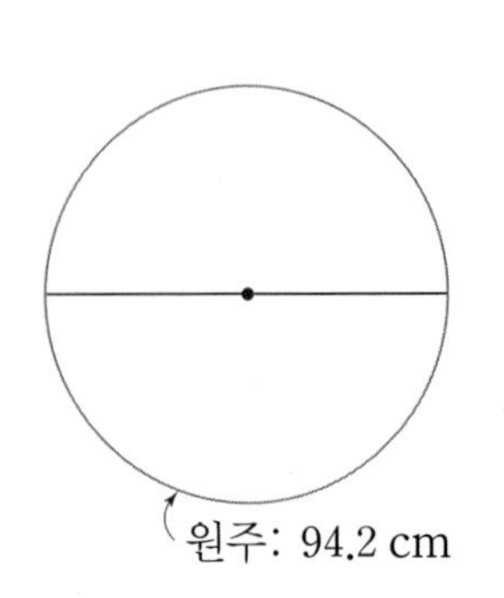

원주: 94.2 cm

(   )

4 원주를 알 때 반지름 구하기

공부한 날 월 일

원의 반지름을 구하시오.

원주율: 3

1

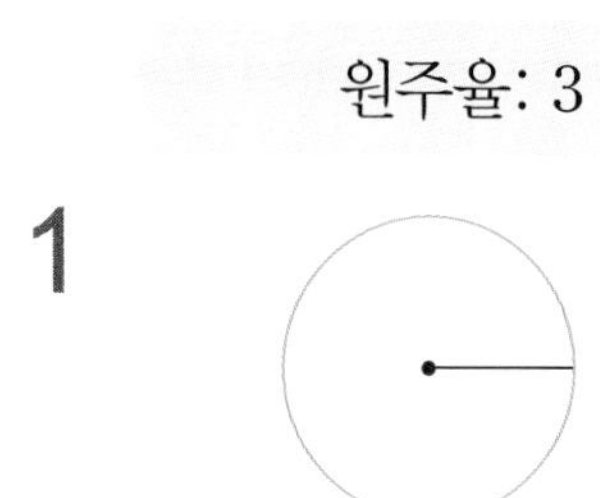

원주: 36 cm

(6 cm)

36÷3÷2=6(cm)

(반지름)
=(원주)÷(원주율)÷2

2

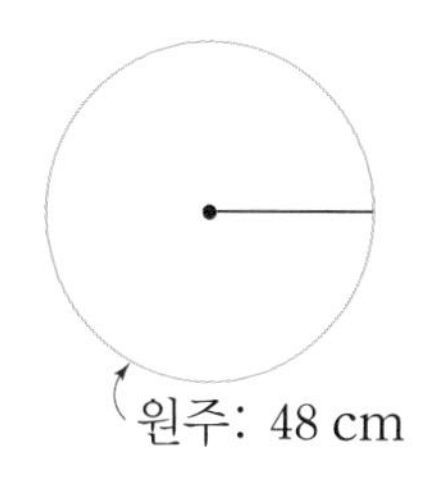

원주: 48 cm

( )

3

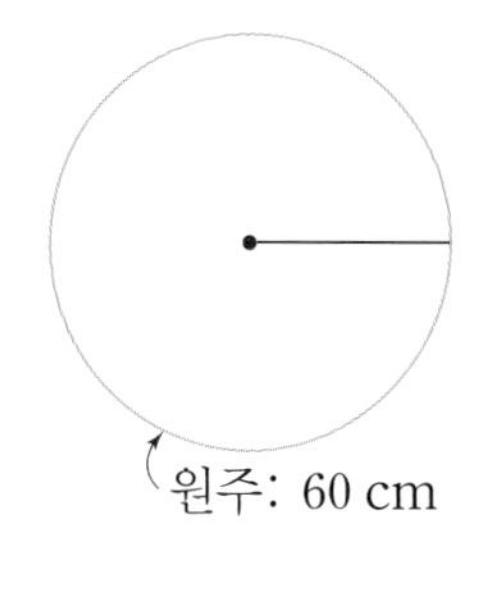

원주: 60 cm

( )

4

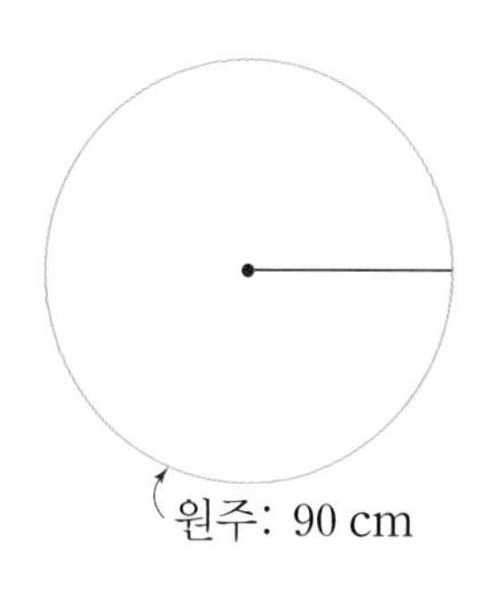

원주: 90 cm

( )

원주율: 3.1

5

원주: 12.4 cm

( )

6

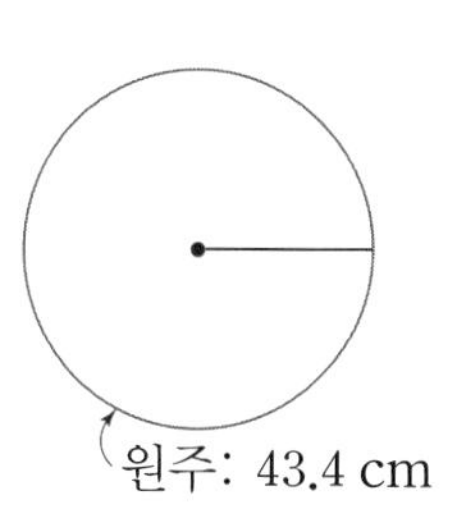

원주: 43.4 cm

( )

7

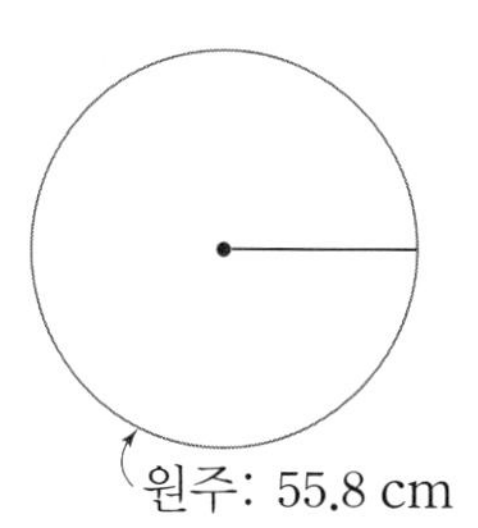

원주: 55.8 cm

( )

8

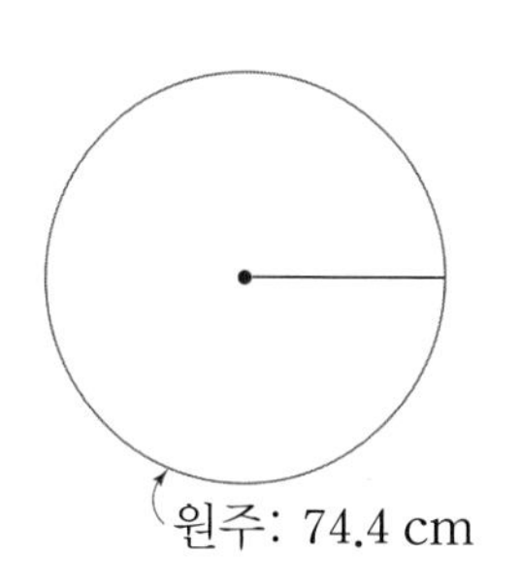

원주: 74.4 cm

( )

원주율: 3.14

9

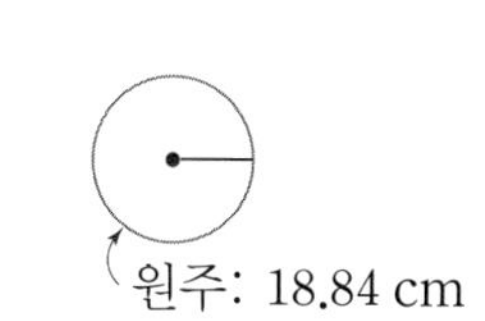

원주: 18.84 cm

( )

10

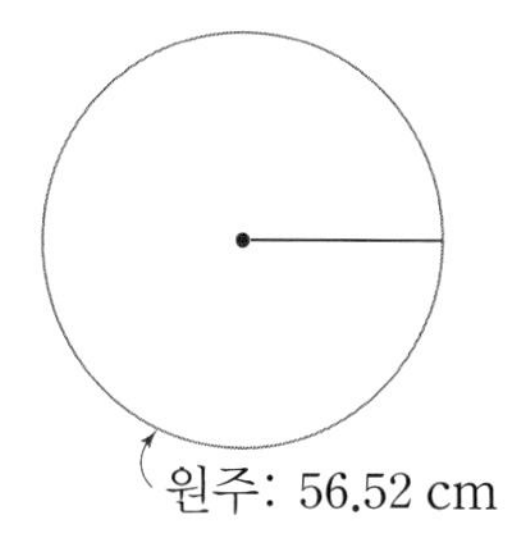

원주: 56.52 cm

( )

11

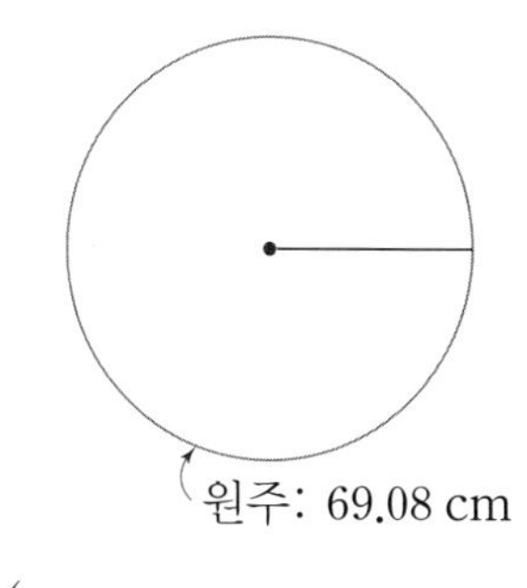

원주: 69.08 cm

( )

12

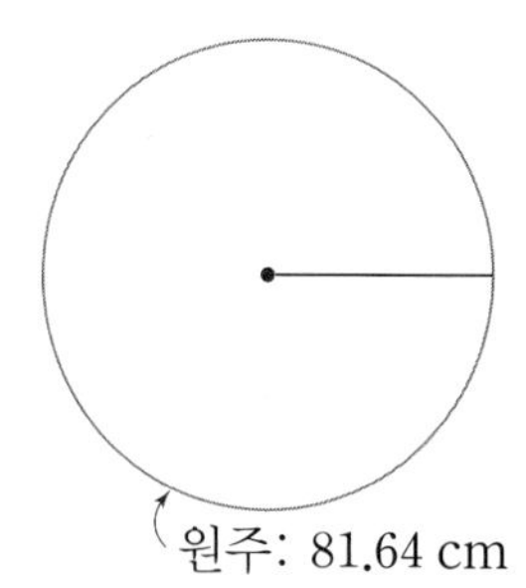

원주: 81.64 cm

( )

5 원의 넓이

5 원주를 이용하여 거리 구하기

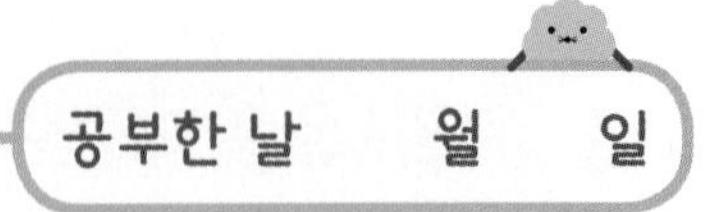
공부한 날 월 일

1 지수의 굴렁쇠는 지름이 0.8 m입니다. 지수가 집에서 놀이터로 가는 동안 굴렁쇠를 100바퀴 굴렸다면 지수네 집에서 놀이터까지의 거리는 몇 m입니까? (원주율: 3)

굴렁쇠가 한 바퀴
가는 거리는 굴렁쇠의
원주와 같아.

(240 m)

(굴렁쇠가 한 바퀴 가는 거리)=0.8×3=2.4 (m)
⇨ (집에서 놀이터까지의 거리)=2.4×100=240 (m)

2 주영이의 훌라후프는 지름이 0.9 m입니다. 주영이가 집에서 운동장까지 가는 동안 훌라후프를 200번 굴렸다면 주영이네 집에서 운동장까지의 거리는 몇 m입니까? (원주율: 3.1)

(   )

3 수지의 자전거 바퀴는 지름이 56 cm입니다. 수지가 자전거를 타고 학교에서 문구점까지 가는 동안 자전거의 바퀴가 250번 돌았다면 학교에서 문구점까지의 거리는 몇 cm입니까? (원주율: 3.1)

(   )

4 현석이네 아버지의 자동차 바퀴는 반지름이 0.35 m입니다. 집에서 놀이공원까지 가는 동안 자동차 바퀴가 1200번 돌았다면 집에서 놀이공원까지의 거리는 몇 m입니까? (원주율: 3.14)

(   )

5 민범이의 자전거 바퀴는 반지름이 35 cm입니다. 민범이가 자전거를 타고 집에서 도서관까지 가는 동안 자전거의 바퀴가 500번 돌았다면 집에서 도서관까지의 거리는 몇 m입니까? (원주율: 3.14)

(   )

6 원의 넓이 어림하기

1 반지름이 5 cm인 원의 넓이는 얼마인지 어림해 보려고 합니다. □ 안에 알맞은 수를 써넣으시오.

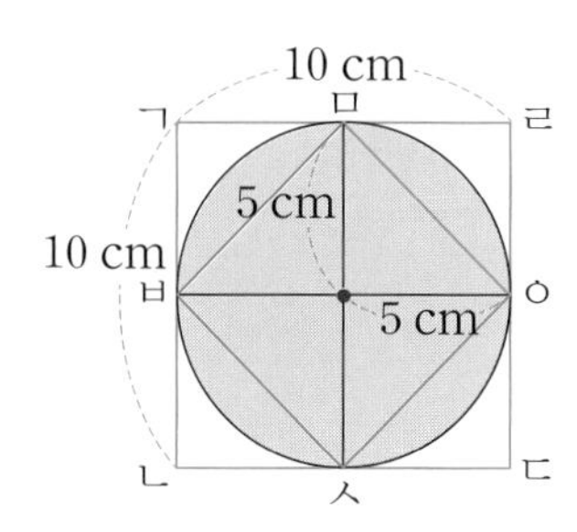

• (정사각형 ㅁㅂㅅㅇ의 넓이)

$=10\times10\div2=$ [50] (cm^2)

• (정사각형 ㄱㄴㄷㄹ의 넓이)

$=10\times10=$ [100] (cm^2)

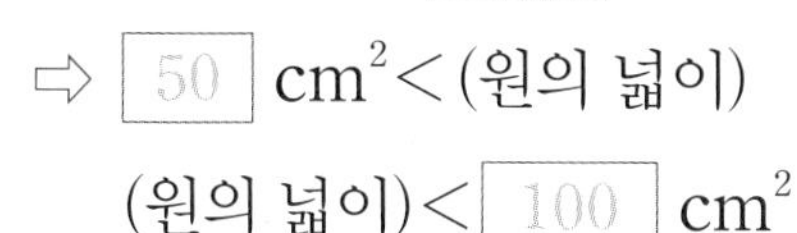

⇨ [50] $cm^2<$(원의 넓이)

(원의 넓이)$<$ [100] cm^2

2 지름이 12 cm인 원의 넓이는 얼마인지 어림해 보려고 합니다. □ 안에 알맞은 수를 써넣으시오.

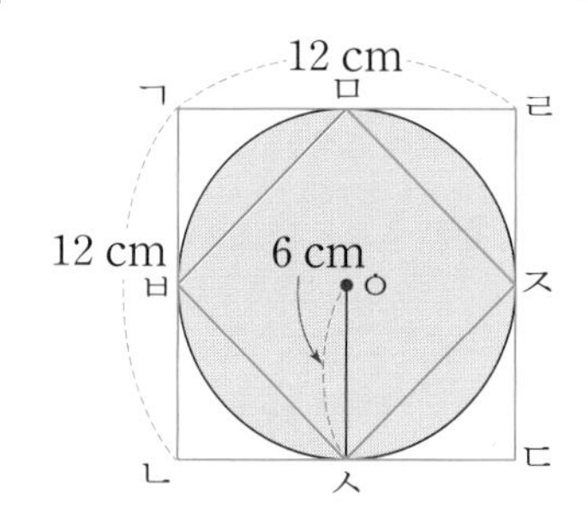

• (정사각형 ㅁㅂㅅㅈ의 넓이)$=$ □ $\times$ □ $\div2=$ □ (cm^2)

• (정사각형 ㄱㄴㄷㄹ의 넓이)$=$ □ $\times$ □ $=$ □ (cm^2)

⇨ □ $cm^2<$(원의 넓이)

(원의 넓이)$<$ □ cm^2

3 그림과 같이 한 변의 길이가 20 cm인 정사각형에 지름이 20 cm인 원을 그리고 1 cm 간격으로 점선을 그렸습니다. 모눈의 수를 세어 원의 넓이를 어림해 보시오.

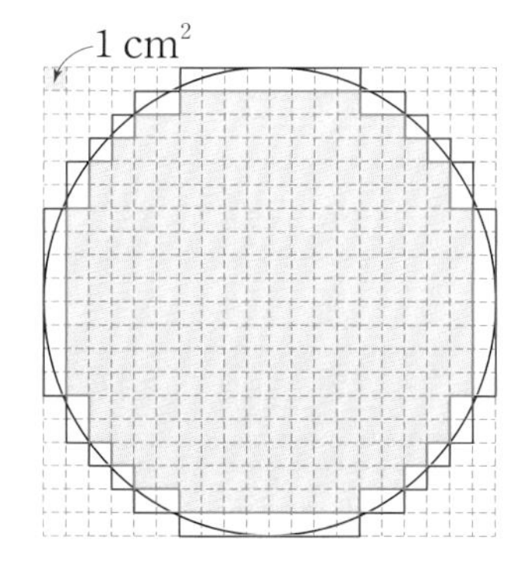

□ $cm^2<$(원의 넓이)

(원의 넓이)$<$ □ cm^2

4 정육각형의 넓이를 이용하여 원의 넓이를 어림하려고 합니다. 삼각형 ㄱㅇㄷ의 넓이는 15 cm^2, 삼각형 ㄹㅇㅂ의 넓이는 10 cm^2라면 원의 넓이는 얼마인지 어림해 보려고 합니다. □ 안에 알맞은 수를 써넣으시오.

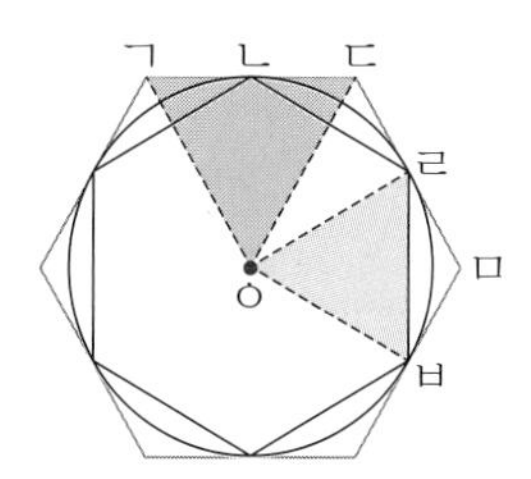

• (원 안에 있는 정육각형의 넓이)$=$ □ $\times6=$ □ (cm^2)

• (원 밖에 있는 정육각형의 넓이)$=$ □ $\times6=$ □ (cm^2)

⇨ □ $cm^2<$(원의 넓이)

(원의 넓이)$<$ □ cm^2

7 반지름을 알 때 원의 넓이 구하기

원의 넓이를 구하시오.

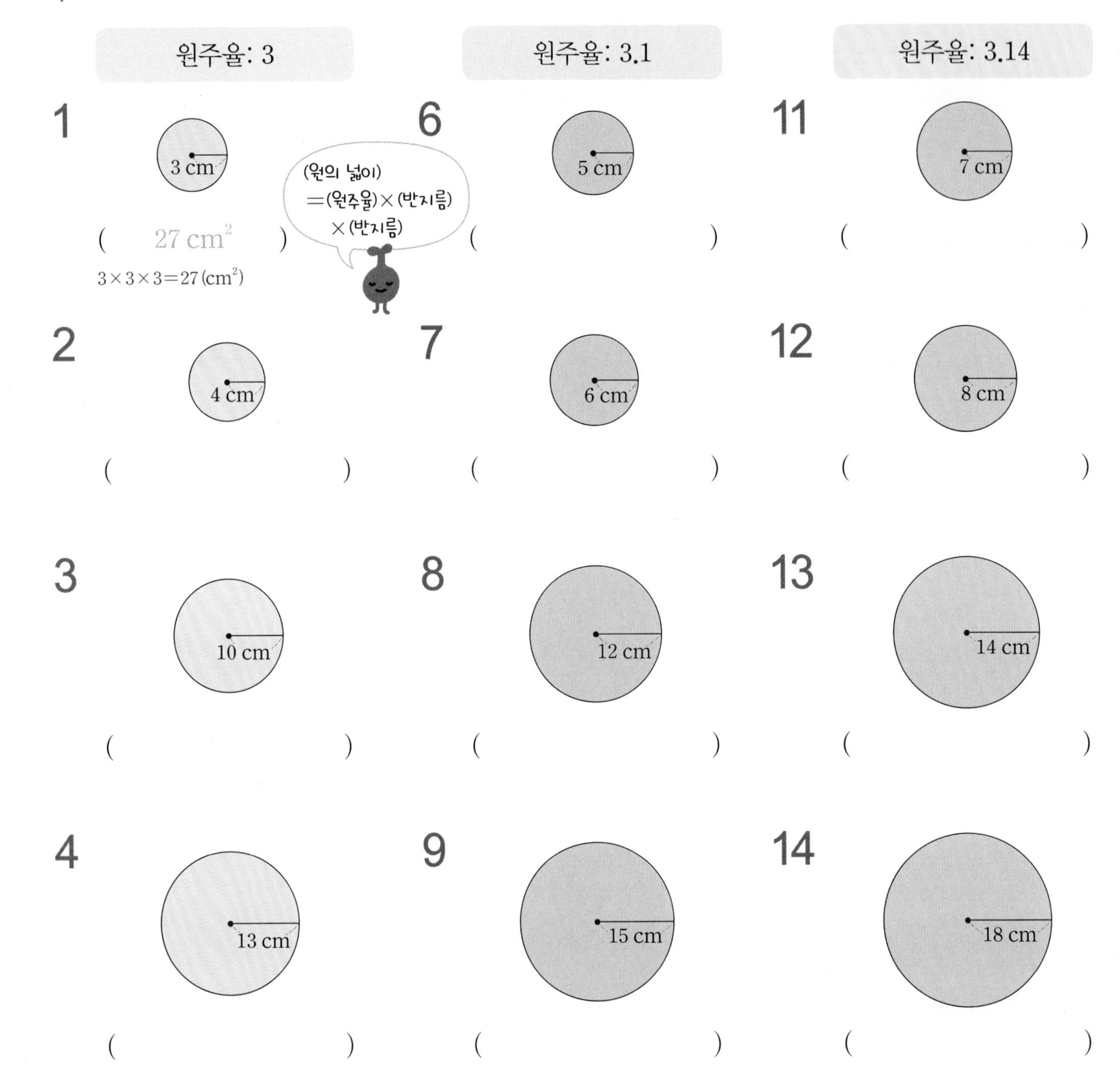

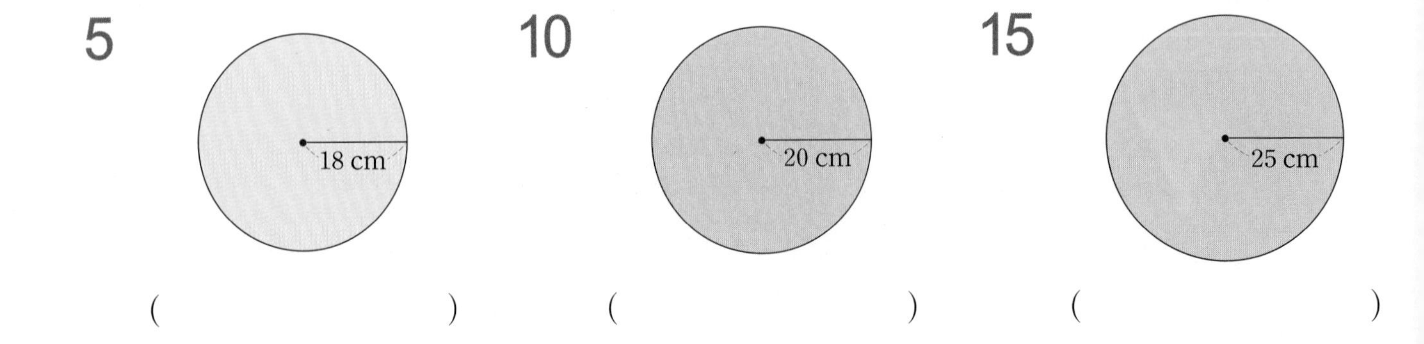

8 지름을 알 때 원의 넓이 구하기

공부한 날 월 일

✹ 원의 넓이를 구하시오.

원주율: 3

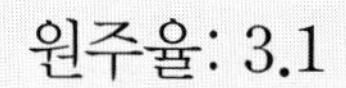
원주율: 3.1

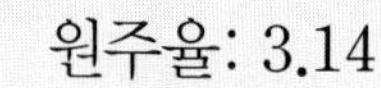
원주율: 3.14

1

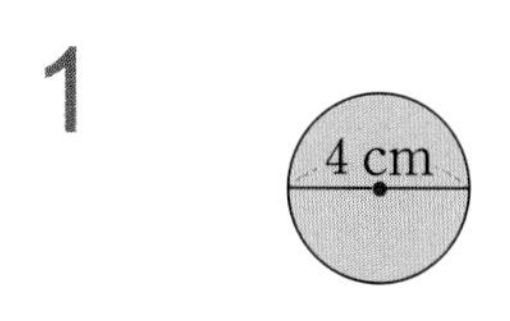

(12 cm²)

$2 \times 2 \times 3 = 12(cm^2)$

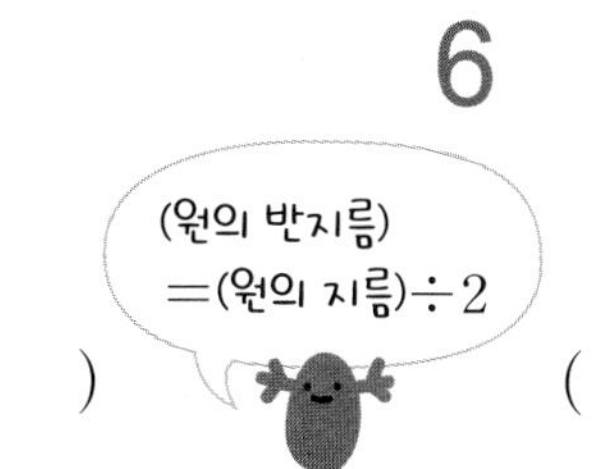

2

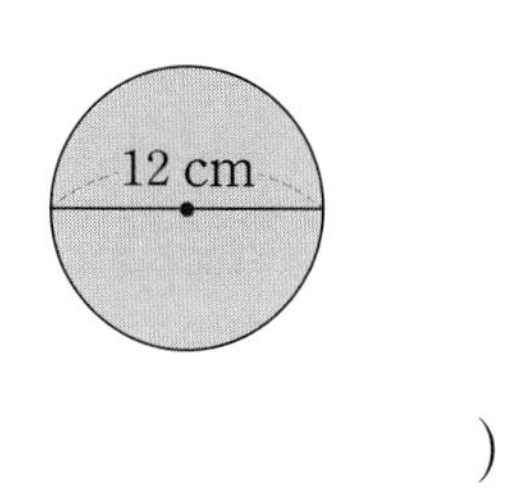

(   )

3

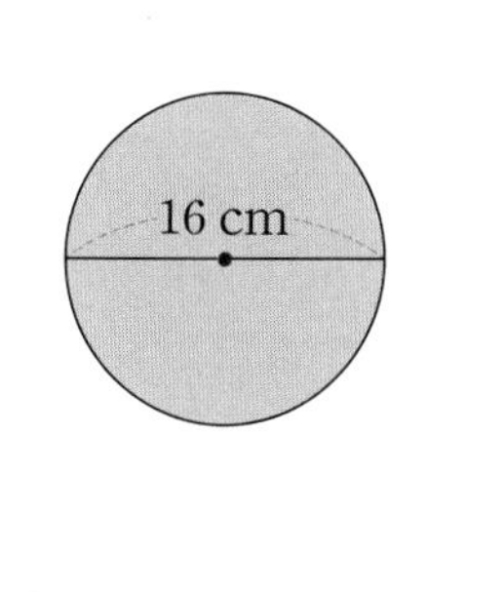

(   )

4

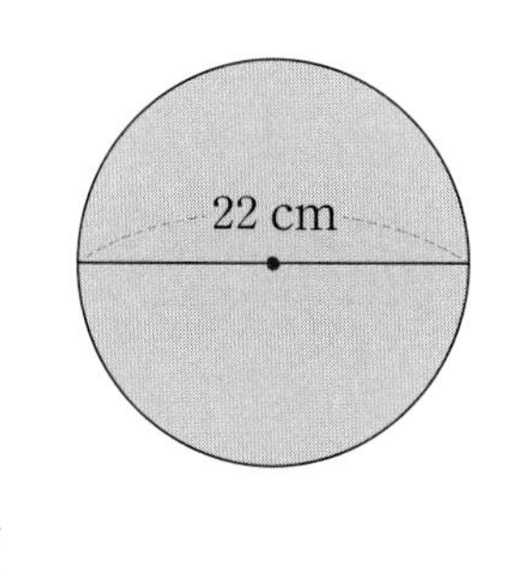

(   )

5

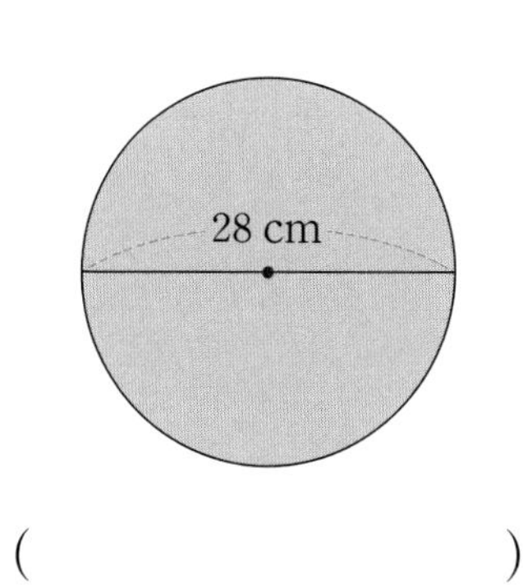

(   )

6

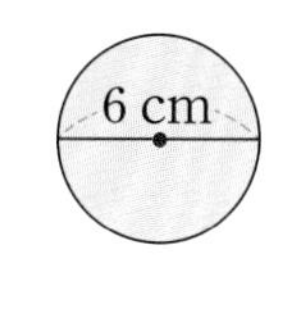

(   )

7

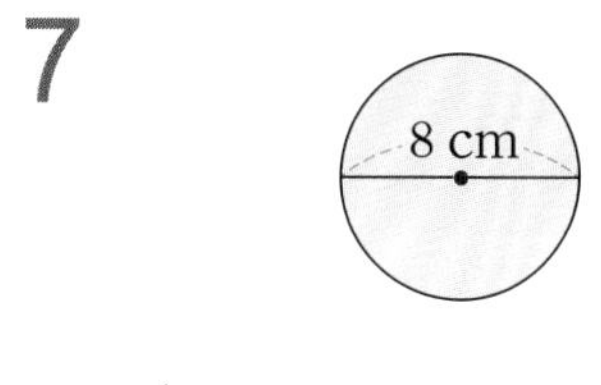

(   )

8

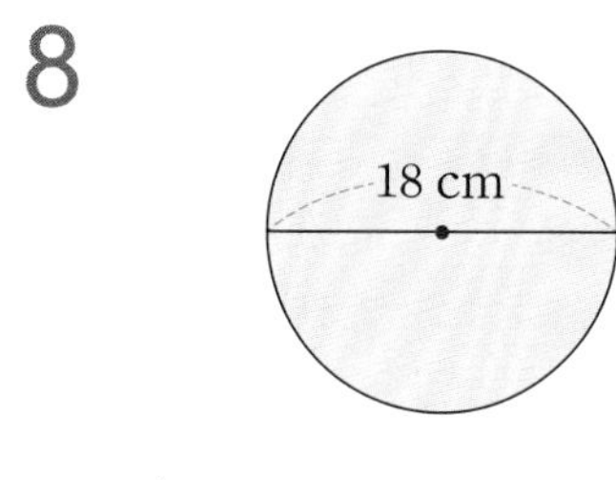

(   )

9

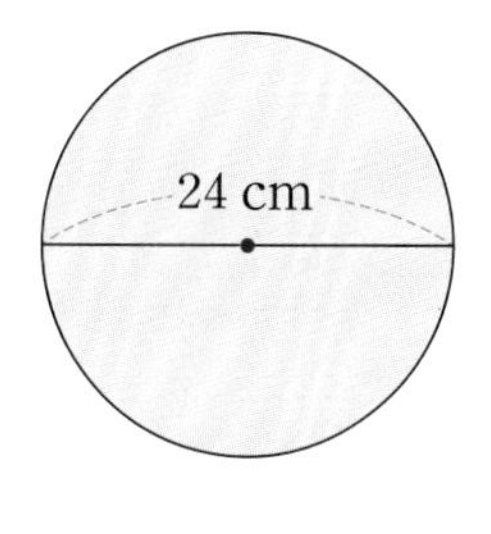

(   )

10

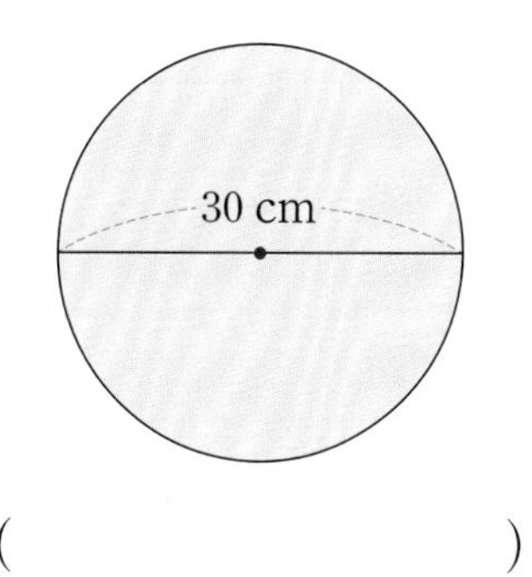

(   )

11

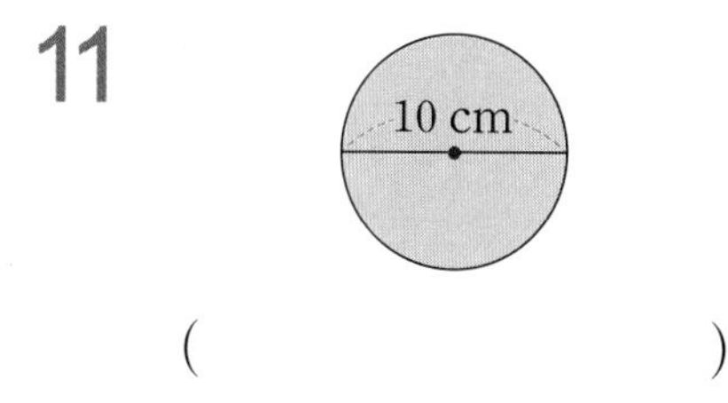

(   )

12

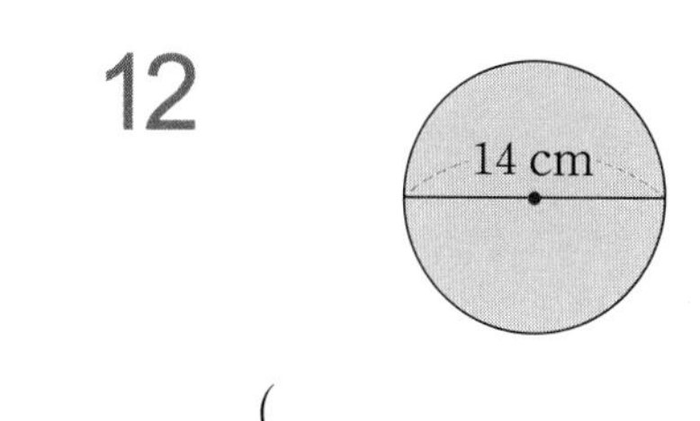

(   )

13

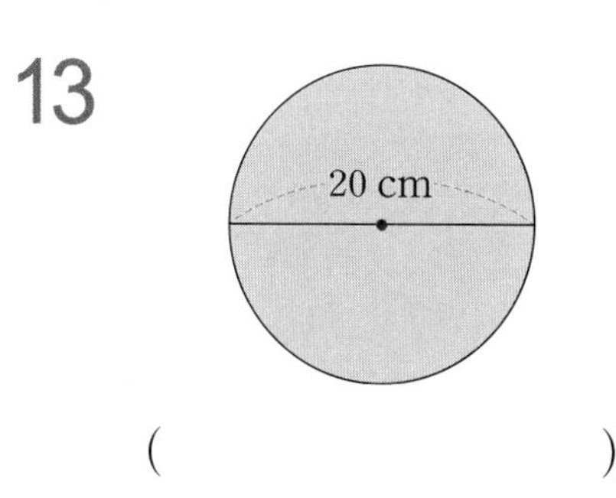

(   )

14

26 cm

(   )

15

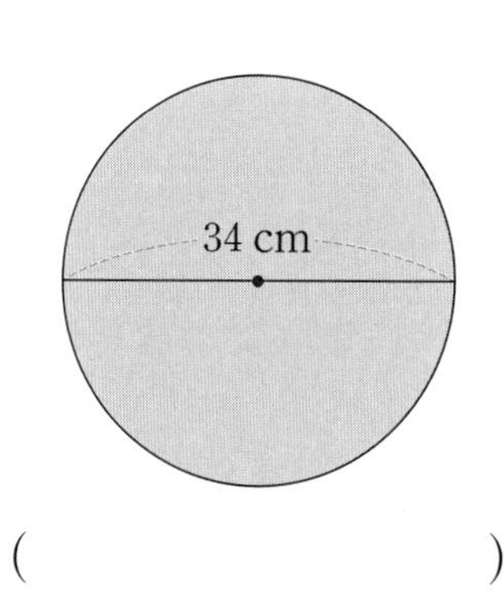

(   )

9 원주를 알 때 원의 넓이 구하기

공부한 날 월 일

원의 넓이를 구하시오.

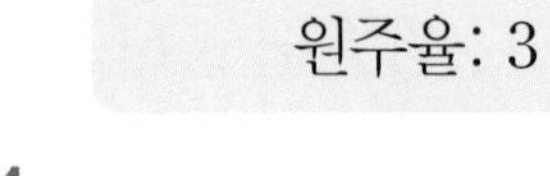

원주율: 3

1

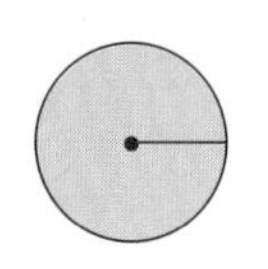

원주: 12 cm

(12 cm^2)

(원의 반지름)$=12\div3\div2=2$(cm)
⇨ $2\times2\times3=12$(cm^2)

2

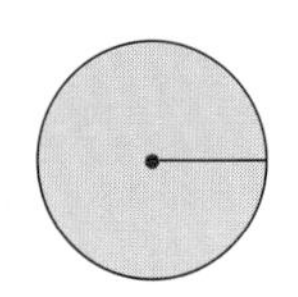

원주: 30 cm

( )

3

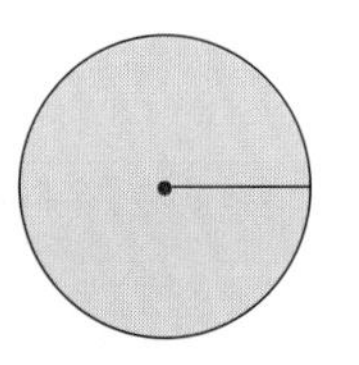

원주: 54 cm

( )

4

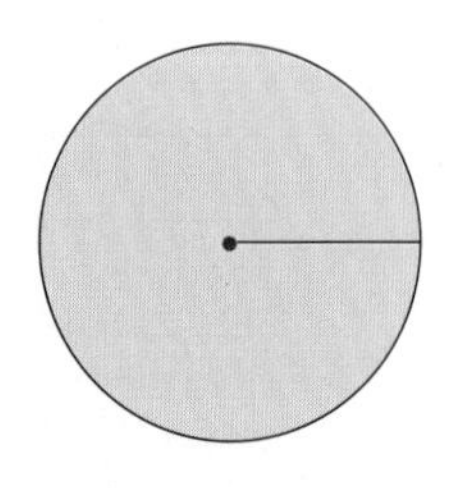

원주: 78 cm

( )

원주율: 3.1

원주율을 이용하여 반지름을 먼저 구해 봐.

5

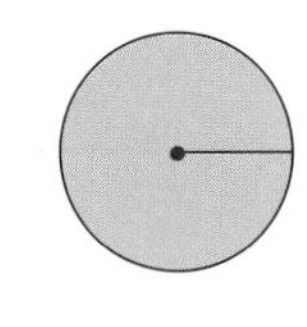

원주: 18.6 cm

( )

6

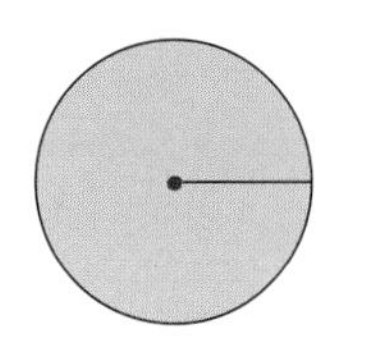

원주: 43.4 cm

( )

7

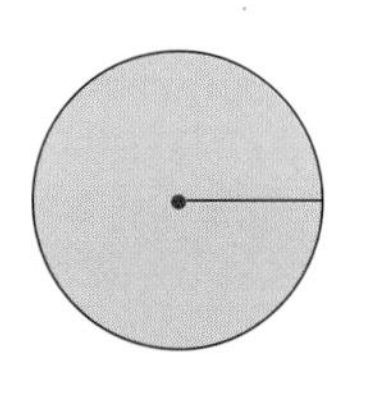

원주: 49.6 cm

( )

8

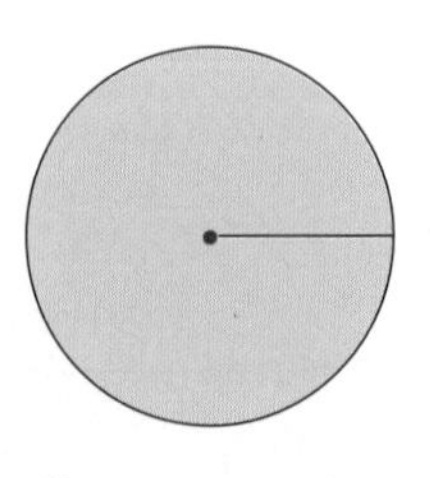

원주: 68.2 cm

( )

원주율: 3.14

9

원주: 25.12 cm

( )

10

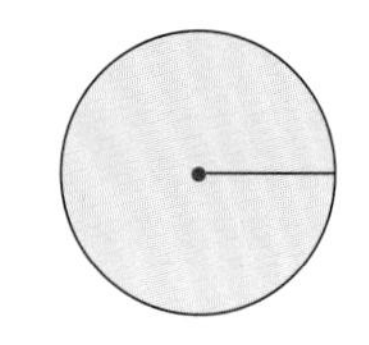

원주: 37.68 cm

( )

11

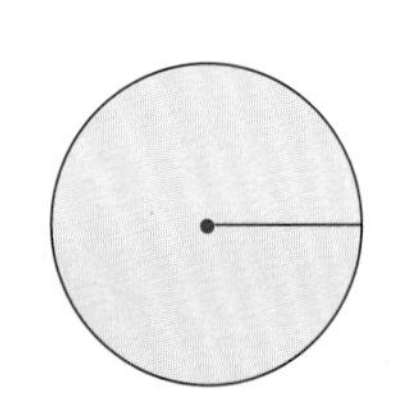

원주: 62.8 cm

( )

12

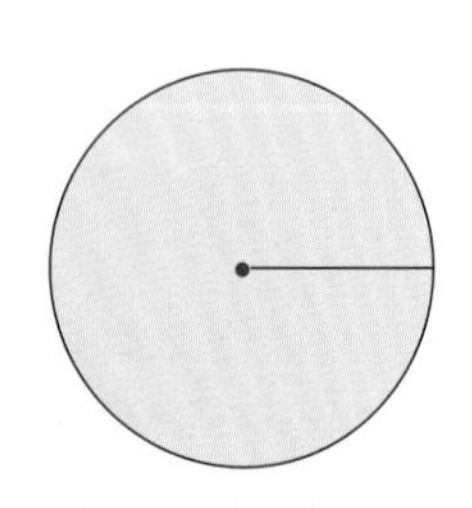

원주: 75.36 cm

( )

10 원의 넓이를 알 때 반지름 구하기

공부한 날 월 일

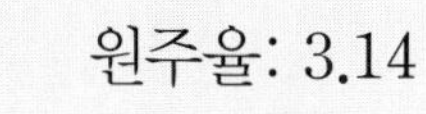

원의 반지름을 구하시오.

원주율: 3	원주율: 3.1	원주율: 3.14

1

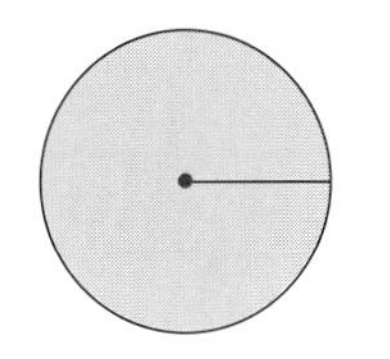

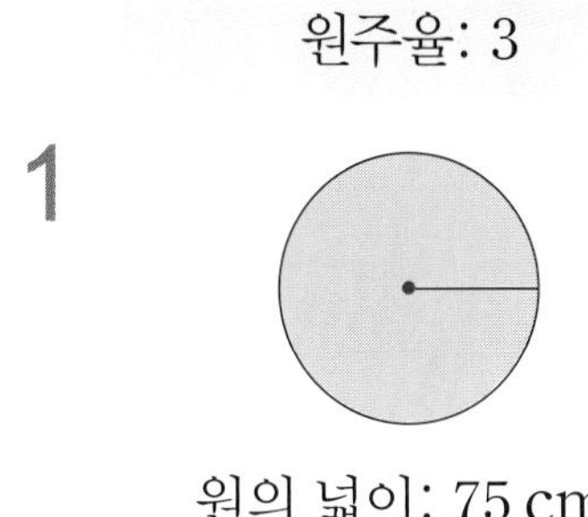

원의 넓이: $75\ cm^2$

(5 cm)

75÷3=25이고 5×5=25이므로 원의 반지름은 5 cm이다.

2

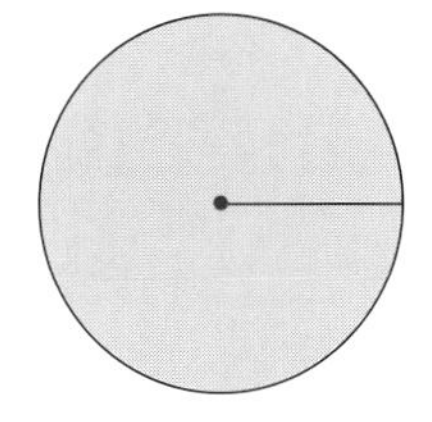

원의 넓이: $192\ cm^2$

( )

3

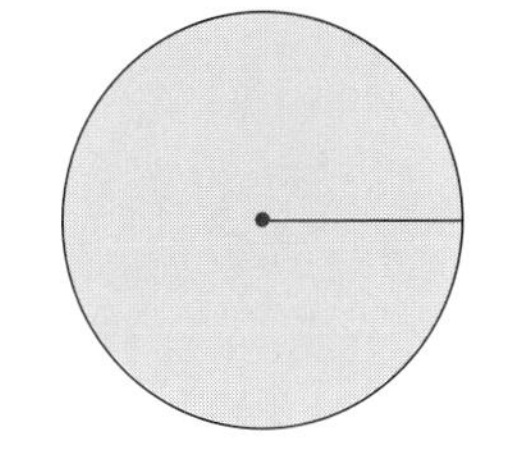

원의 넓이: $507\ cm^2$

( )

4

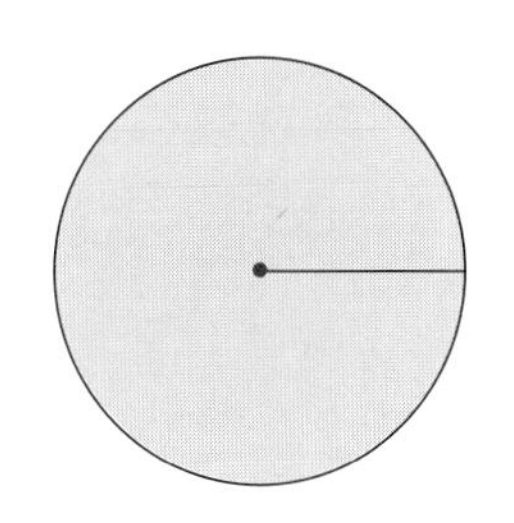

원의 넓이: $588\ cm^2$

( )

5

원의 넓이: $49.6\ cm^2$

( )

6

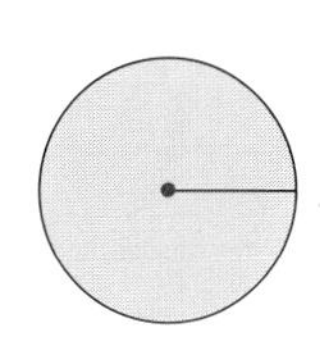

원의 넓이: $151.9\ cm^2$

( )

7

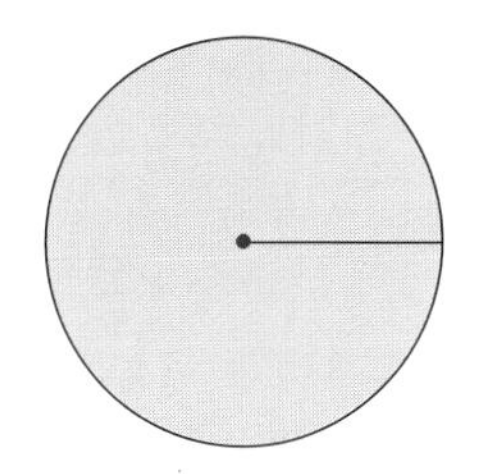

원의 넓이: $446.4\ cm^2$

( )

8

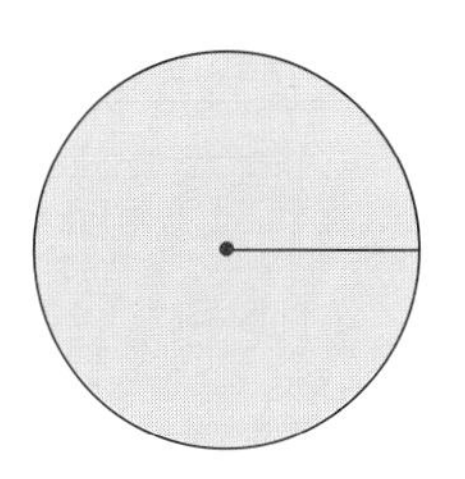

원의 넓이: $375.1\ cm^2$

( )

9

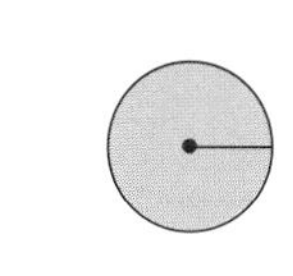

원의 넓이: $28.26\ cm^2$

( )

10

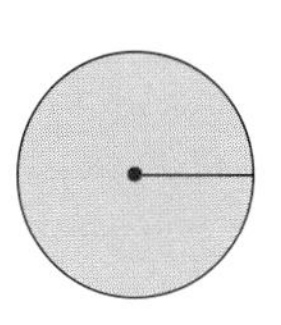

원의 넓이: $78.5\ cm^2$

( )

11

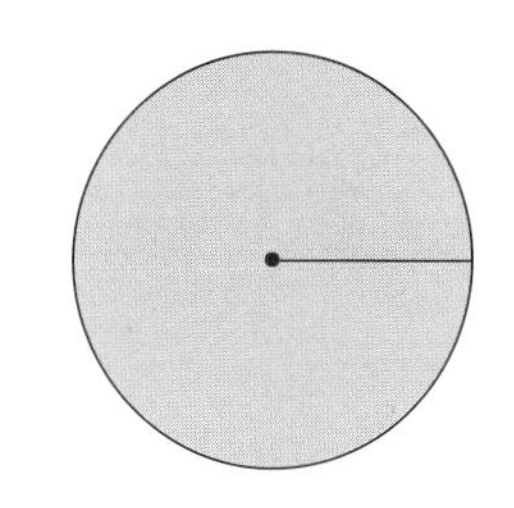

원의 넓이: $314\ cm^2$

( )

12

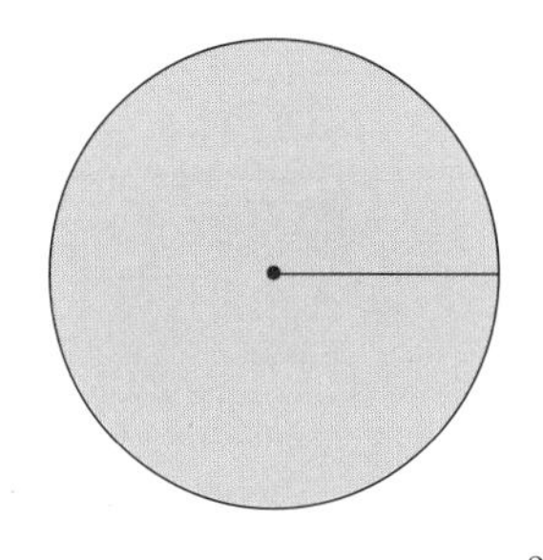

원의 넓이: $706.5\ cm^2$

( )

11 원의 넓이를 알 때 지름 구하기

공부한 날 월 일

✸ 원의 지름을 구하시오.

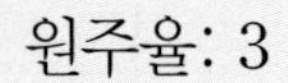

원주율: 3

1

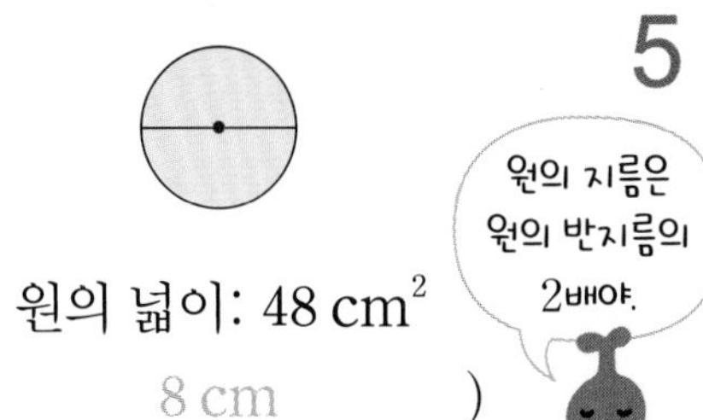

원의 넓이: 48 cm²

(8 cm)

48÷3=16이고 4×4=16이므로
원의 지름은 4×2=8 (cm)이다.

2

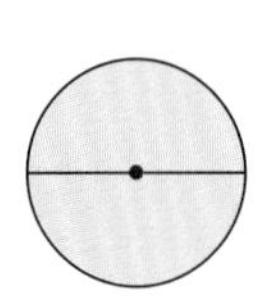

원의 넓이: 108 cm²

(   )

3

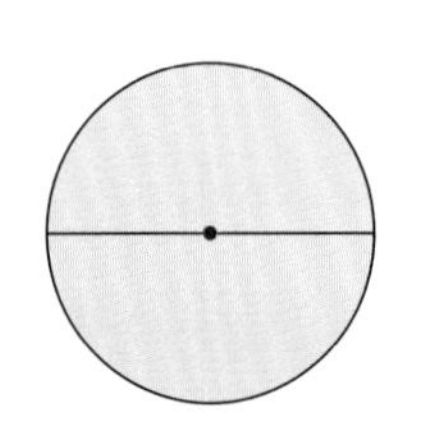

원의 넓이: 243 cm²

(   )

4

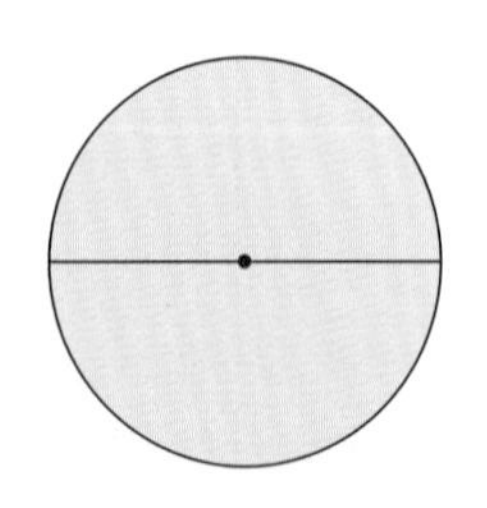

원의 넓이: 507 cm²

(   )

원주율: 3.1

5

원의 넓이: 27.9 cm²

(   )

6

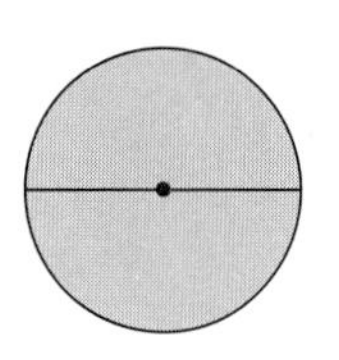

원의 넓이: 151.9 cm²

(   )

7

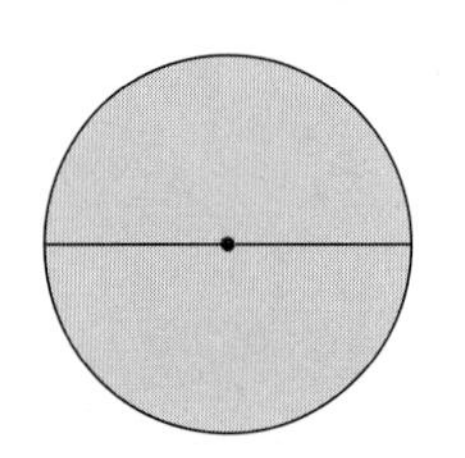

원의 넓이: 310 cm²

(   )

8

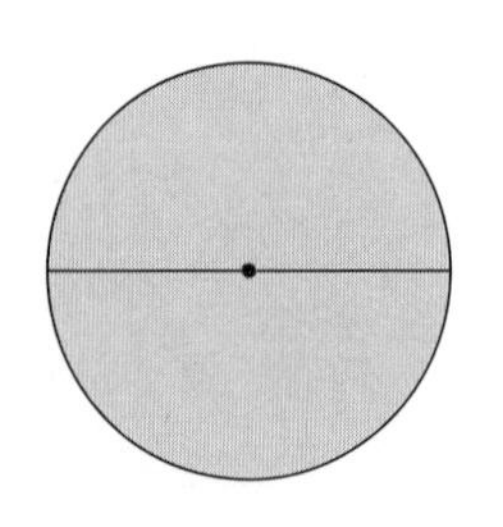

원의 넓이: 446.4 cm²

(   )

원주율: 3.14

9

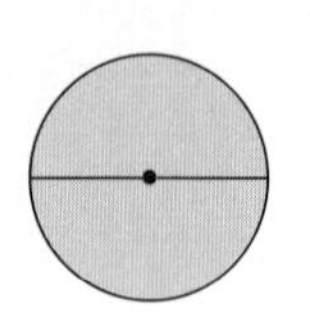

원의 넓이: 78.5 cm²

(   )

10

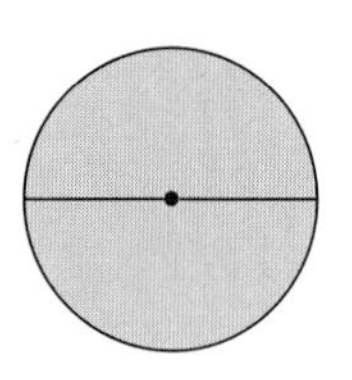

원의 넓이: 200.96 cm²

(   )

11

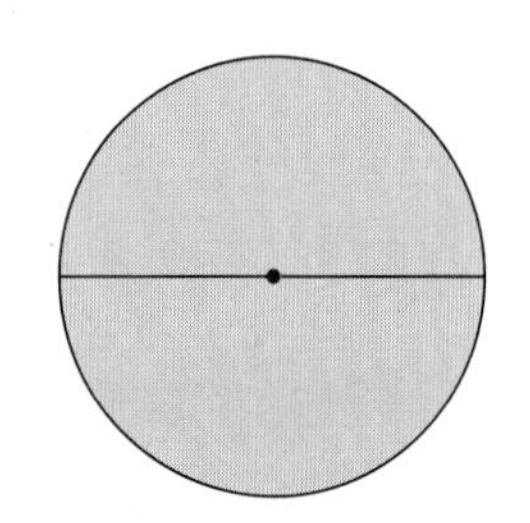

원의 넓이: 706.5 cm²

(   )

12

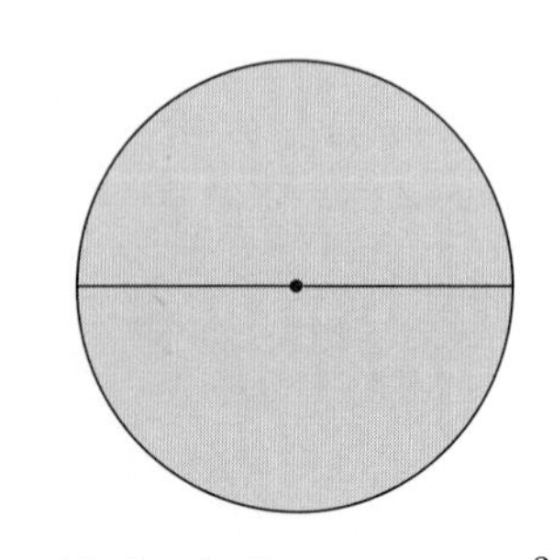

원의 넓이: 1256 cm²

(   )

공부한 날 월 일

✹ 원주를 구하시오.

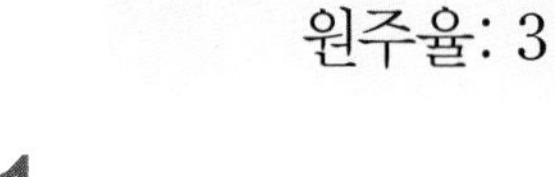

원주율: 3

1

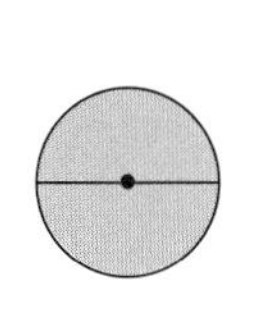

원의 넓이: $12\ cm^2$

(12 cm)

$12 \div 3 = 4$이고 $2 \times 2 = 4$이므로 원주는 $2 \times 2 \times 3 = 12\,(cm)$이다.

(원주)=(지름)×(원주율)
(지름)=(반지름)×2

2

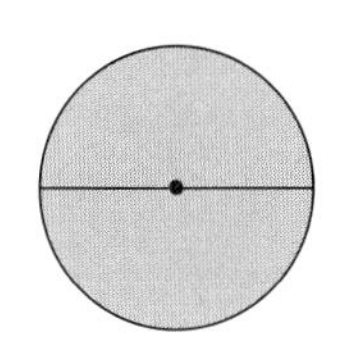

원의 넓이: $75\ cm^2$

( )

3

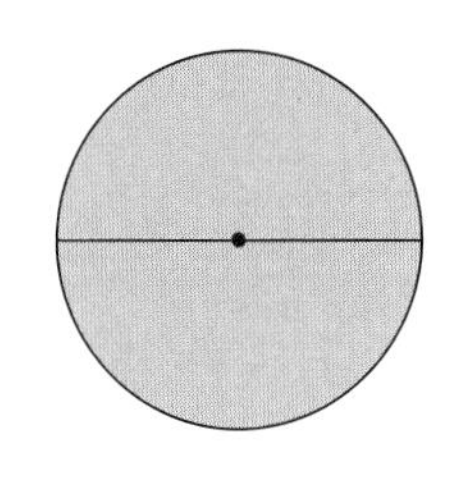

원의 넓이: $243\ cm^2$

( )

4

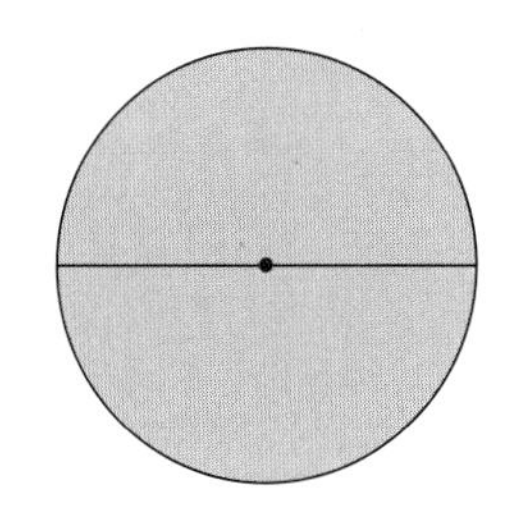

원의 넓이: $675\ cm^2$

( )

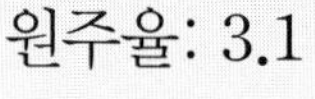

원주율: 3.1

5

원의 넓이: $27.9\ cm^2$

( )

6

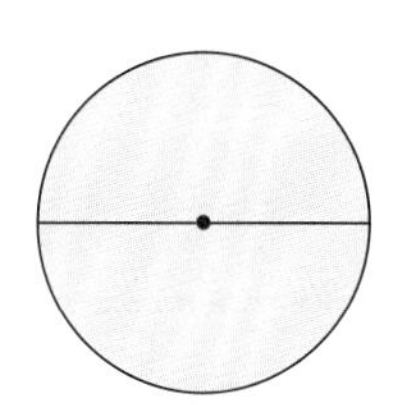

원의 넓이: $151.9\ cm^2$

( )

7

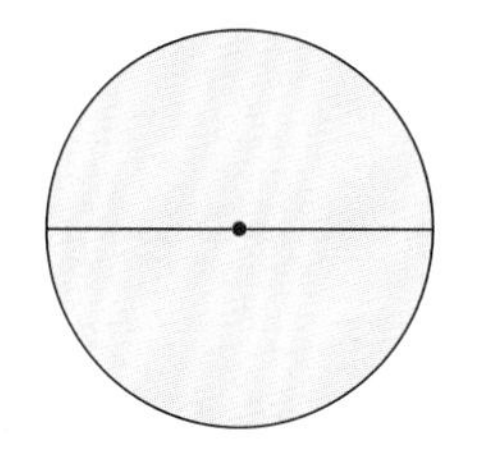

원의 넓이: $310\ cm^2$

( )

8

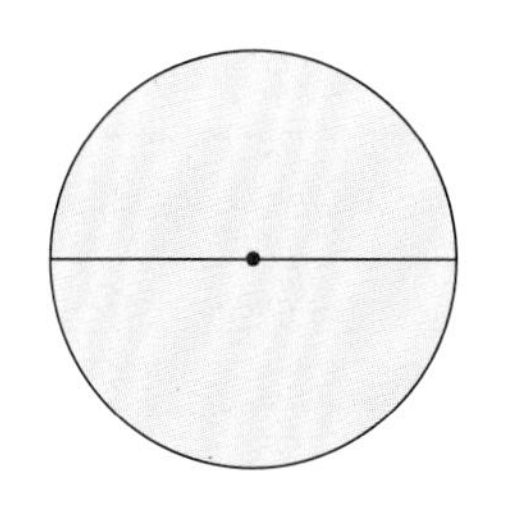

원의 넓이: $607.6\ cm^2$

( )

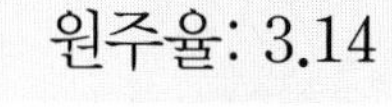

원주율: 3.14

9

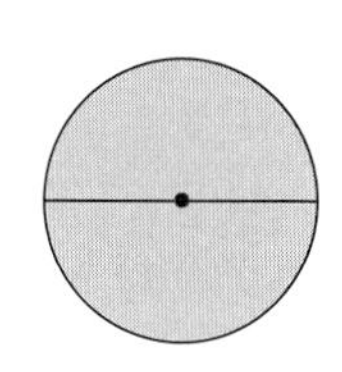

원의 넓이: $50.24\ cm^2$

( )

10

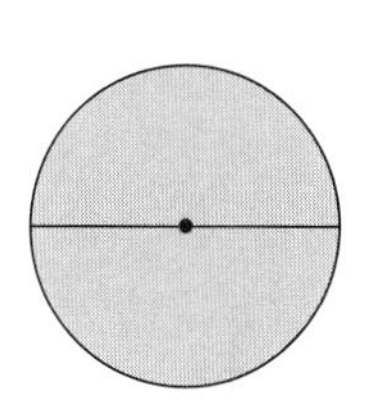

원의 넓이: $200.96\ cm^2$

( )

11

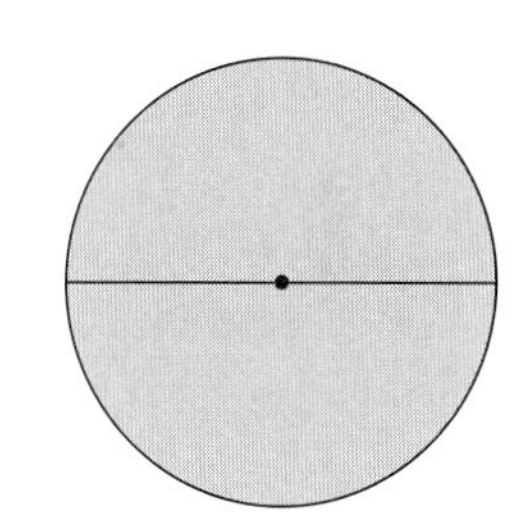

원의 넓이: $452.16\ cm^2$

( )

12

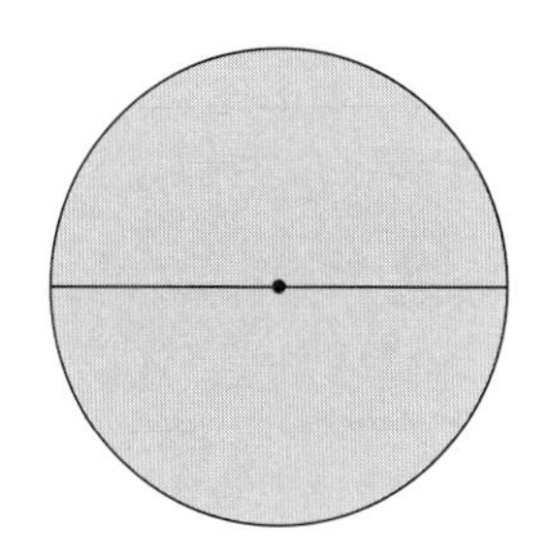

원의 넓이: $803.84\ cm^2$

( )

13 여러 가지 원의 넓이 구하기(1)

공부한 날 월 일

✹ 색칠한 부분의 넓이를 구하시오.

1

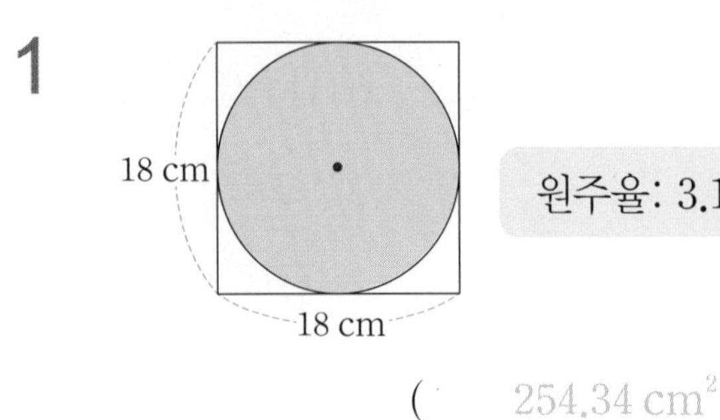

원주율: 3.14

(254.34 cm²)

(색칠한 부분의 넓이)
$=9\times9\times3.14$
$=254.34\,(\text{cm}^2)$

색칠한 부분은 지름이 18 cm인 원의 넓이와 같아.

2

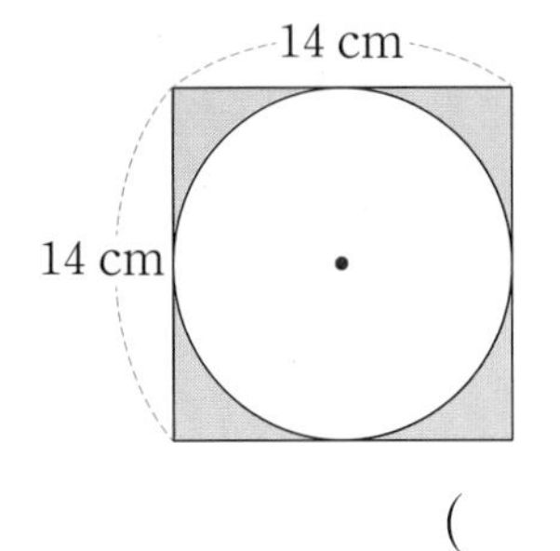

원주율: 3.1

( )

3

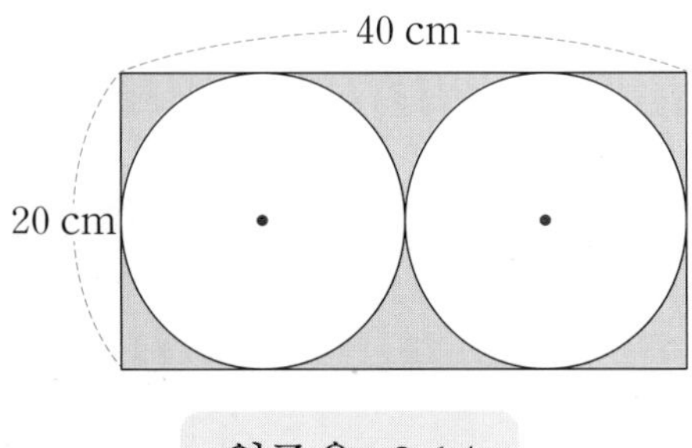

원주율: 3.14

( )

4

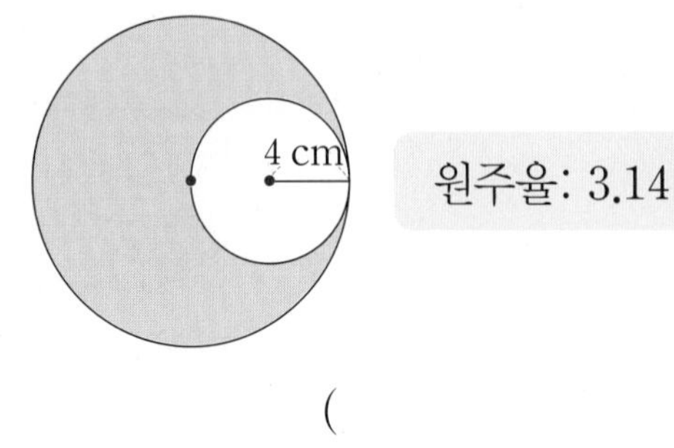

원주율: 3.14

( )

5

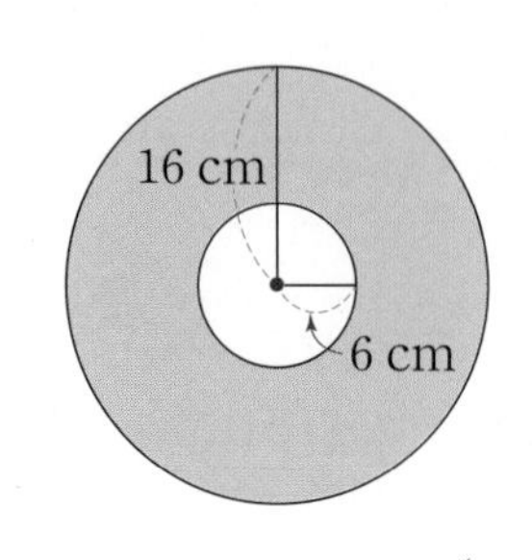

원주율: 3.1

( )

6

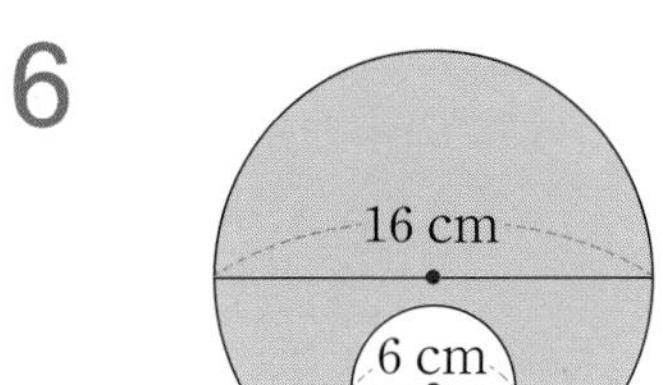

원주율: 3.1

( )

7

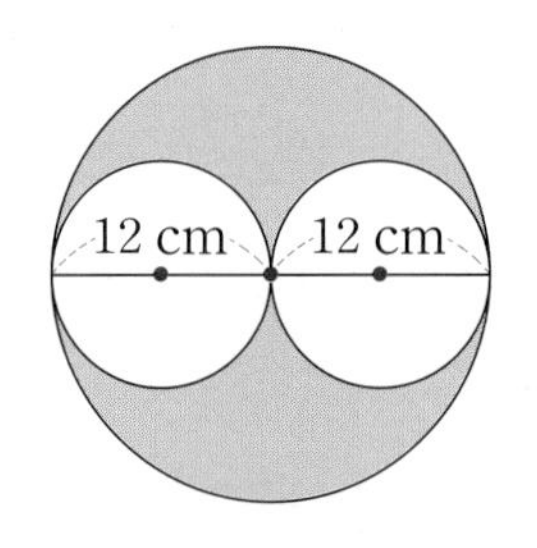

원주율: 3

( )

8

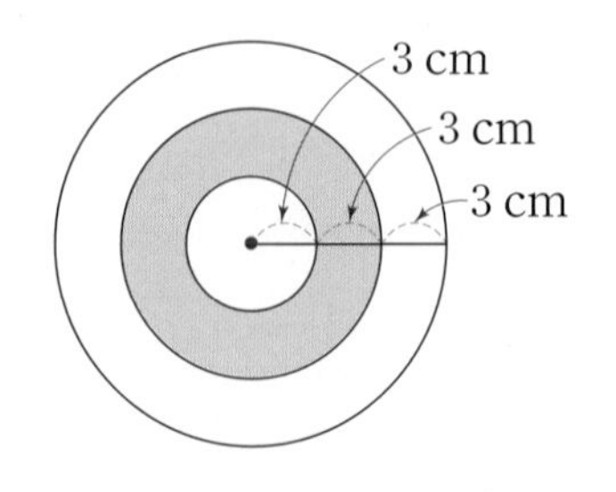

원주율: 3

( )

공부한 날 월 일

✸ 색칠한 부분의 넓이를 구하시오.

1

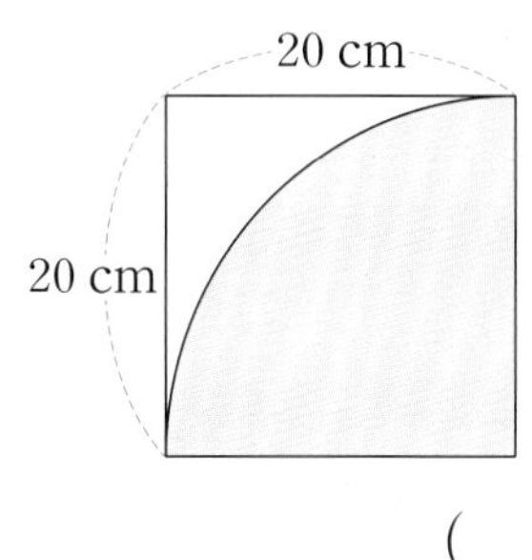

원주율: 3.14

(314 cm²)

$20 \times 20 \times 3.14 \times \frac{1}{4} = 1256 \times \frac{1}{4} = 314\,(\text{cm}^2)$

색칠한 부분의 넓이는 원의 넓이의 $\frac{1}{4}$과 같아.

2

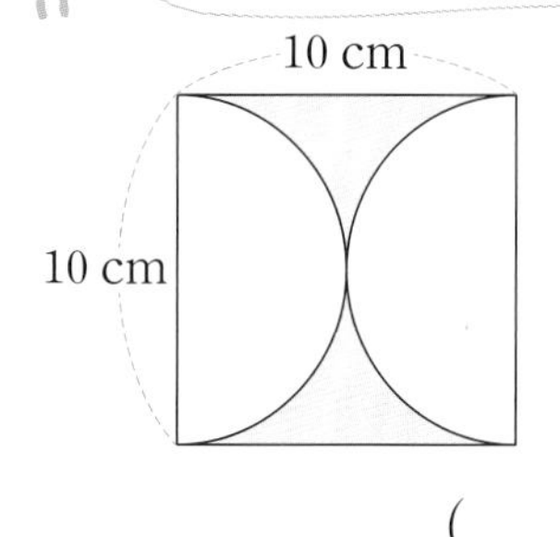

원주율: 3.1

( )

3

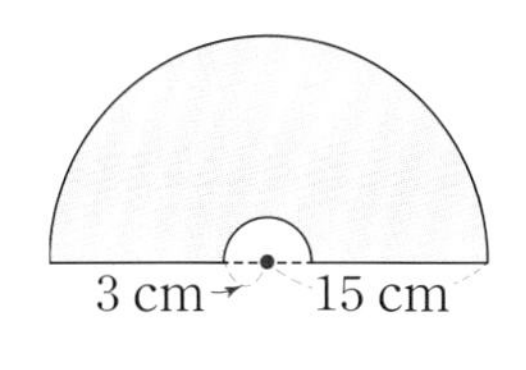

원주율: 3

( )

4

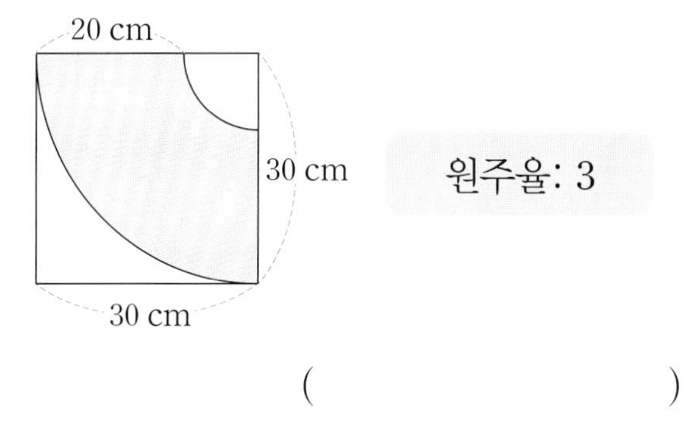

원주율: 3

( )

5

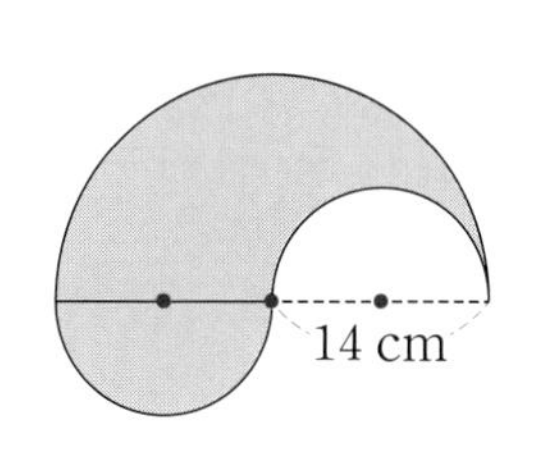

원주율: 3.1

( )

6

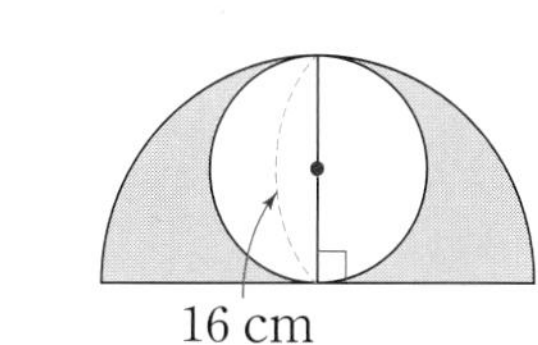

원주율: 3.14

( )

7

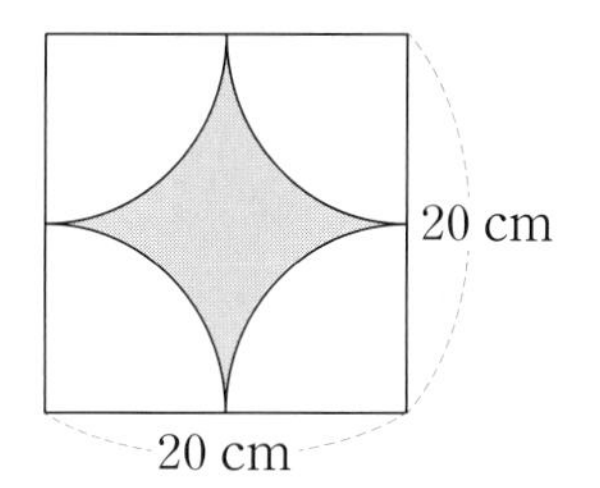

원주율: 3.1

( )

8

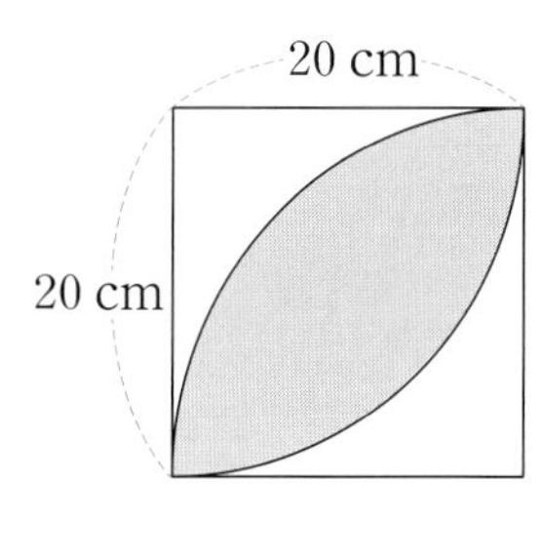

원주율: 3

( )

5 원의 넓이

1 □ 안에 알맞은 말을 써넣으시오.

- 원의 둘레를 □(이)라고 합니다.
- 원의 지름에 대한 원주의 비율을 □(이)라고 합니다.
- (원주율)=(□)÷(지름), (원주)=(□)×(원주율)
- (원의 넓이)=(원주율)×(반지름)×(□)

원의 지름에 대한
원주의 비율을
원주율이라고 해.

□ 안에 알맞은 수를 써넣으시오. (원주율: 3.14) [2~3]

2

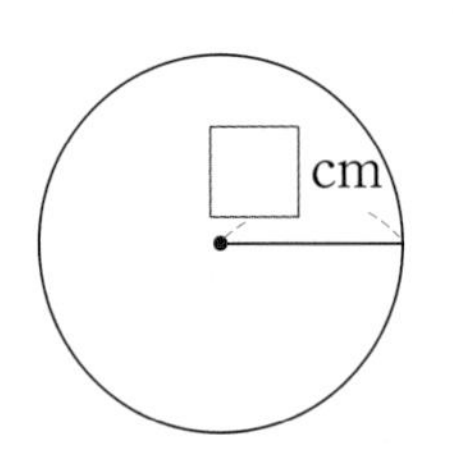
cm

원주: 43.96 cm

3

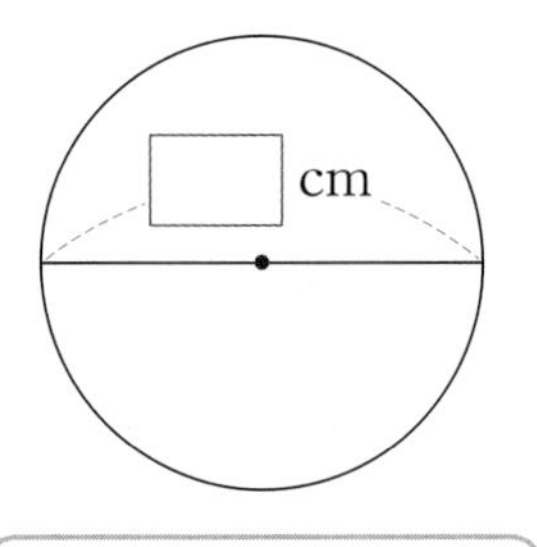
cm

원주: 56.52 cm

- (원의 반지름)
  =(원주)÷(원주율)÷2
- (원의 지름)
  =(원주)÷(원주율)

원의 넓이를 구하시오. (원주율: 3.1) [4~5]

4

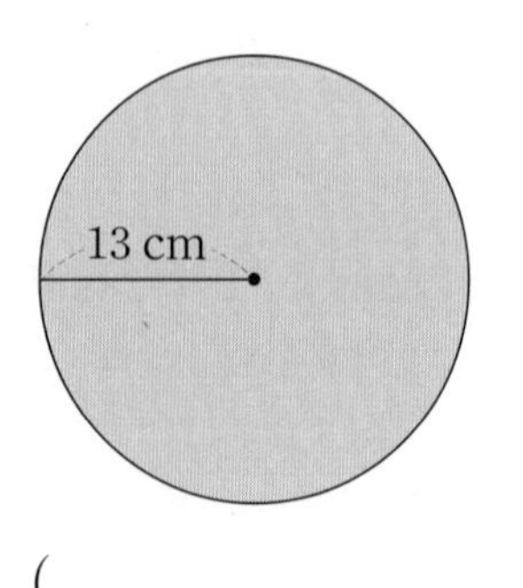
13 cm

(　　　　　　　)

5

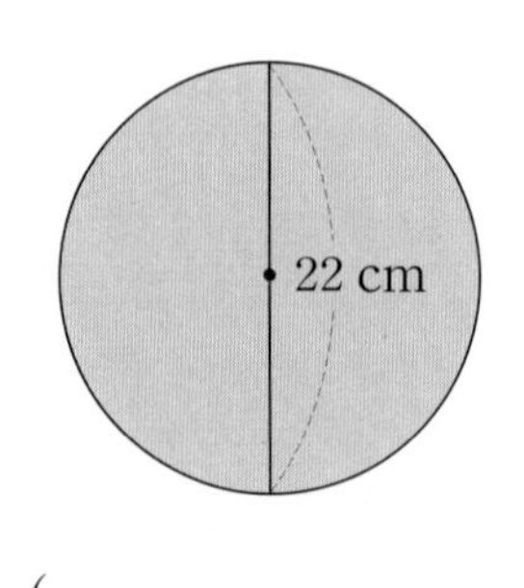
22 cm

(　　　　　　　)

- (원의 넓이)
  =(원주율)×(반지름)
  ×(반지름)

6 그림과 같이 크기가 다른 두 원이 있습니다. 두 원의 원주의 차를 구하시오. (원주율: 3)

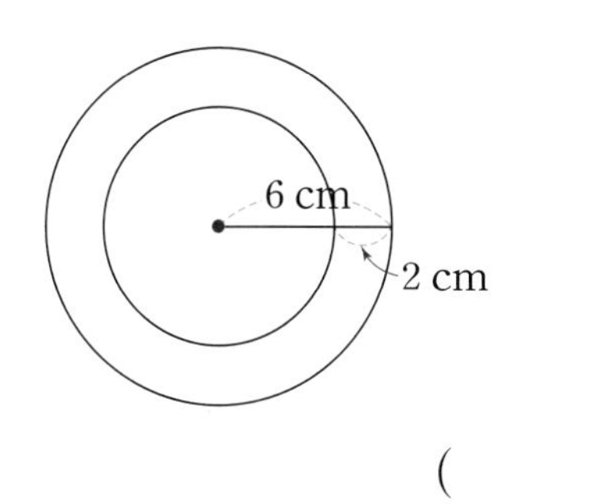

( )

• (원주)
=(지름)×(원주율)
=(반지름)×2×(원주율)

7 한 변의 길이가 12 cm인 정사각형 안에 들어가는 가장 큰 원의 원주와 넓이를 각각 구하시오. (원주율: 3.1)

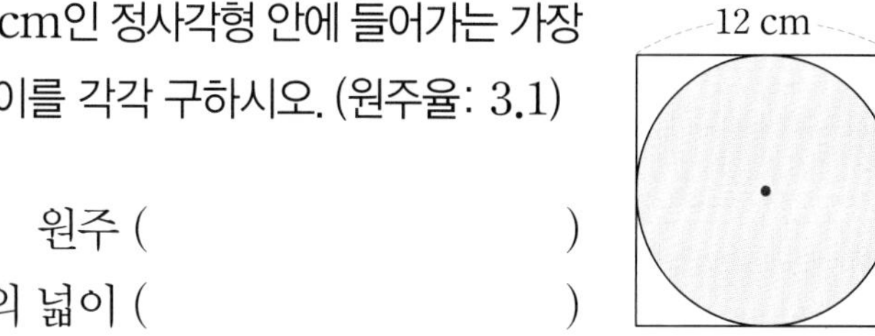

원주 ( )
원의 넓이 ( )

• (원의 넓이)
=(원주율)×(반지름)
×(반지름)

8 지호의 굴렁쇠는 반지름이 0.4 m입니다. 지호가 학교에서 집으로 가는 동안 굴렁쇠를 140바퀴 굴렸다면 학교에서 집까지의 거리는 몇 m입니까? (원주율: 3.14)

( )

• 먼저 굴렁쇠의 원주를 구합니다.

✱ 색칠한 부분의 넓이를 구하시오. (원주율: 3.14) [9~10]

9

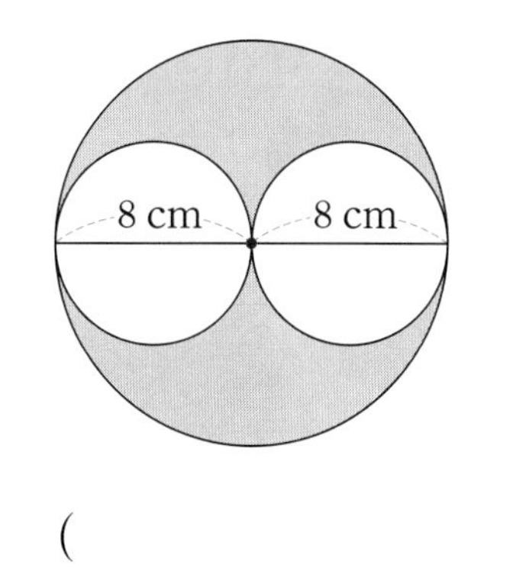

( )

10

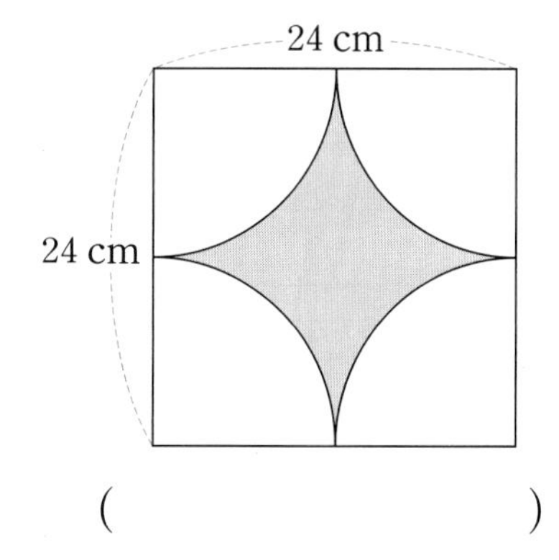

( )

QR 코드를 찍어 보세요.
문제 생성기 새로운 문제를 계속 풀 수 있어요.

5 원의 넓이

6 원기둥, 원뿔, 구

제6화 휴대폰이 원기둥 모양?!

지금 몇 시야?
어? 벌써 시간이
이렇게 됐네. 가야겠다.

너희들 보는 게
뭐야?
휴대폰. 이걸로 서로
연락을 주고 받아.

와~ 신기해.
원기둥 모양이다.

원기둥?
원기둥은 위와 아래에
있는 면이 서로 평행하고
합동인 원으로 이루어진
입체도형을 말해.

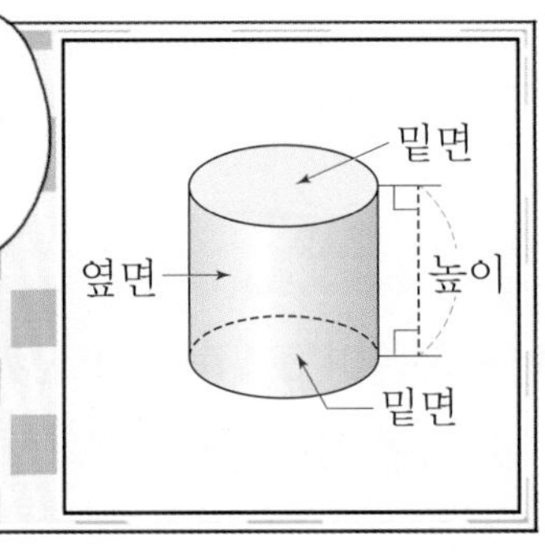

이렇게 누르면……

지잉
와~ 신기하다!

오고 있어?
웅
아니요.
아직 지구예요.

일찍 오라고 했잖아.
빨리 와.
알았어요.

반가웠어.
응. 나도 너희들
덕분에 지구인에 대해
많이 알았어.

이미 배운 내용	이번에 배울 내용	앞으로 배울 내용
[6-1 각기둥과 각뿔] • 각기둥과 각뿔 알아보기 • 각기둥의 전개도 [6-2 원의 넓이] • 원주 구하기 • 원의 넓이 구하기	• 원기둥 알아보기 • 원기둥의 전개도 • 원뿔 알아보기 • 구 알아보기 • 여러 가지 모양 만들기	[중학교] • 입체도형의 성질

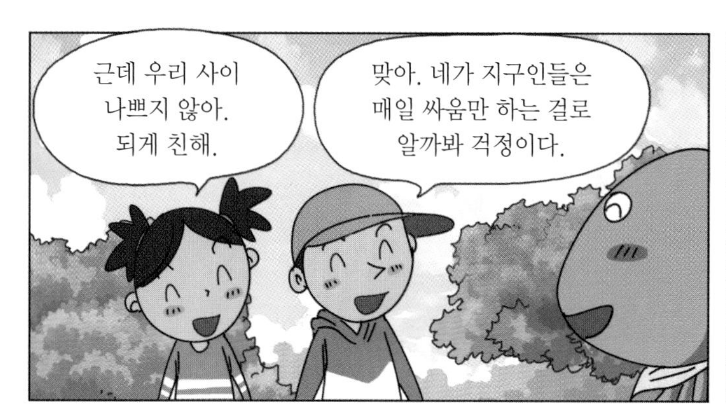

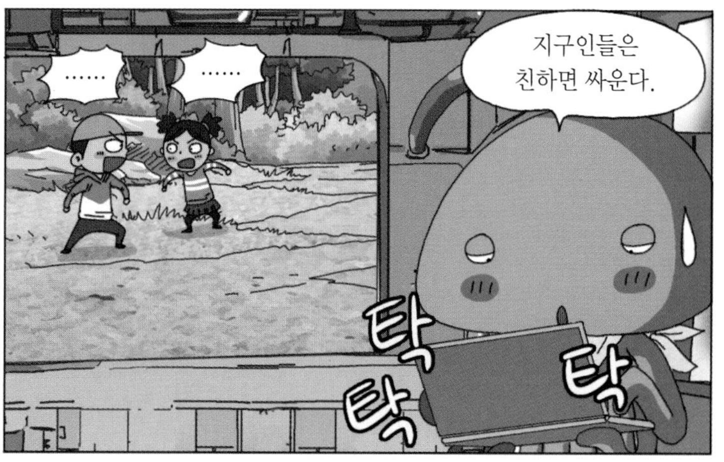

배운 것 확인하기

1 각기둥 알아보기

✱ 각기둥의 이름을 쓰시오. [1~5]

1

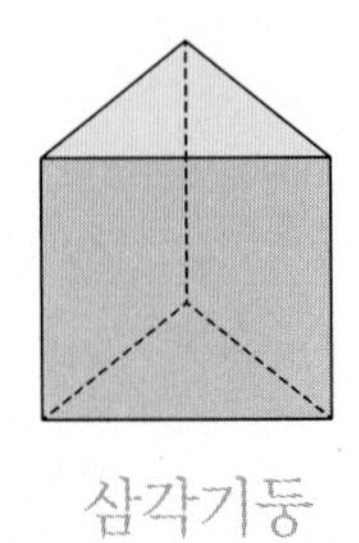

(삼각기둥)

위와 아래에 있는 면이 서로 평행하고 합동인 다각형으로 이루어진 입체도형을 각기둥이라고 해.

2

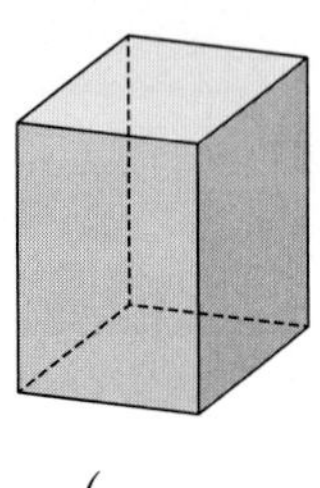

(　　　　　　)

3

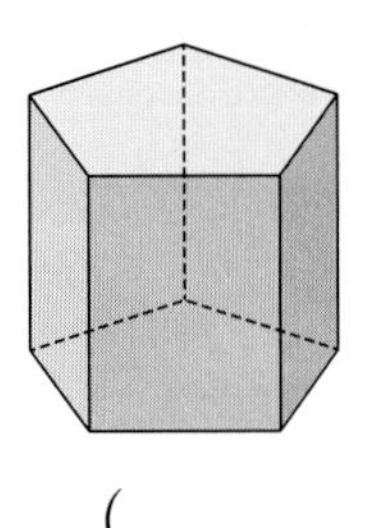

(　　　　　　)

4

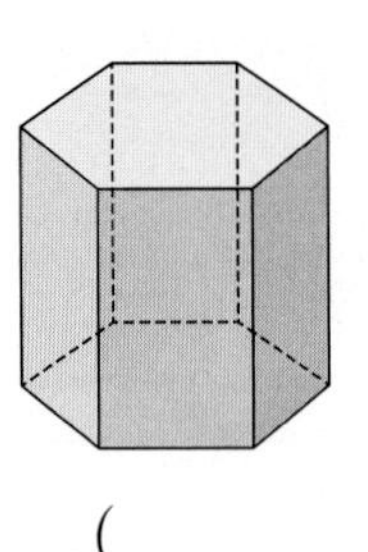

(　　　　　　)

5

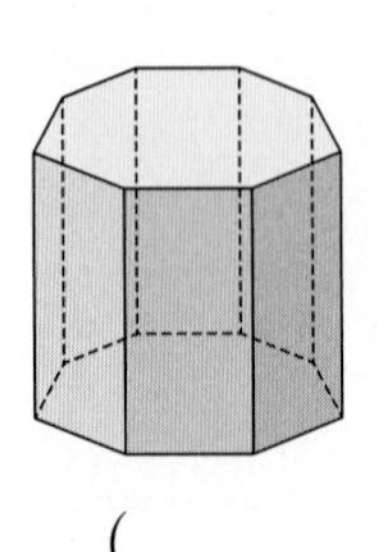

(　　　　　　)

2 각뿔 알아보기

✱ 각뿔의 이름을 쓰시오. [1~5]

1

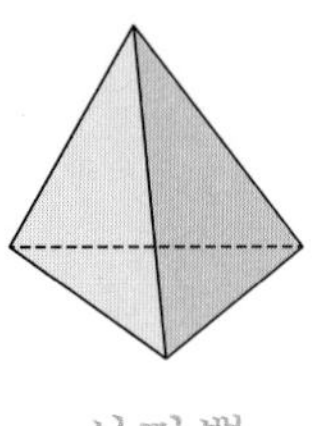

(삼각뿔)

밑에 놓인 면이 다각형이고 옆으로 둘러싼 면이 삼각형인 입체도형을 각뿔이라고 해.

2

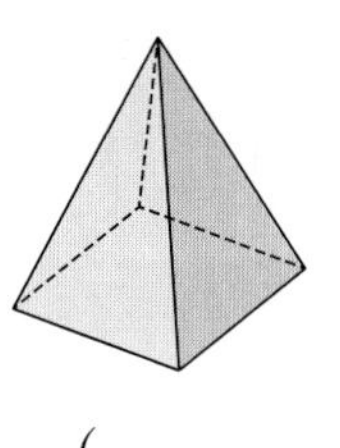

(　　　　　　)

3

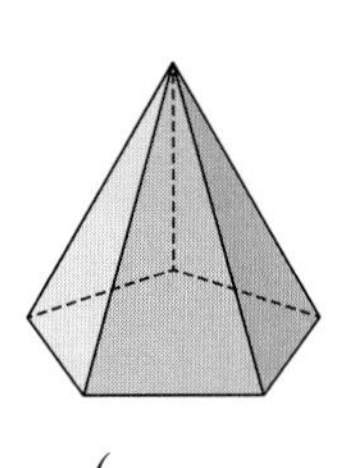

(　　　　　　)

4

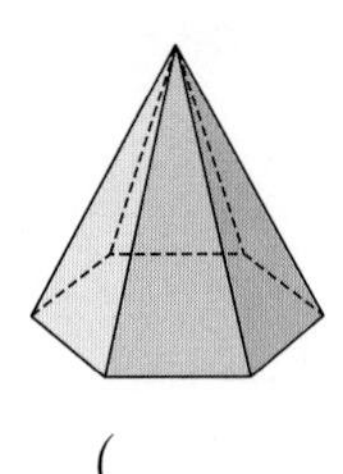

(　　　　　　)

5

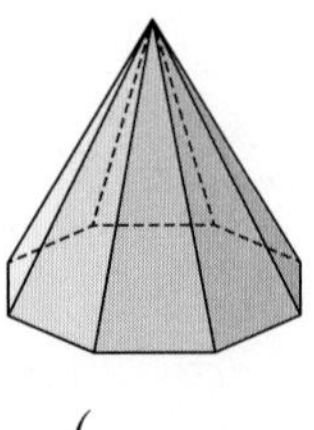

(　　　　　　)

3 각기둥과 각뿔의 구성 요소 알아보기

✸ 보기 에서 □ 안에 알맞은 말을 찾아 써넣으시오. [1~2]

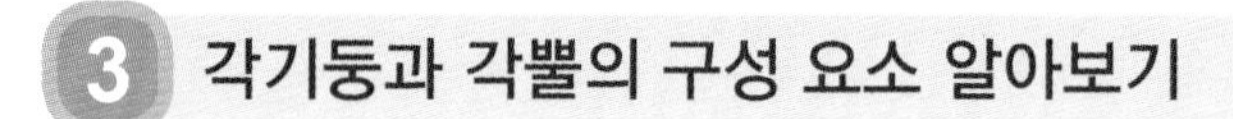

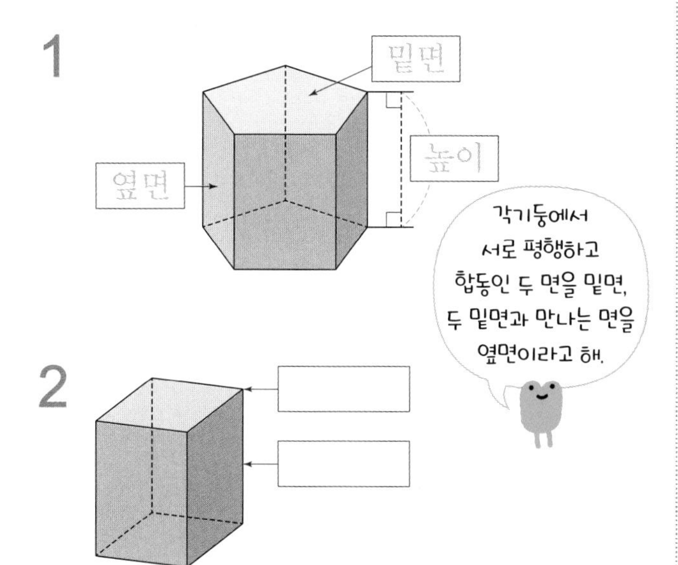

✸ 보기 에서 □ 안에 알맞은 말을 찾아 써넣으시오. [3~4]

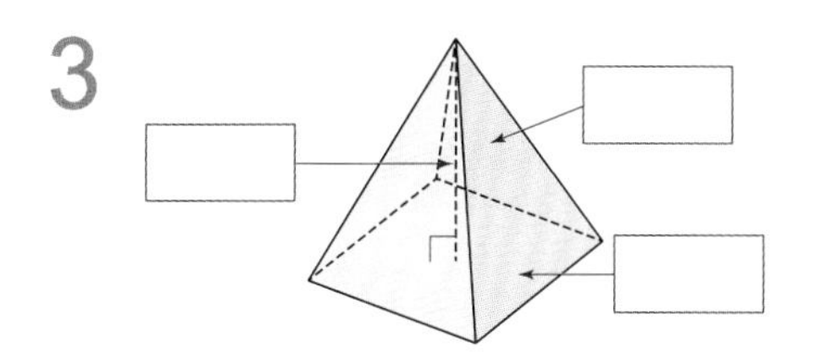

3

4

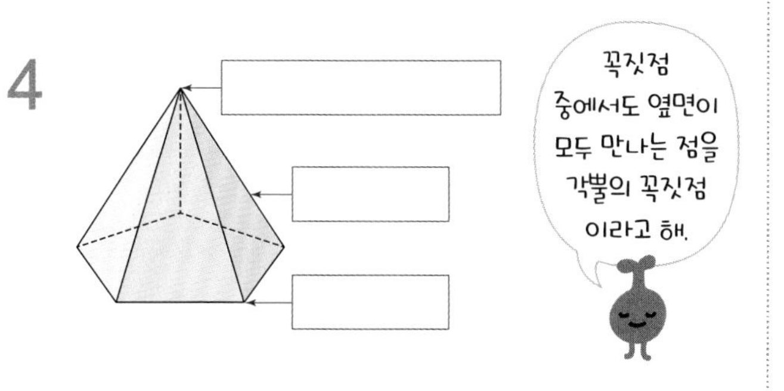

4 원의 넓이 구하기

✸ 원의 넓이를 구하시오. [1~5]

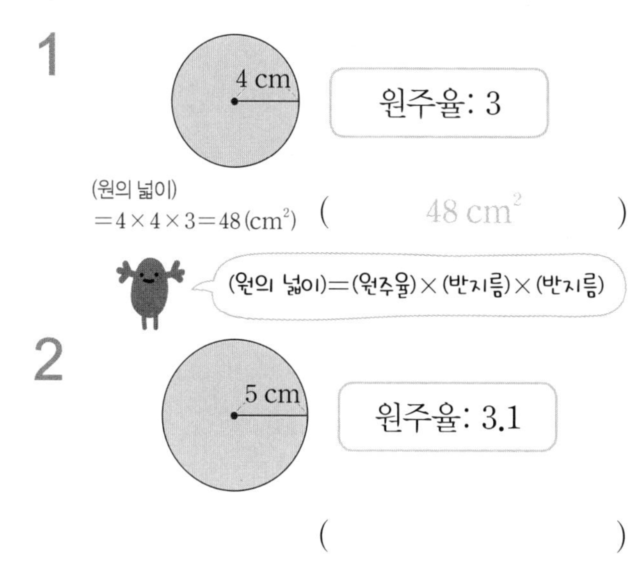

( )

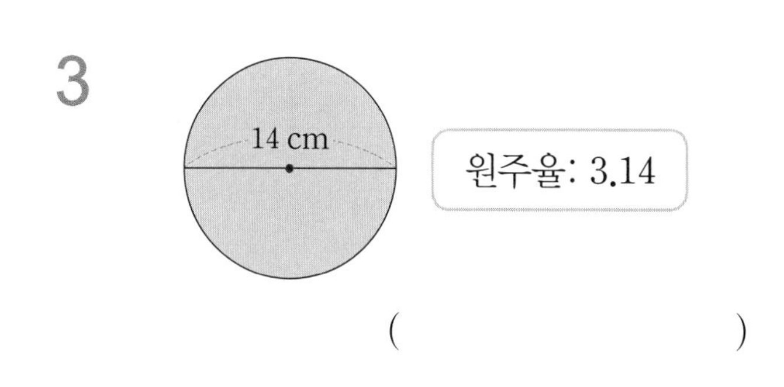

( )

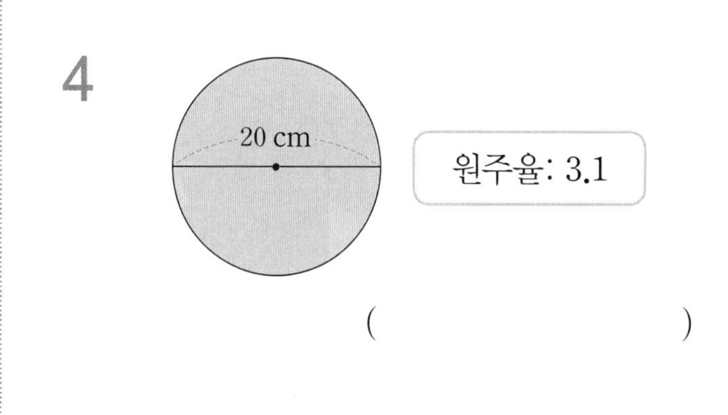

( )

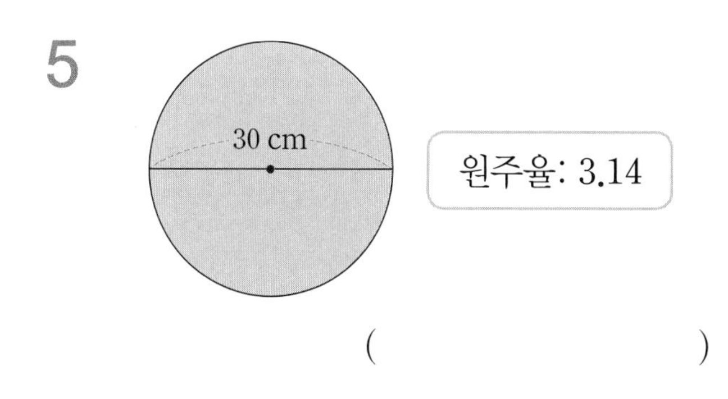

( )

6 원기둥, 원뿔, 구

1 원기둥 알아보기

공부한 날 월 일

✹ 입체도형을 보고 원기둥이면 ○표, 원기둥이 아니면 ×표 하시오. [1~5]

1
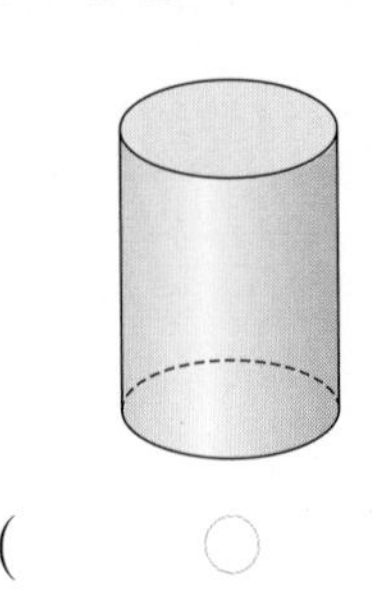
(○)

위와 아래에 있는
면이 서로 평행하고
합동인 원으로 이루어진
입체도형을
원기둥이라고 해.

4
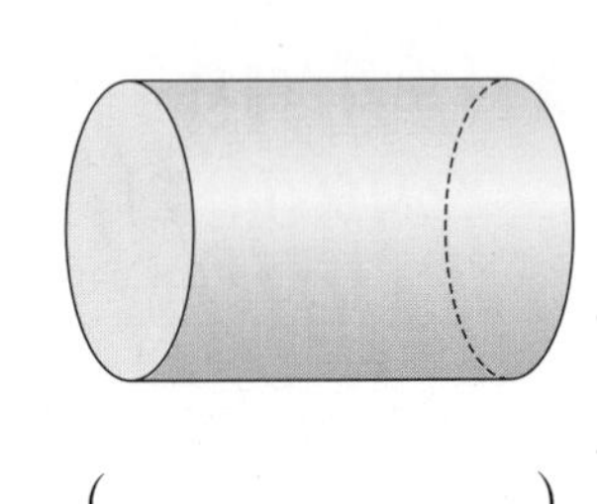
(　　　　)

2
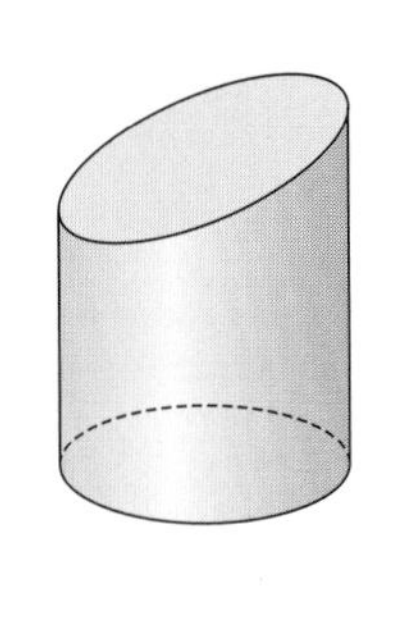
(　　　　)

3
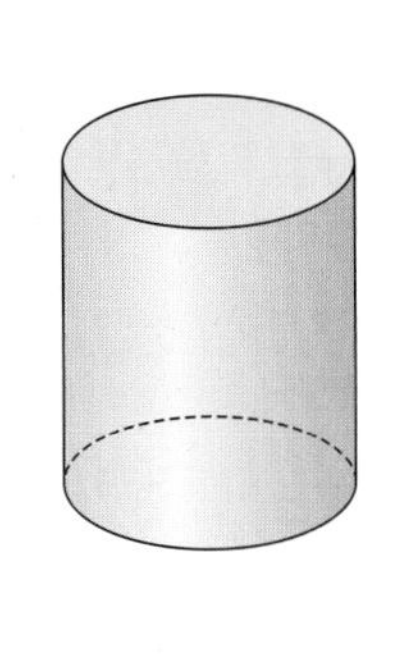
(　　　　)

5
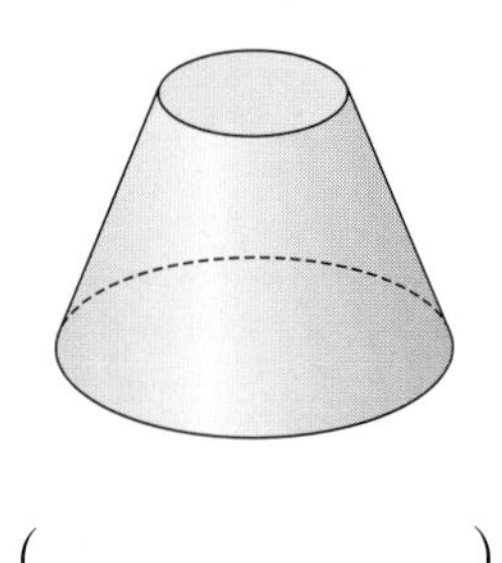
(　　　　)

✹ 보기 에서 □ 안에 알맞은 말을 찾아 써넣으시오. [6~8]

보기
모서리　　밑면　　옆면　　높이　　꼭짓점

원기둥에는
모서리와 꼭짓점이
없어.

6

7
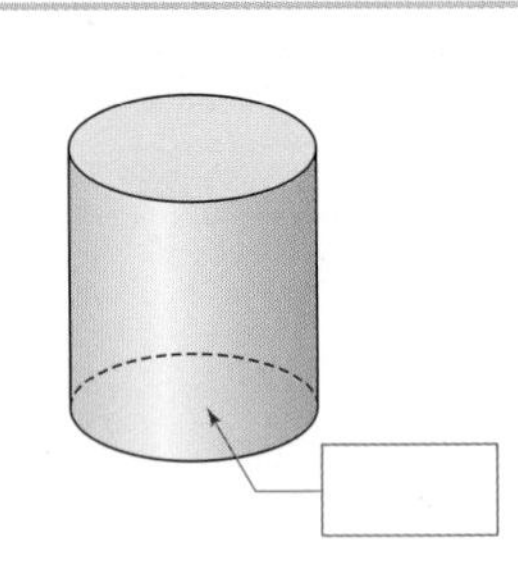

8
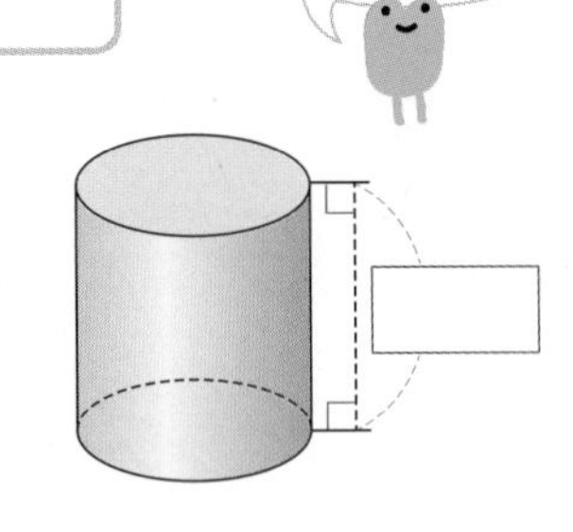

9 원기둥에서 밑면은 몇 개입니까?

(　　　　)

2 원기둥에서 각 부분의 길이 알아보기(1)

공부한 날 월 일

원기둥에서 밑면의 반지름과 높이를 구하시오. [1~8]

1

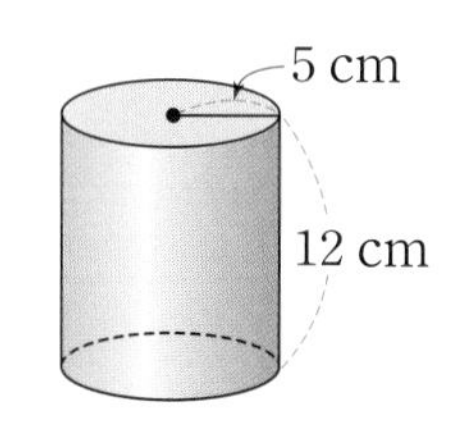

밑면의 반지름 (5 cm)
높이 (12 cm)

2

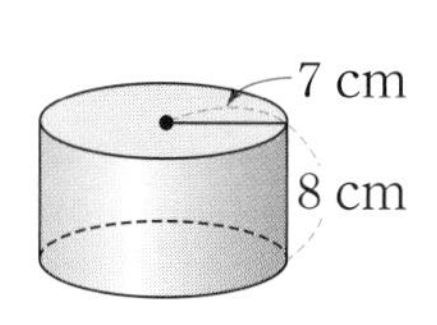

밑면의 반지름 ( )
높이 ( )

3

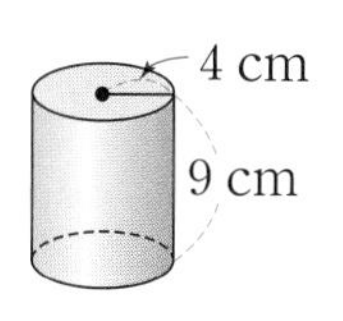

밑면의 반지름 ( )
높이 ( )

4

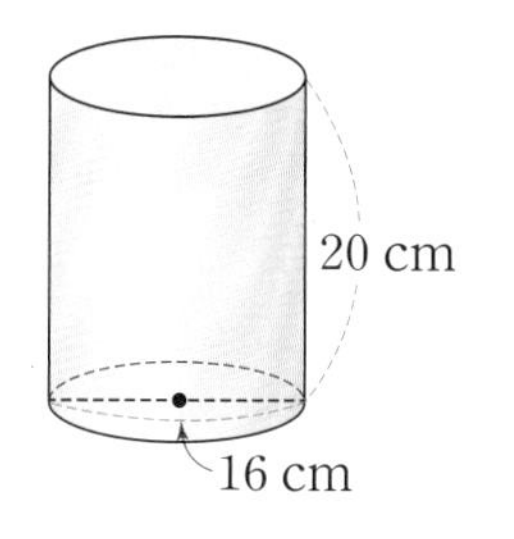

밑면의 반지름 ( )
높이 ( )

5

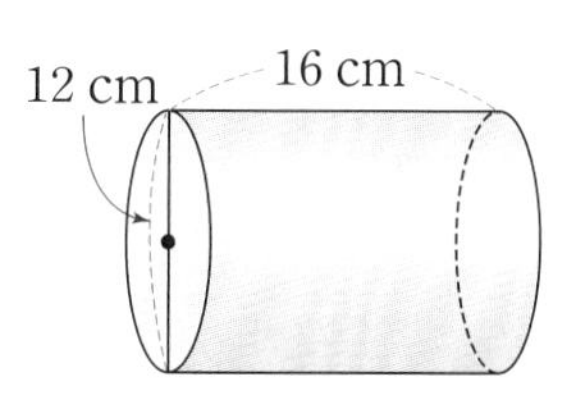

밑면의 반지름 ( )
높이 ( )

6

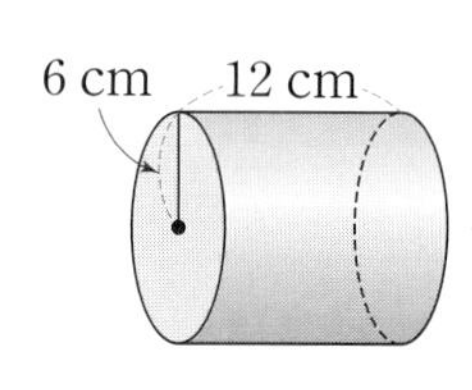

밑면의 반지름 ( )
높이 ( )

7

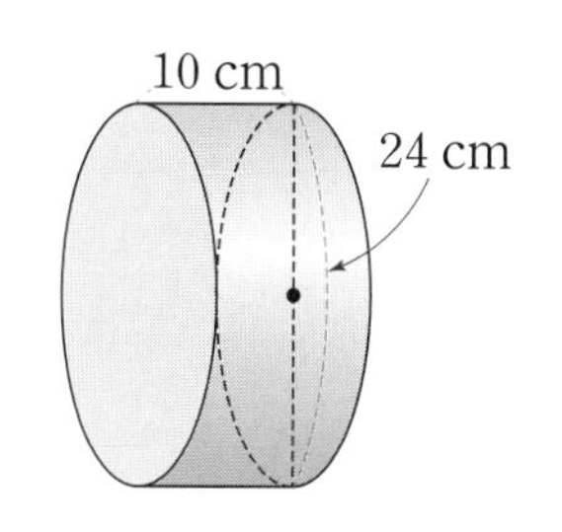

밑면의 반지름 ( )
높이 ( )

8

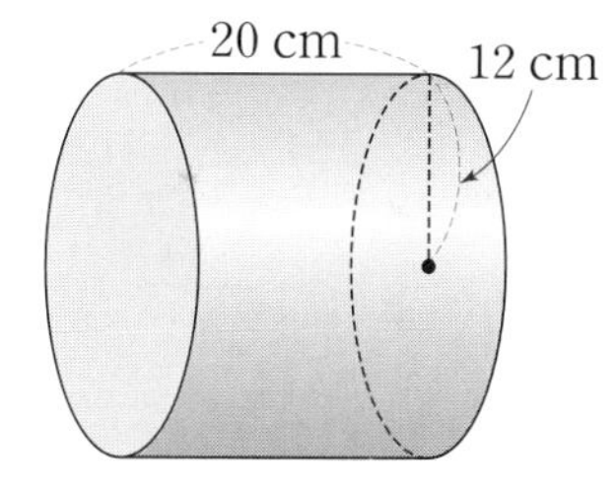

밑면의 반지름 ( )
높이 ( )

원기둥에서 밑면의 지름을 구하시오. [9~11]

9

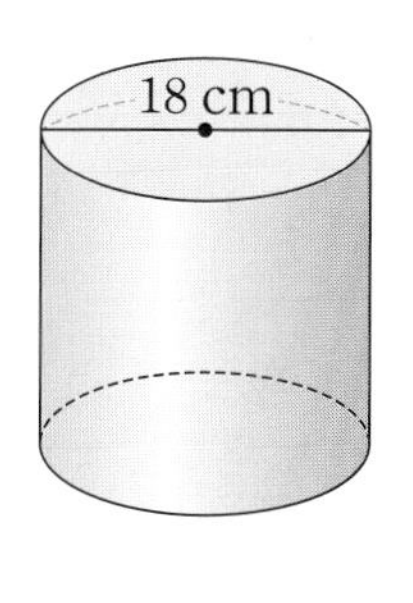

( )

10

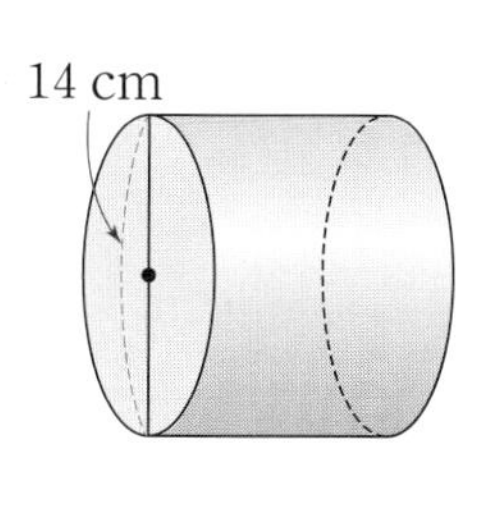

( )

11

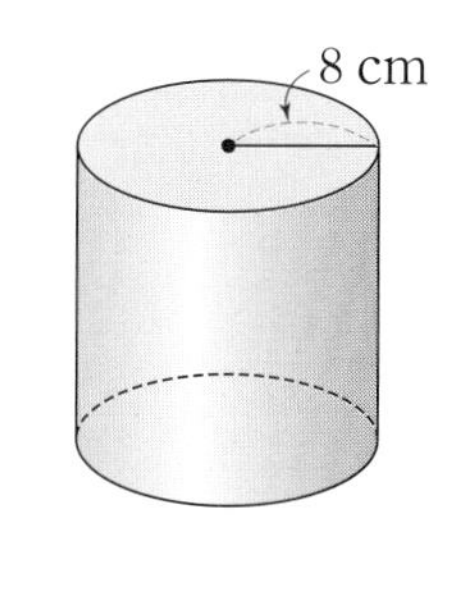

( )

6 원기둥, 원뿔, 구

3 원기둥에서 각 부분의 길이 알아보기(2)

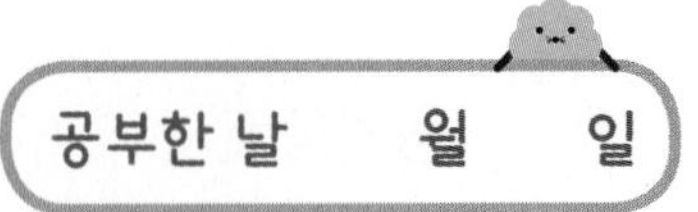

✹ 직사각형 모양의 종이를 한 변을 기준으로 돌려 만든 입체도형의 밑면의 지름을 구하시오. [1~5]

1

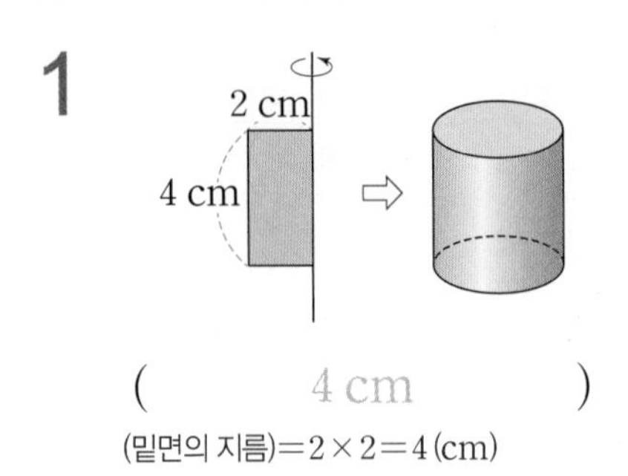

(4 cm)

(밑면의 지름)$=2\times2=4$(cm)

4

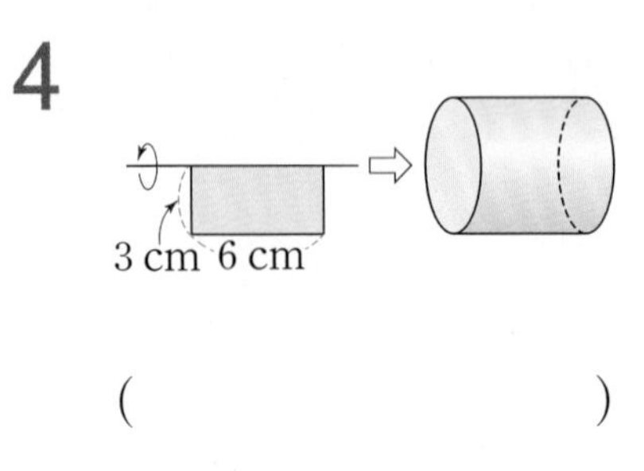

( )

2

4 cm
3 cm

( )

3

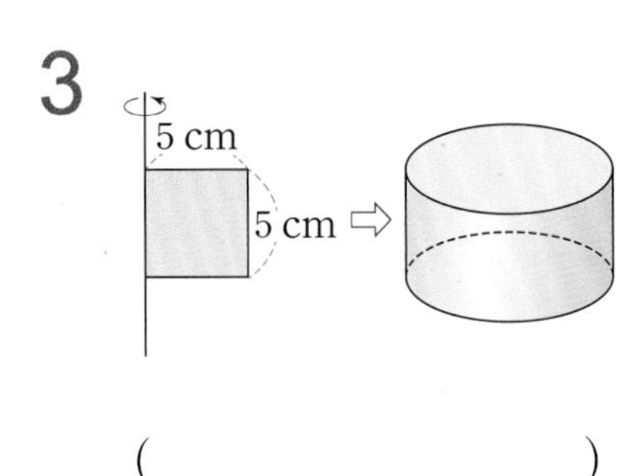

( )

5

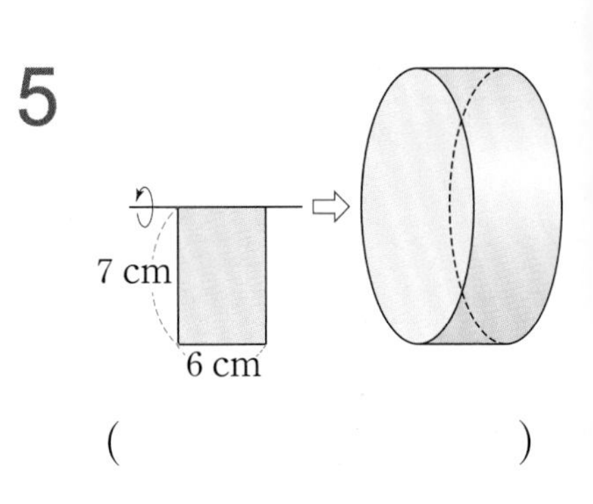

( )

✹ 직사각형 모양의 종이를 한 변을 기준으로 돌려 만든 입체도형의 높이를 구하시오. [6~10]

6

3 cm
5 cm

(5 cm)

9

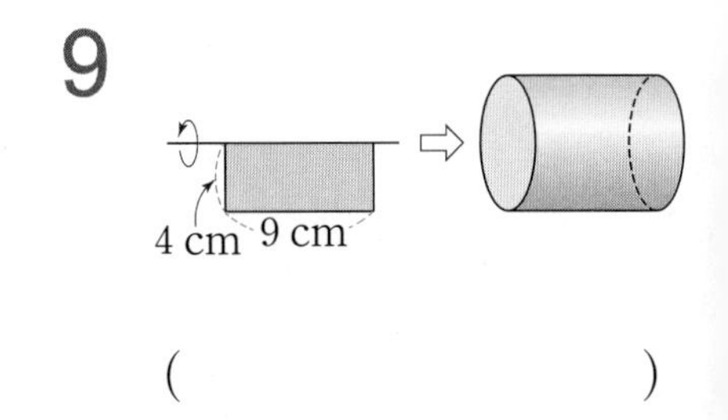

( )

7

4 cm
4 cm

( )

8

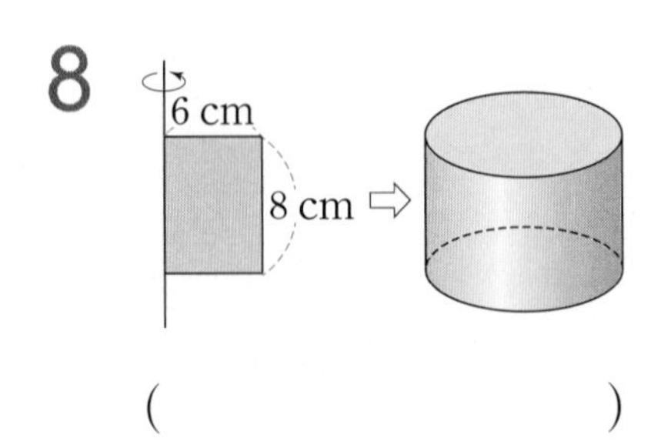

( )

10

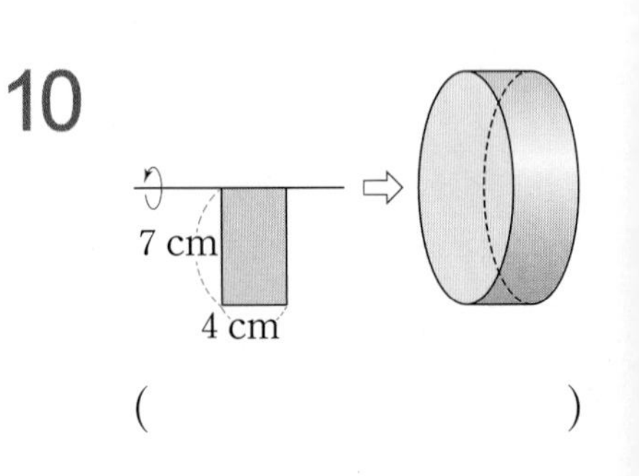

( )

4 원기둥의 전개도 알아보기

공부한 날 월 일

✹ 원기둥의 전개도로 알맞은 것에 ○표 하시오.

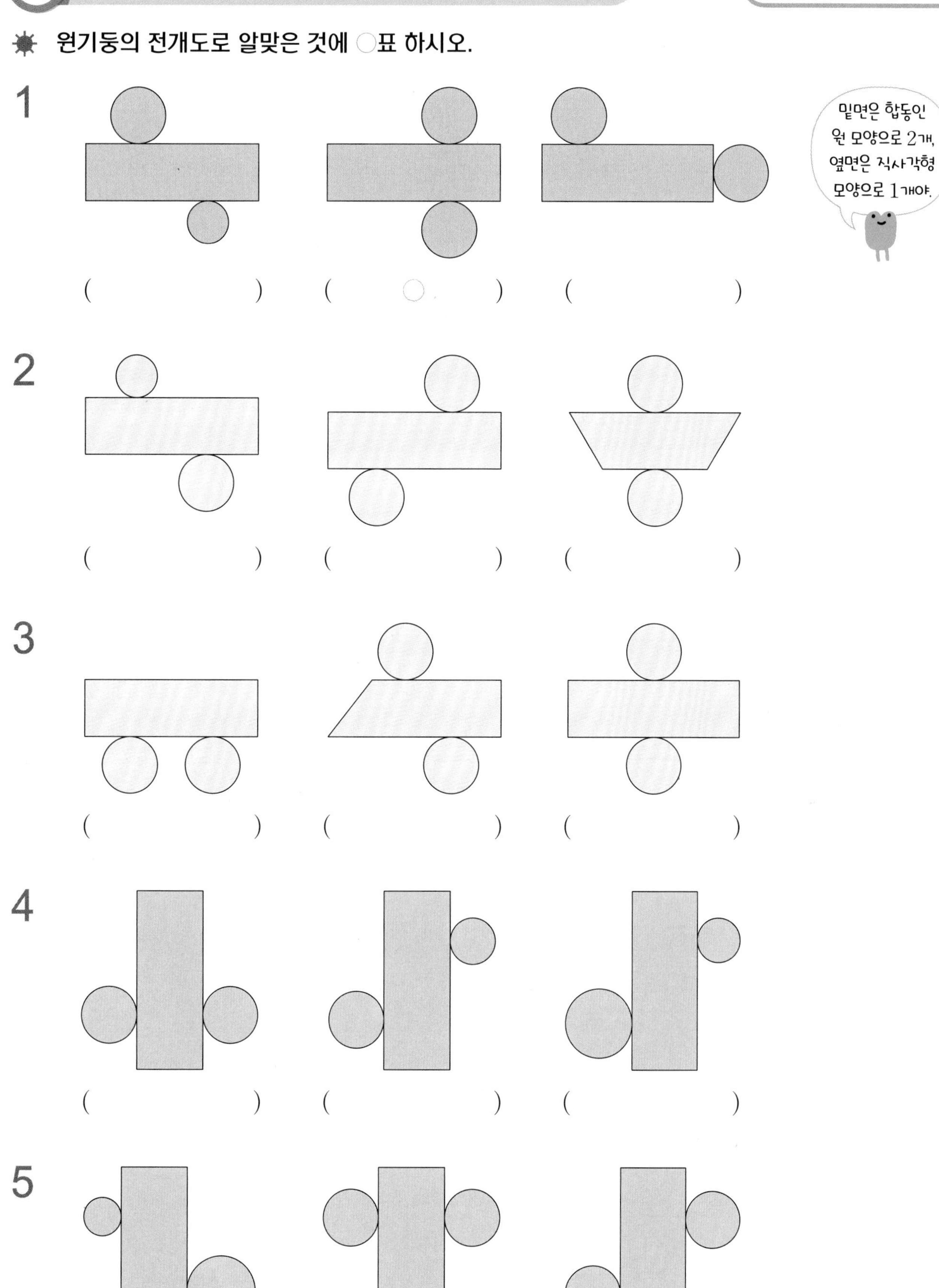

1
( ) (○) ( )
밑면은 합동인 원 모양으로 2개, 옆면은 직사각형 모양으로 1개야.
2
( ) ( ) ( )
3
( ) ( ) ( )
4
( ) ( ) ( )

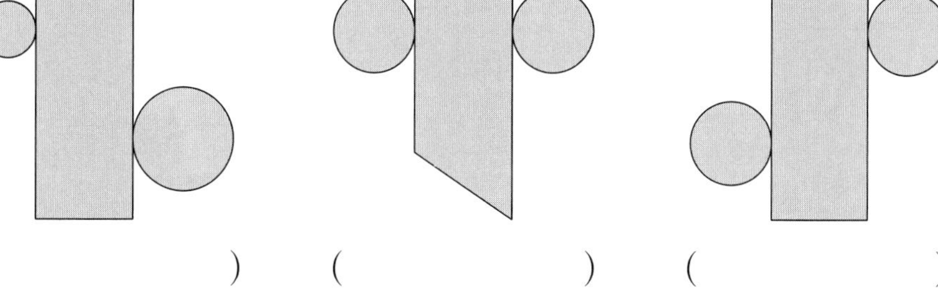

5 원기둥의 전개도에서 각 부분의 길이 알아보기(1)

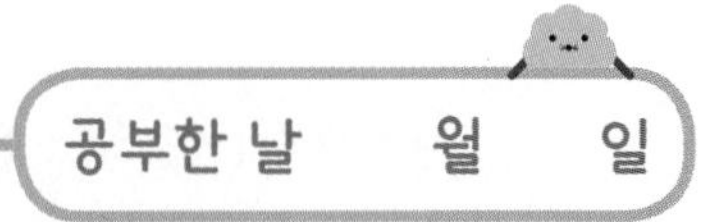

원기둥과 원기둥의 전개도를 보고 □ 안에 알맞은 수를 써넣으시오. (원주율: 3.14)

1

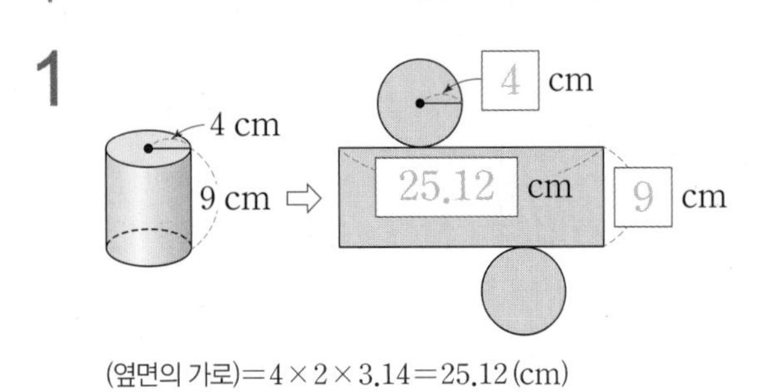

(옆면의 가로) $= 4 \times 2 \times 3.14 = 25.12$ (cm)

2

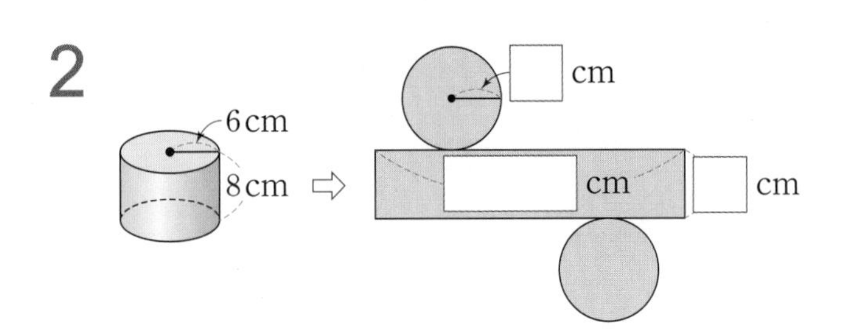

6

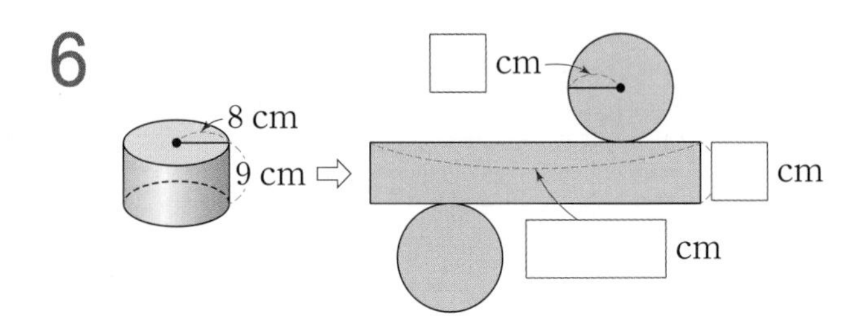

3

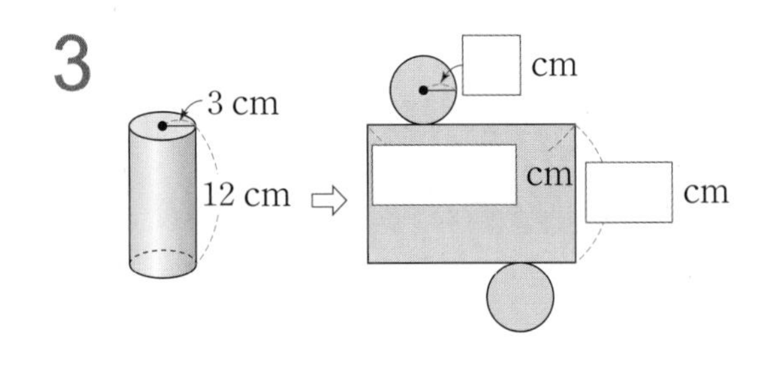

7

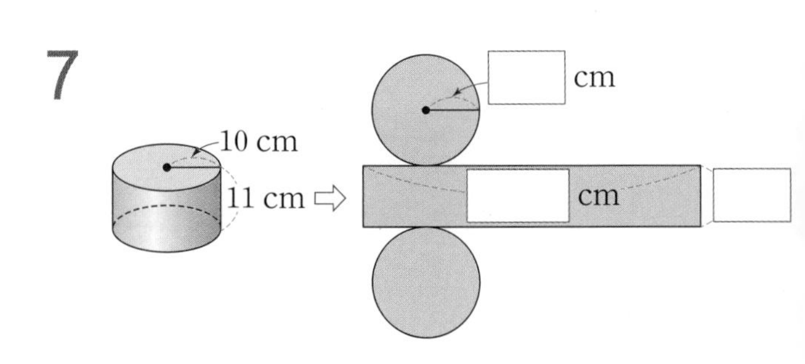

4

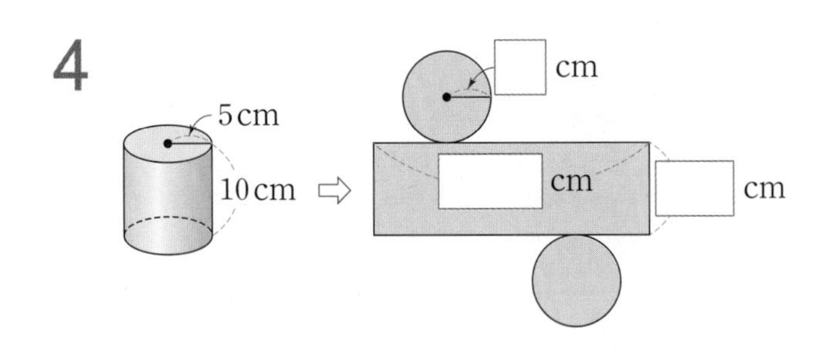

8

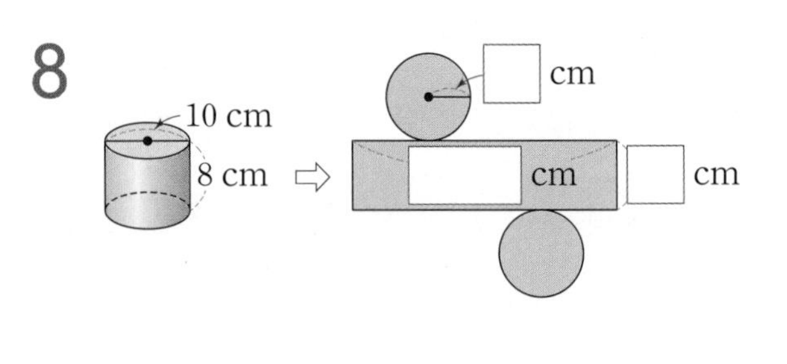

5

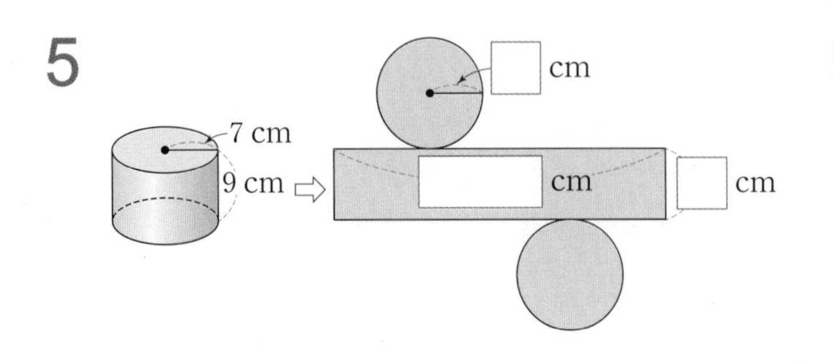

9

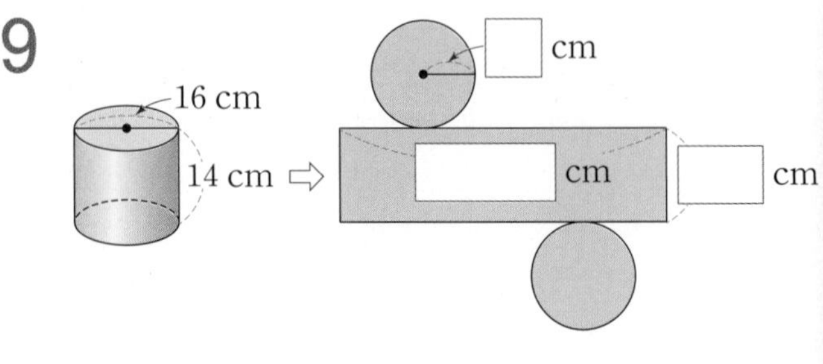

6 원기둥의 전개도에서 각 부분의 길이 알아보기(2)

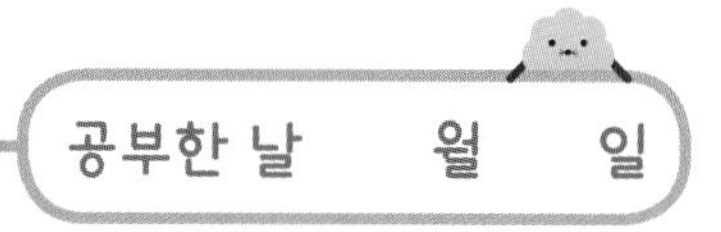

직사각형 모양의 종이를 돌려 만든 원기둥의 전개도를 보고 □ 안에 알맞은 수를 써넣으시오. (원주율: 3)

1

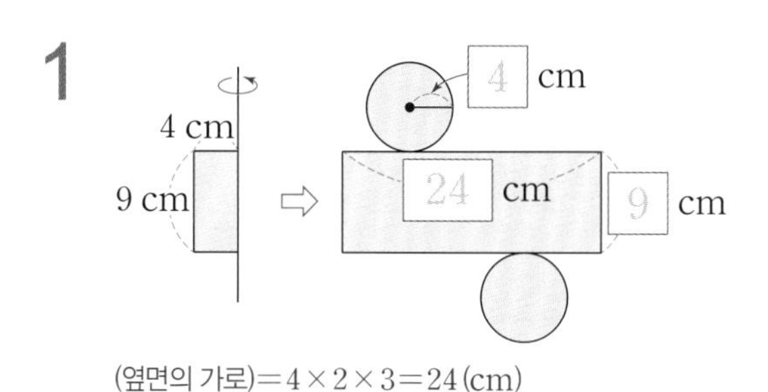

(옆면의 가로)$=4\times2\times3=24$(cm)

직사각형 모양의 종이를
한 변을 기준으로 돌리면
원기둥이 돼요.

2

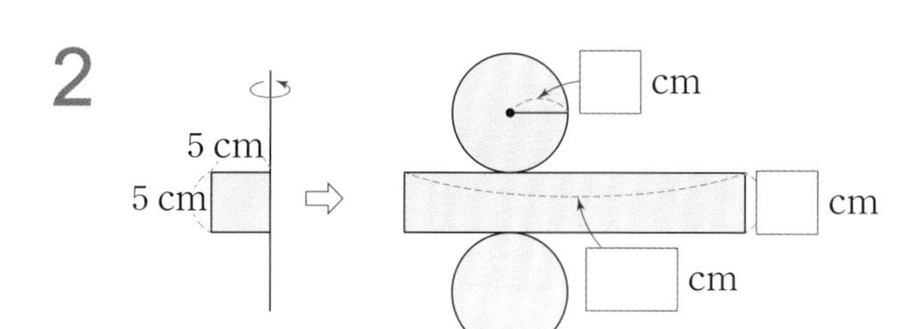

3

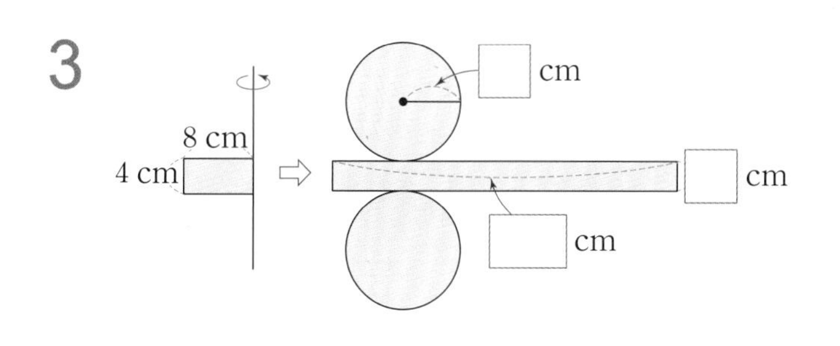

4

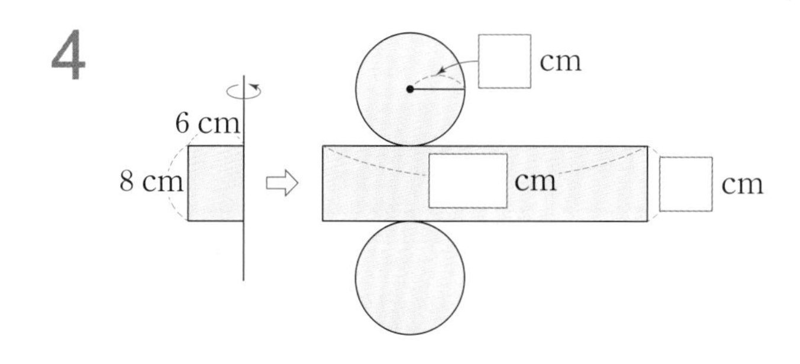

5

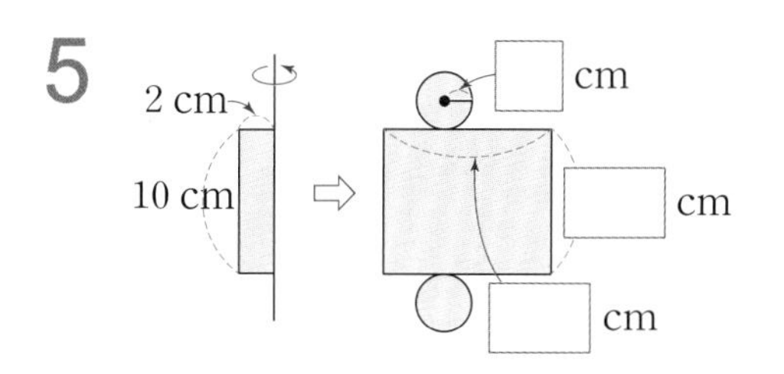

6

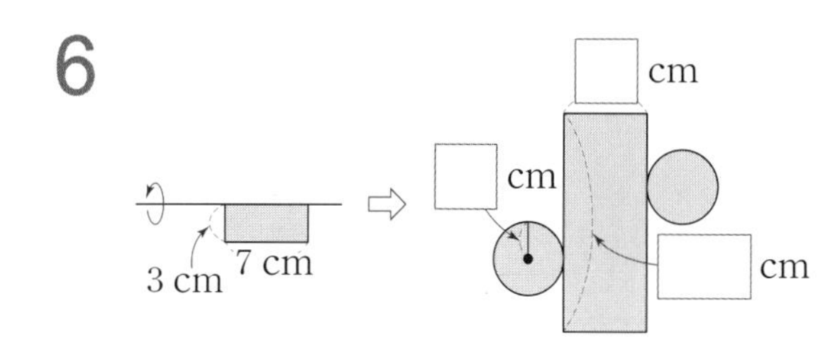

7

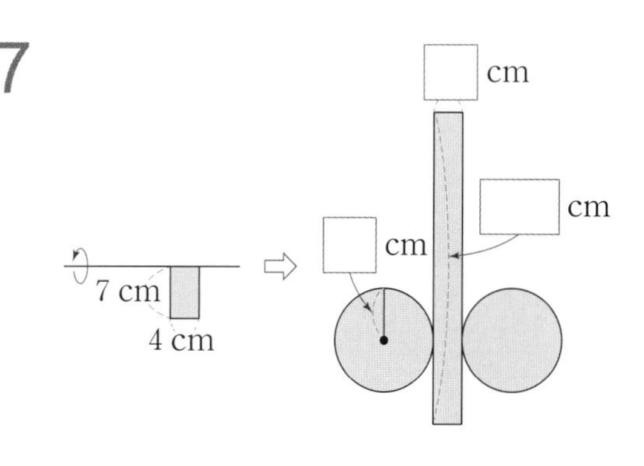

8

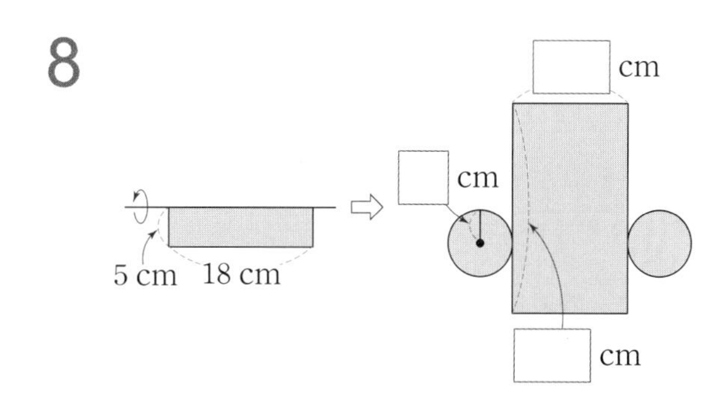

9

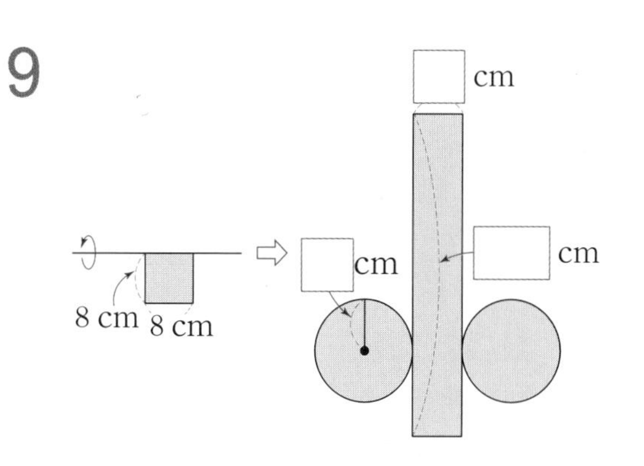

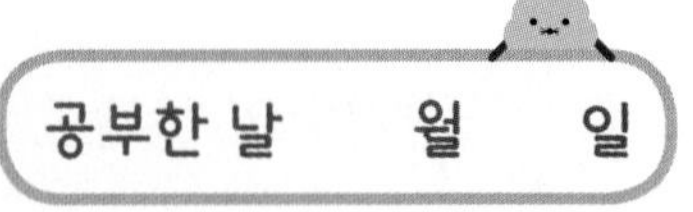

7 원기둥의 전개도 그리기

공부한 날 월 일

✹ 원기둥의 전개도를 그리고 밑면의 반지름과 옆면의 가로, 세로의 길이를 나타내어 보시오. (원주율: 3)

1

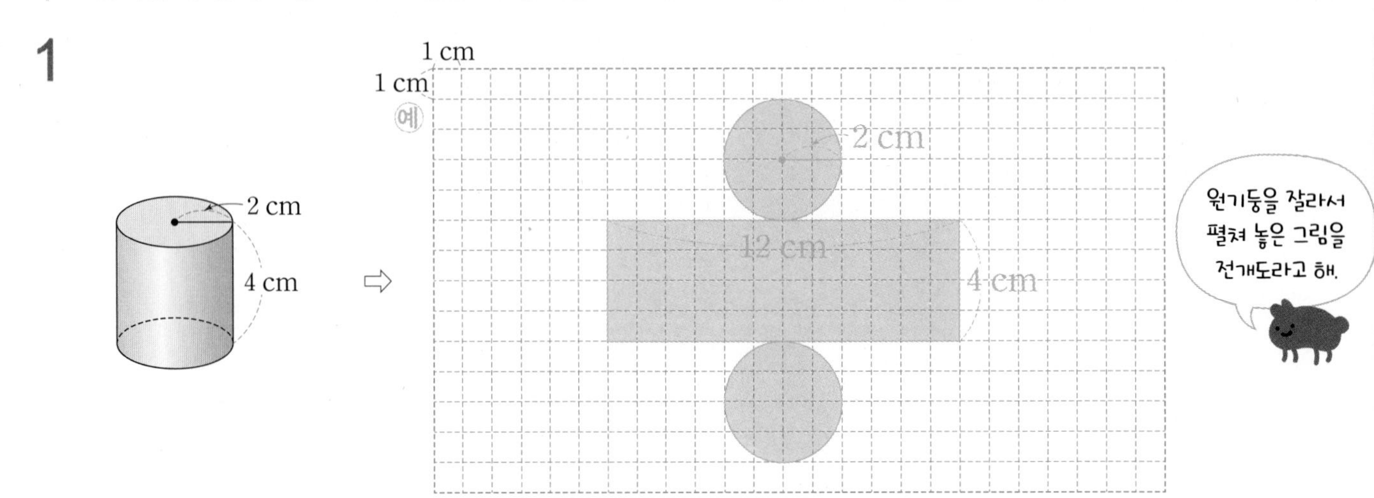

2

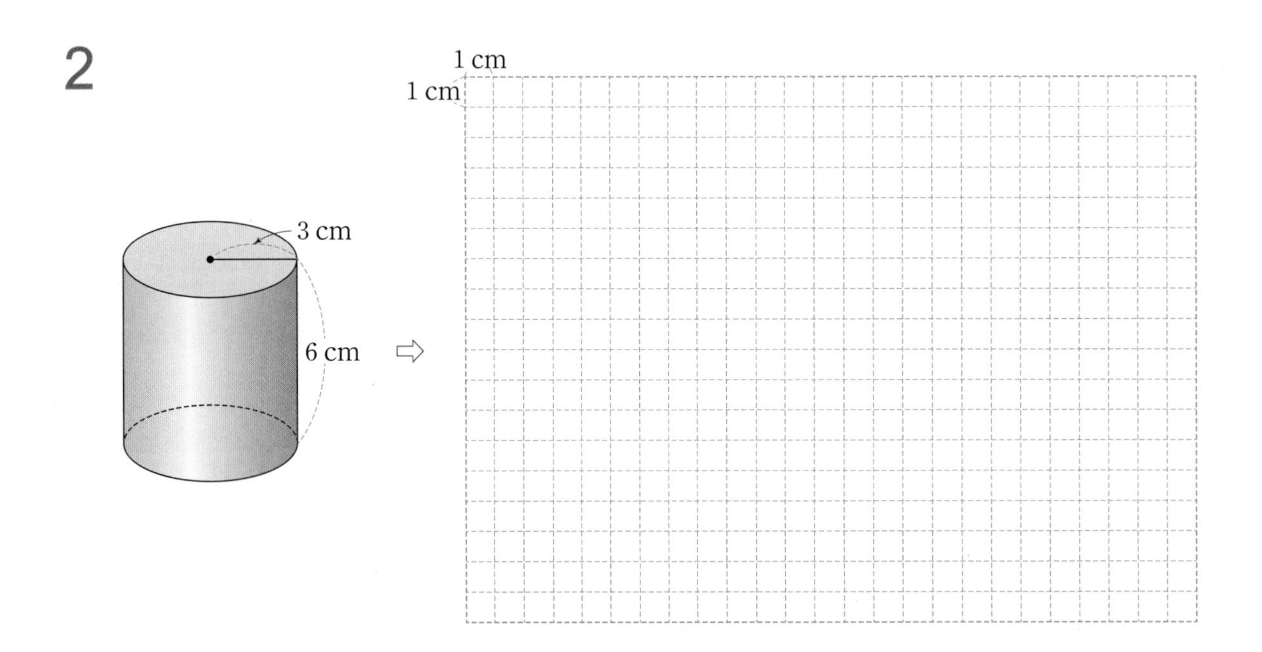

3

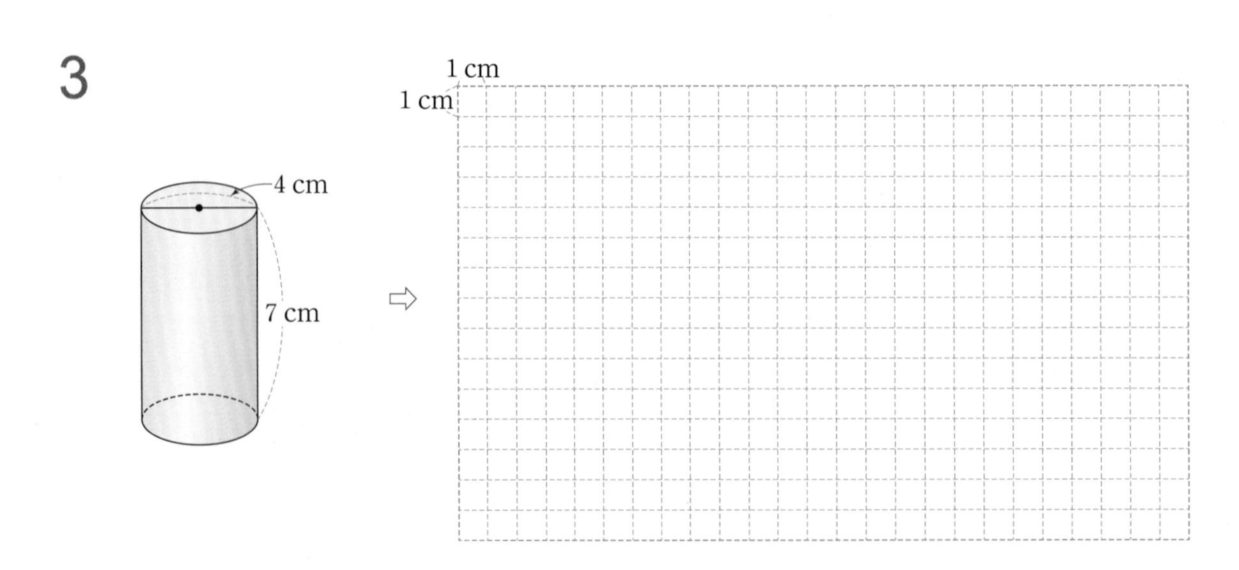

8 원기둥의 전개도를 보고 밑면의 반지름 구하기

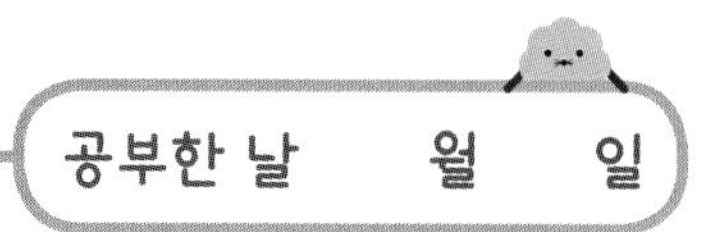

✹ 원기둥의 전개도를 보고 원기둥의 밑면의 반지름을 구하시오. (원주율: 3)

1

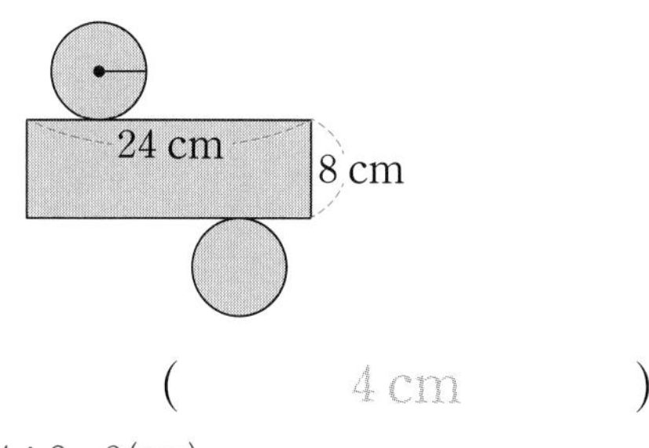

(4 cm)

(밑면의 지름)=24÷3=8(cm)
⇨(밑면의 반지름)=8÷2=4(cm)

2

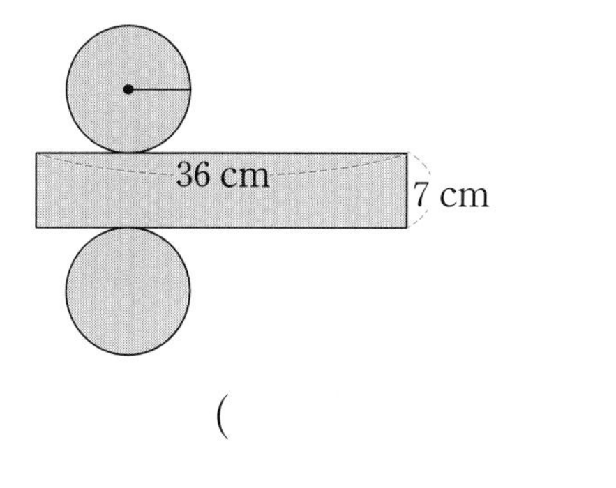

( )

3

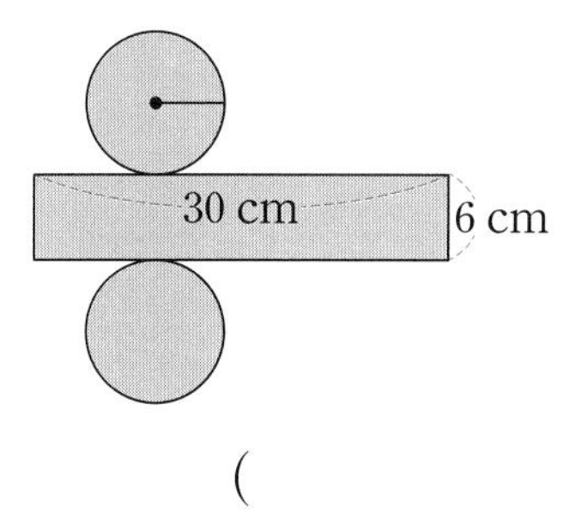

( )

4

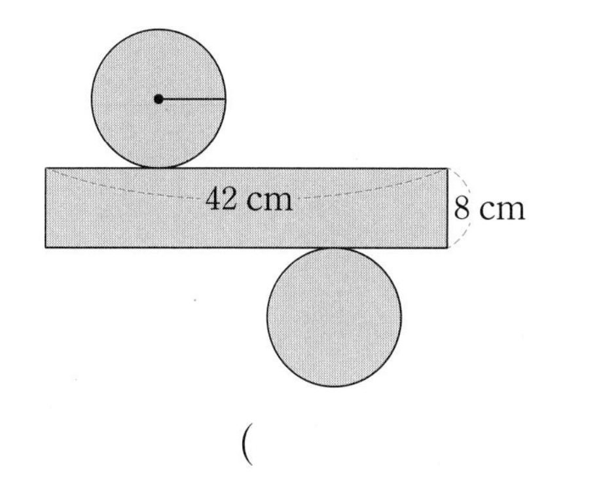

( )

5

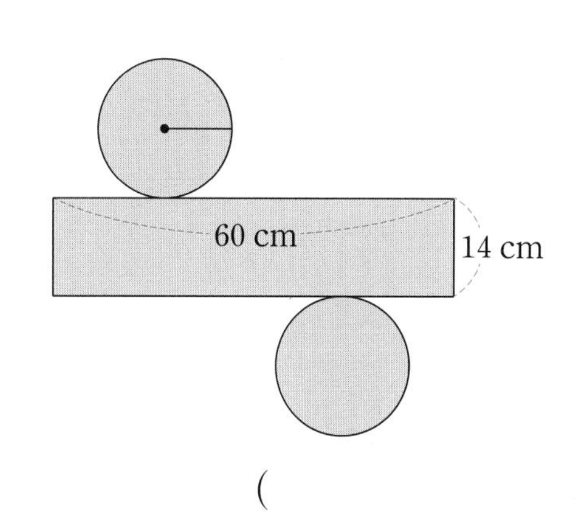

( )

6

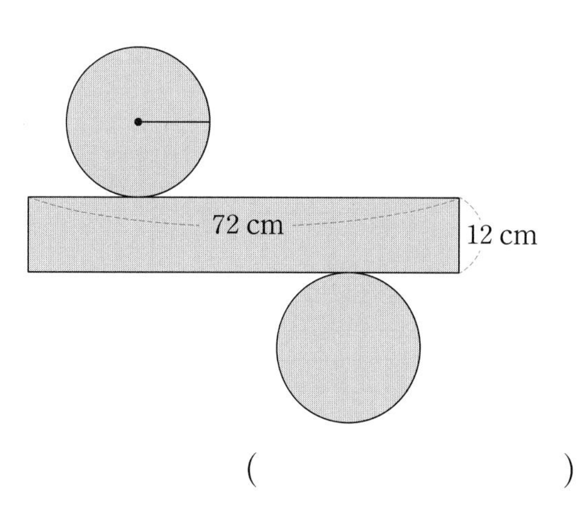

( )

6 원기둥, 원뿔, 구

9 원뿔 알아보기

공부한 날 월 일

✸ 입체도형을 보고 원뿔이면 ○표, 아니면 ×표 하시오. [1~5]

평평한 면이 원이고 옆을 둘러싼 면이 굽은 면인 뿔 모양의 입체도형을 원뿔이라고 해.

1

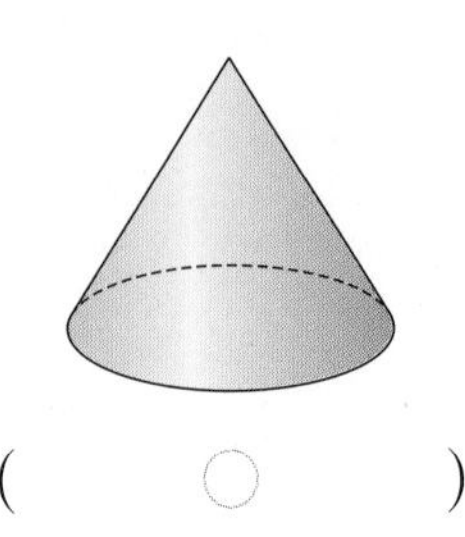

(○)

2

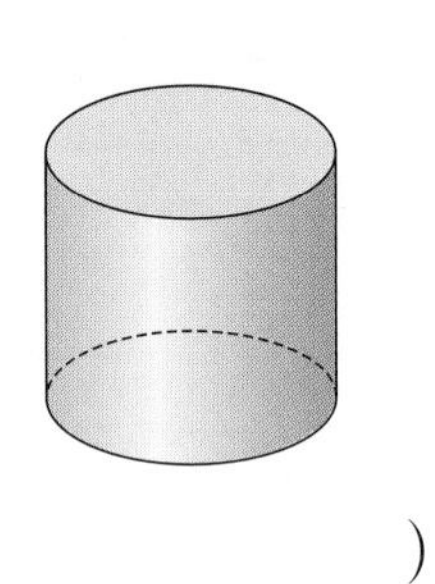

(   )

3

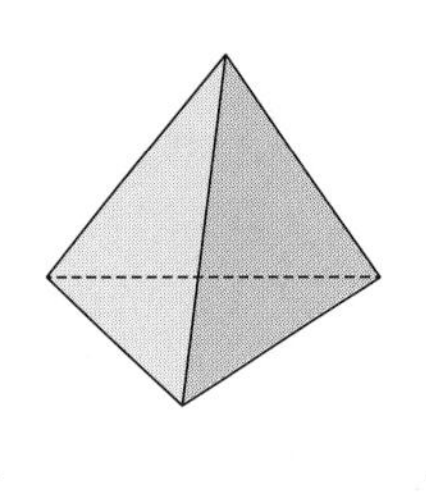

(   )

4

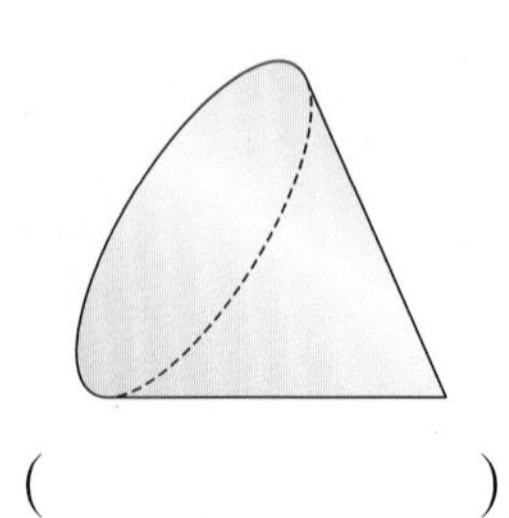

(   )

5

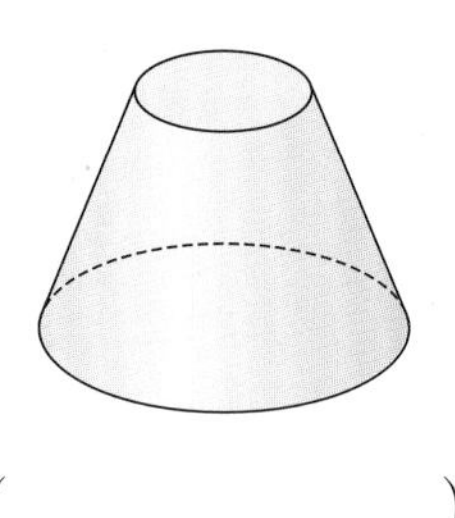

(   )

✸ 보기 에서 □ 안에 알맞은 말을 찾아 써넣으시오. [6~10]

보기
밑면 꼭짓점 모선 높이 옆면

6

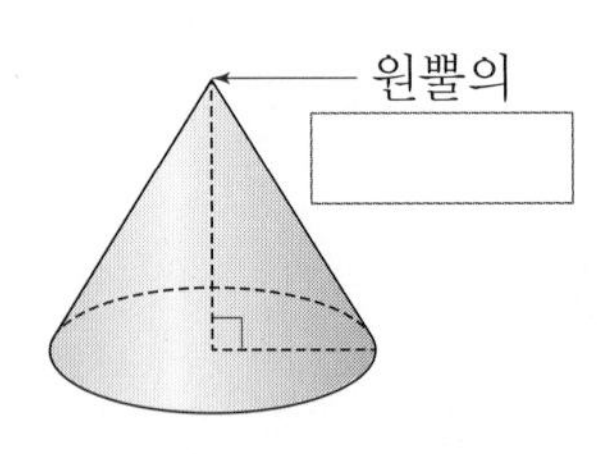

7

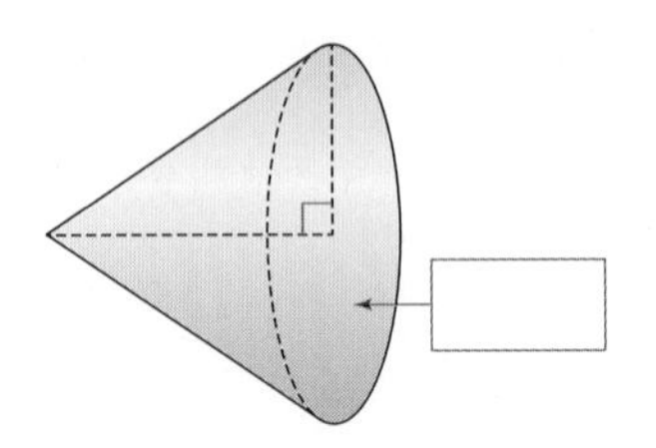

8

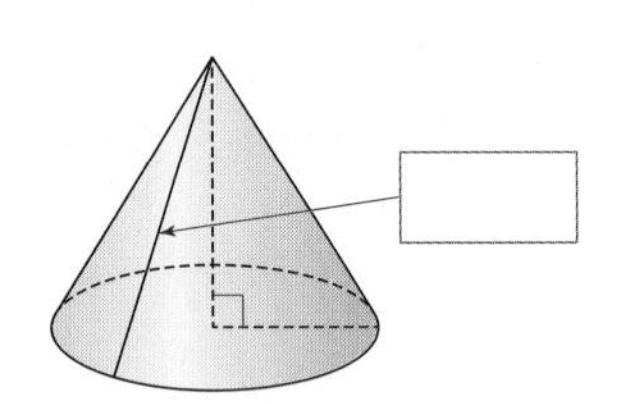

9

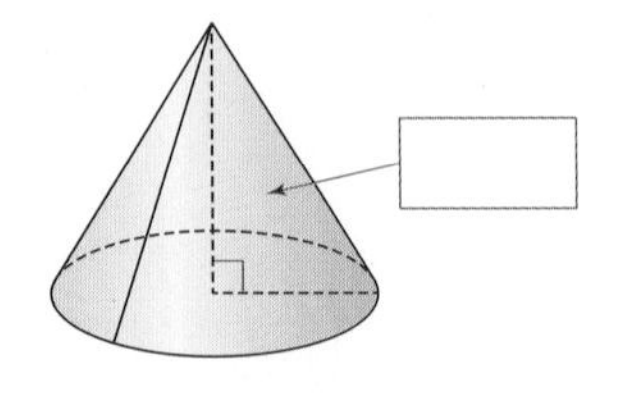

10

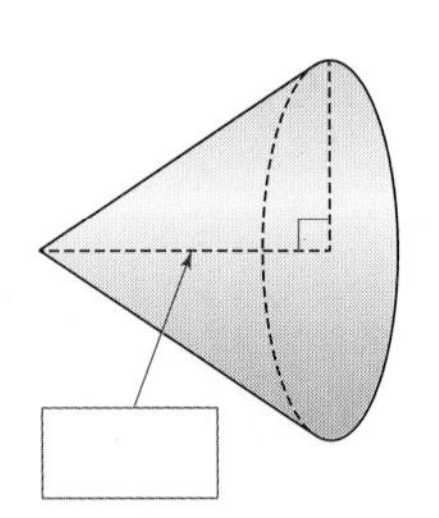

원뿔에서 평평한 면을 밑면, 옆을 둘러싼 굽은 면을 옆면이라고 해.

10 원뿔에서 각 부분의 길이 알아보기(1)

공부한 날 월 일

원뿔에서 밑면의 반지름, 높이, 모선의 길이를 각각 구하시오. [1~5]

1

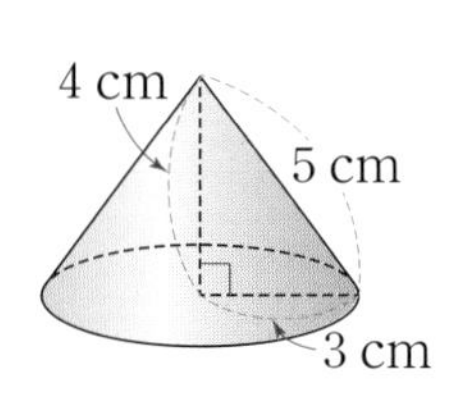

원뿔에서 원뿔의 꼭짓점과 밑면인 원의 둘레의 한 점을 이은 선분을 모선이라고 해.

밑면의 반지름 (3 cm)
높이 (4 cm)
모선의 길이 (5 cm)

4

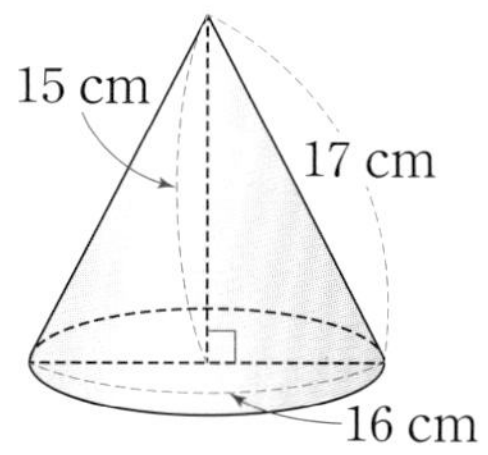

밑면의 반지름 (   )
높이 (   )
모선의 길이 (   )

2

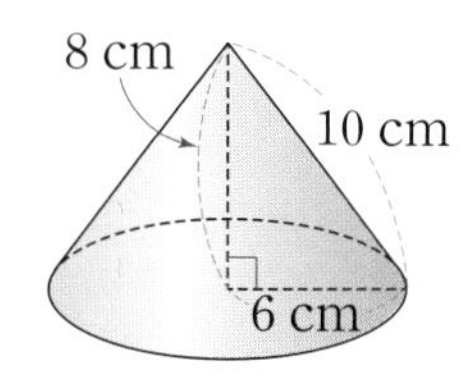

밑면의 반지름 (   )
높이 (   )
모선의 길이 (   )

3

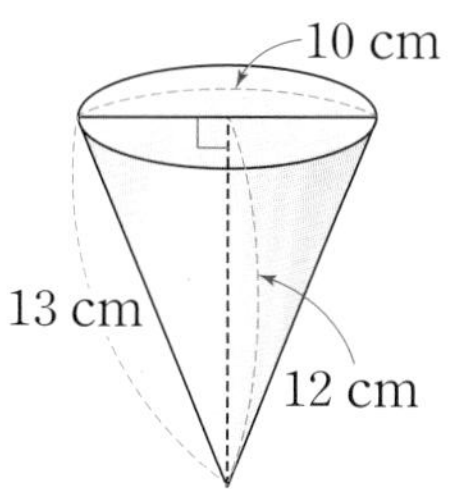

밑면의 반지름 (   )
높이 (   )
모선의 길이 (   )

5

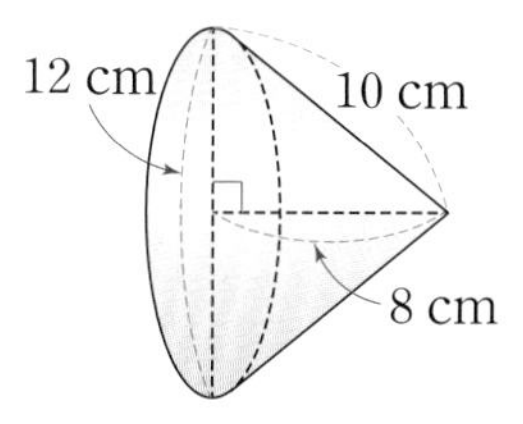

밑면의 반지름 (   )
높이 (   )
모선의 길이 (   )

6 다음은 원뿔의 무엇을 재는 것입니까?

(1)

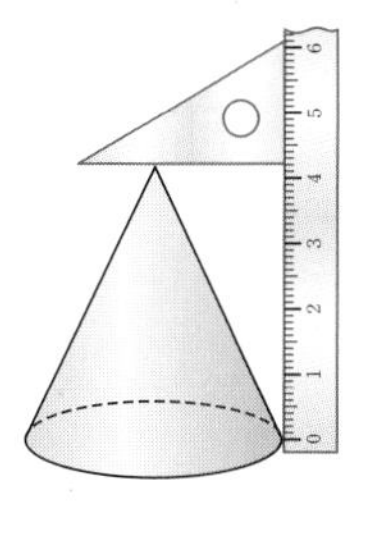

(   )

(2)

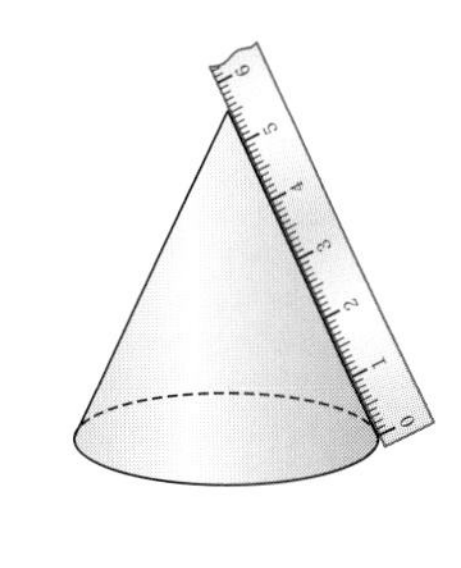

(   )

6 원기둥, 원뿔, 구

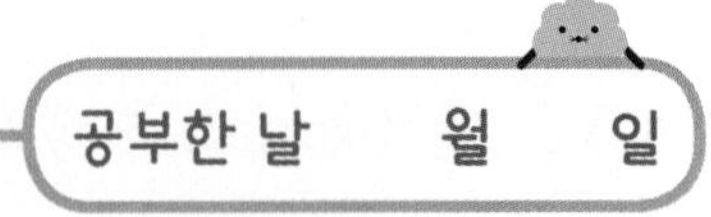

✸ 직각삼각형 모양의 종이를 한 변을 기준으로 돌려 만든 입체도형의 밑면의 지름을 구하시오. [1~5]

1
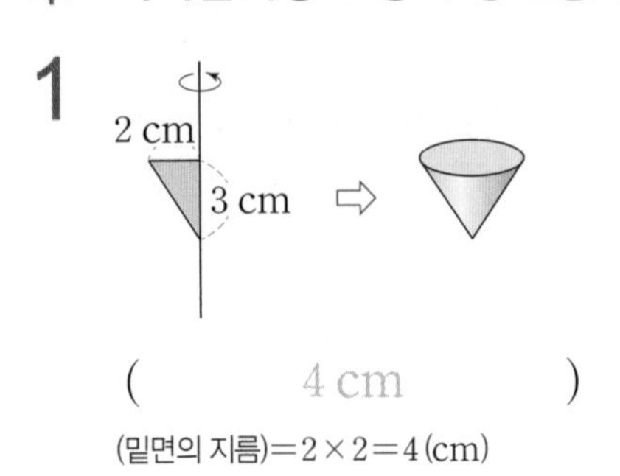

(4 cm)

(밑면의 지름)$=2\times2=4$(cm)

4
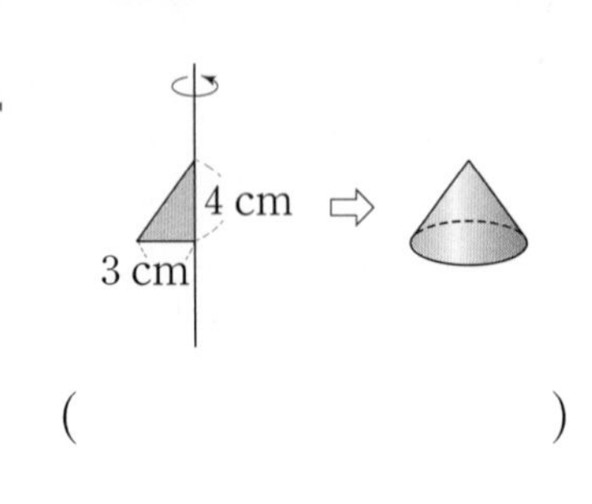

( )

2
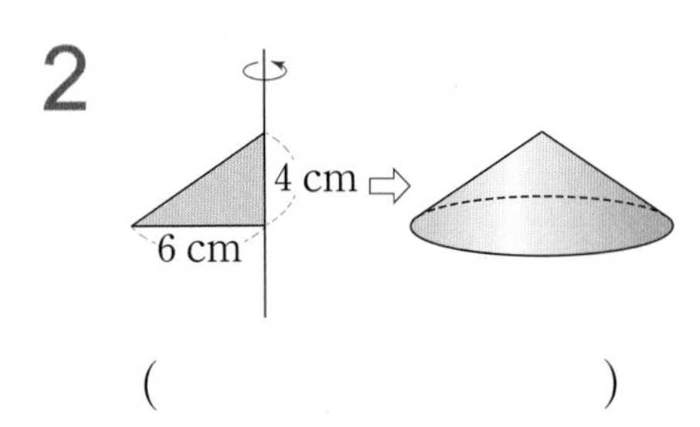

( )

3
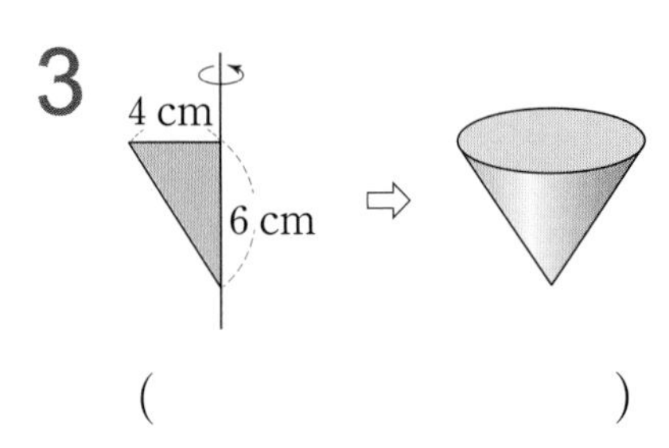

( )

5
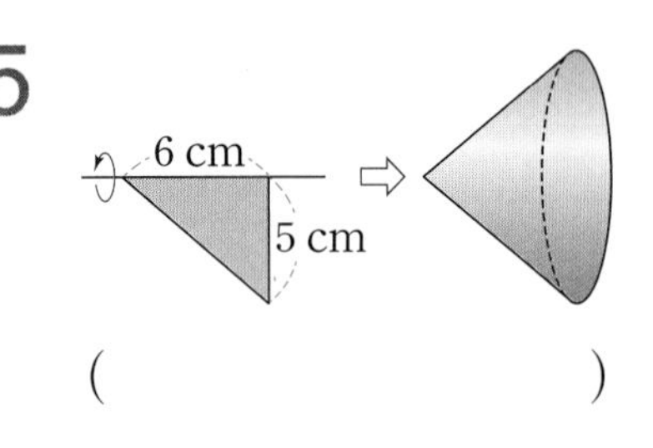

( )

✸ 직각삼각형 모양의 종이를 한 변을 기준으로 돌려 만든 입체도형의 높이를 구하시오. [6~10]

6
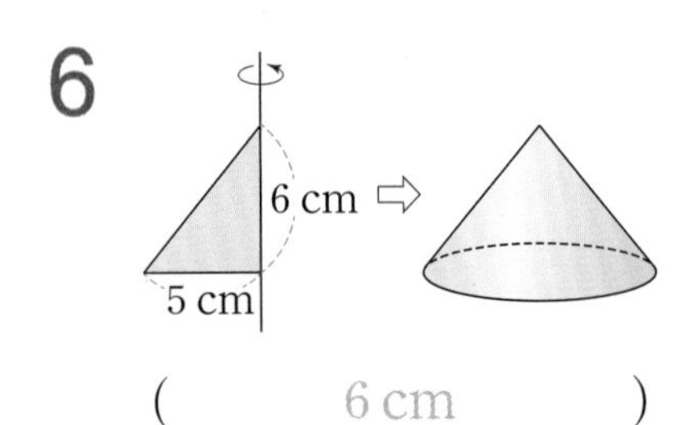

(6 cm)

9
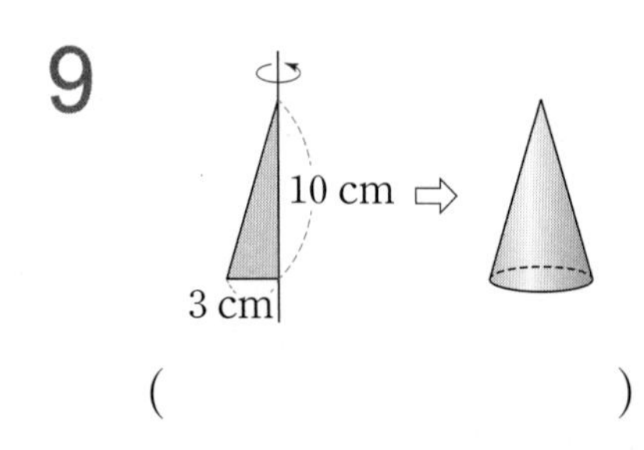

( )

7

( )

8
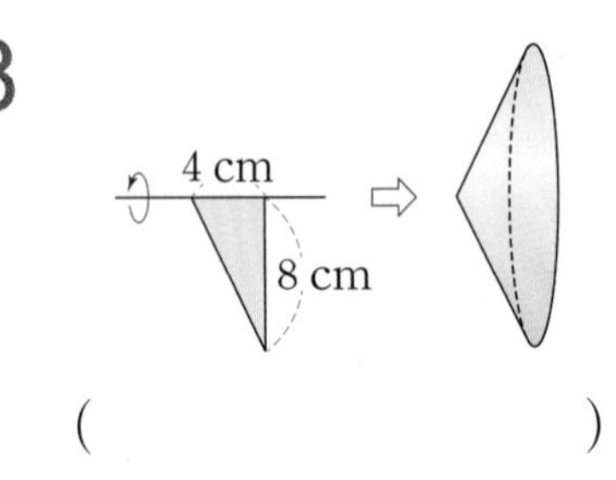

( )

10
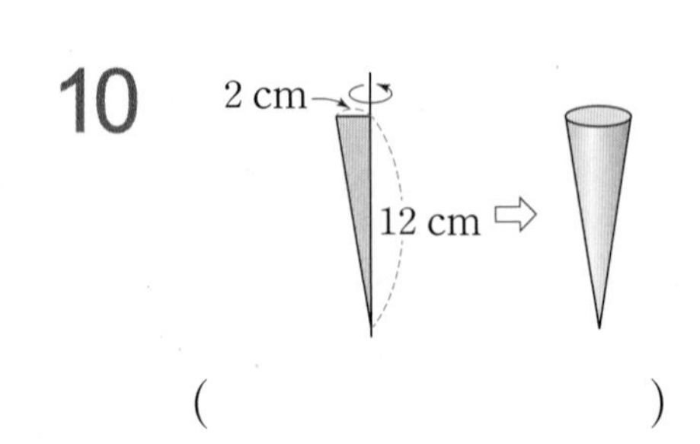

( )

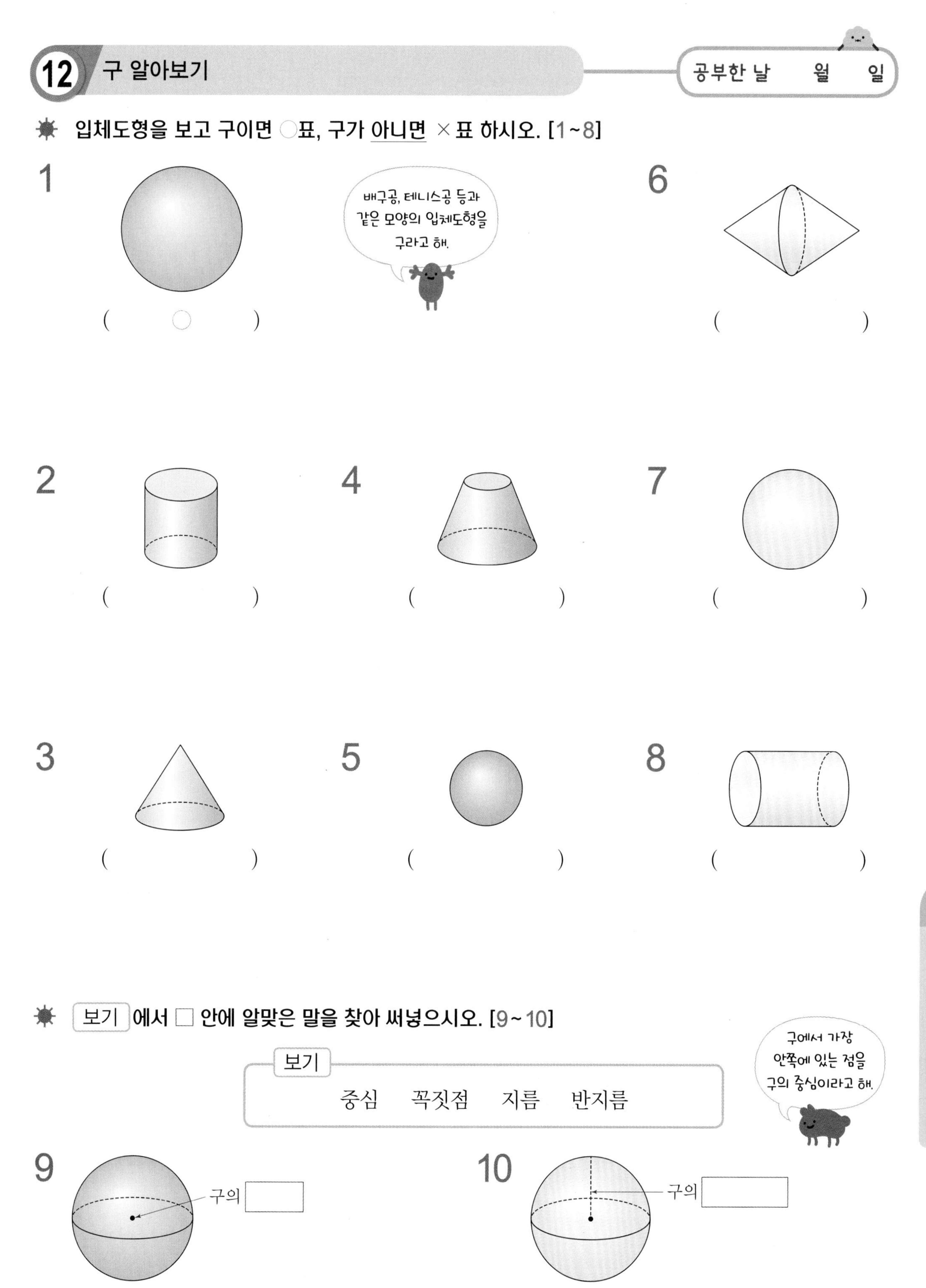

배구공, 테니스공 등과
같은 모양의 입체도형을
구라고 해.
구에서 가장
안쪽에 있는 점을
구의 중심이라고 해.

12 구 알아보기

공부한 날 월 일

✸ 입체도형을 보고 구이면 ○표, 구가 아니면 ×표 하시오. [1~8]

1 (○)

2 (   )

3 (   )

4 (   )

5 (   )

6 (   )

7 (   )

8 (   )

✸ 보기 에서 □ 안에 알맞은 말을 찾아 써넣으시오. [9~10]

보기

중심 꼭짓점 지름 반지름

9 구의 □

10 구의 □

13 구에서 각 부분의 길이 알아보기(1)

공부한 날 월 일

구에서 반지름을 구하시오.

1

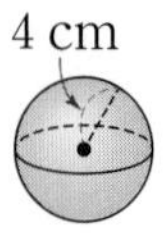

4 cm

(4 cm)

구의 중심에서 구의 겉면의 한 점을 이은 선분을 구의 반지름이라고 해.

2

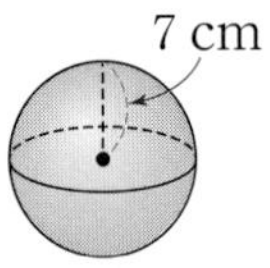

7 cm

( )

3

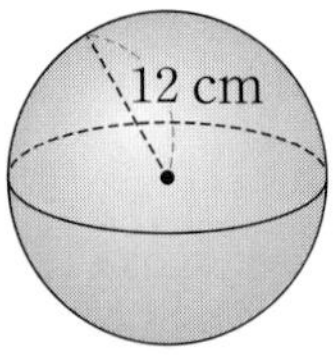

12 cm

( )

4

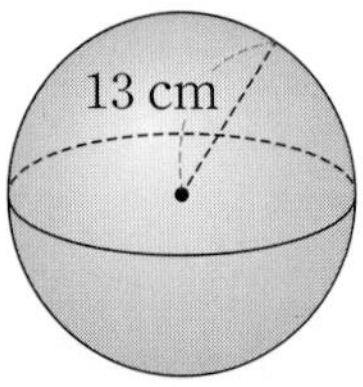

13 cm

( )

5

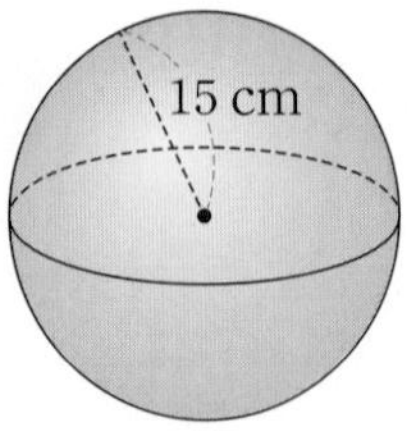

15 cm

( )

6

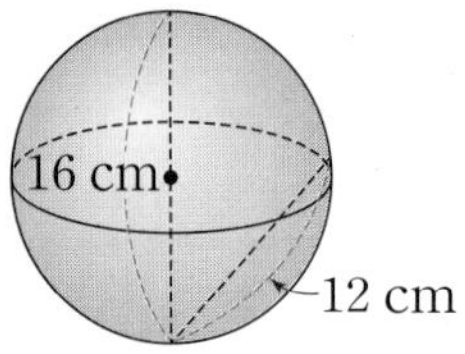

16 cm

12 cm

( )

7

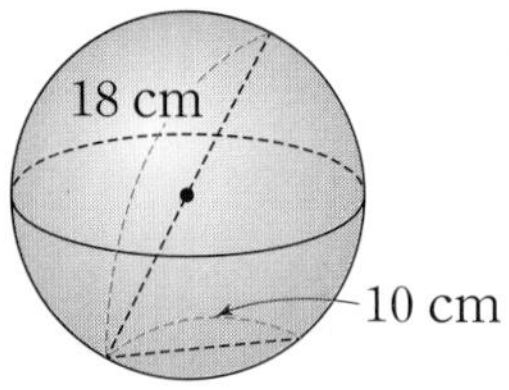

18 cm

10 cm

( )

8

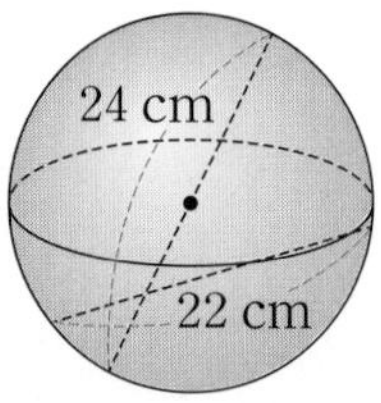

24 cm

22 cm

( )

9

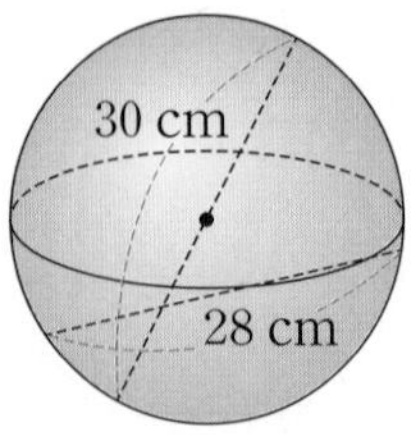

30 cm

28 cm

( )

10

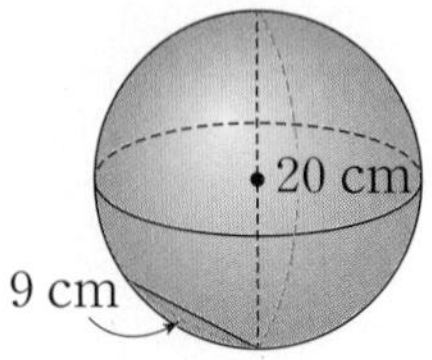

20 cm

9 cm

( )

11

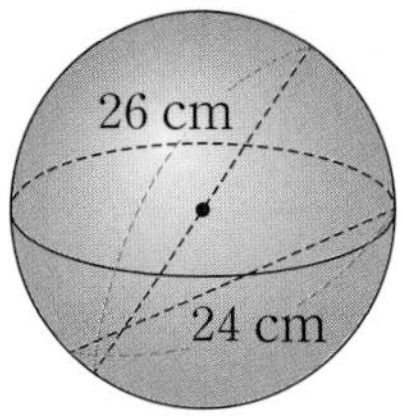

26 cm

24 cm

( )

12

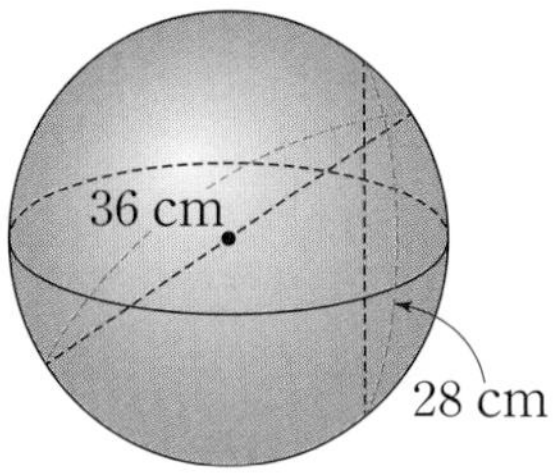

36 cm

28 cm

( )

13

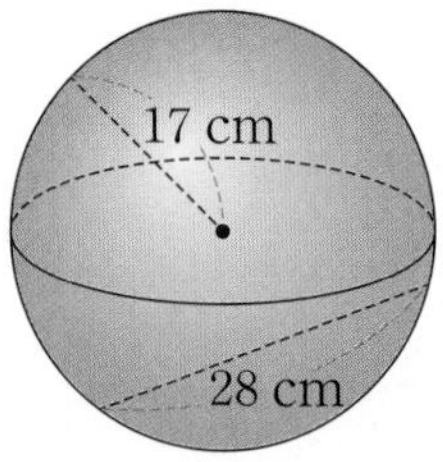

17 cm

28 cm

( )

14

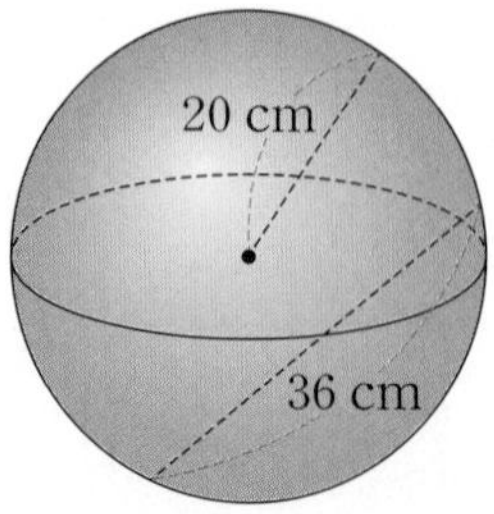

20 cm

36 cm

( )

14 구에서 각 부분의 길이 알아보기 (2)

공부한 날 월 일

반원 모양의 종이를 지름을 기준으로 돌려 만든 입체도형의 반지름을 구하시오.

1

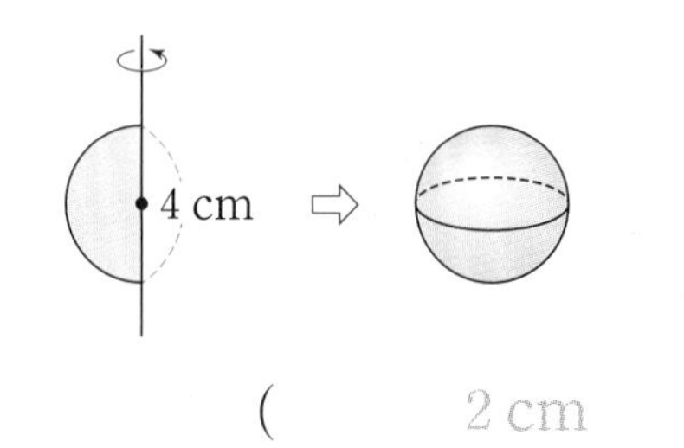

(2 cm)

2

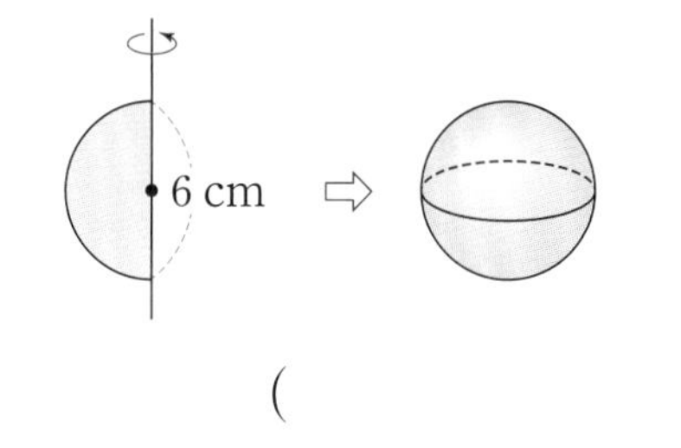

( )

3

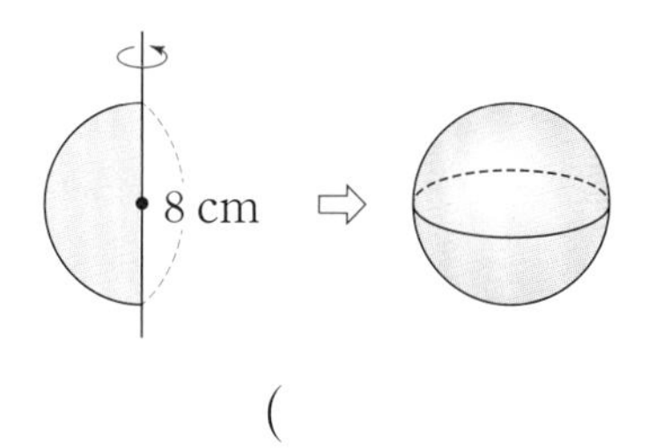

( )

4

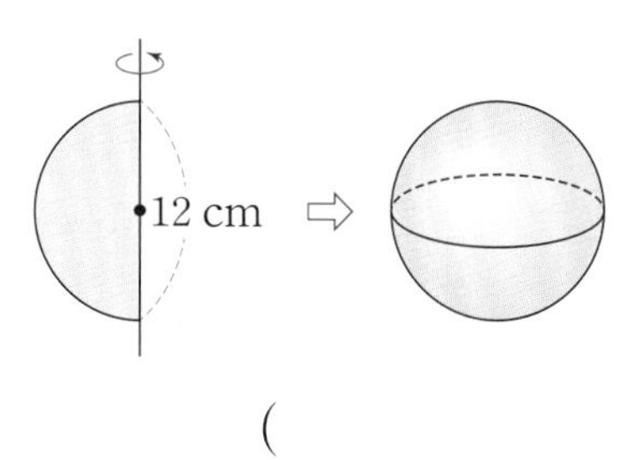

( )

5

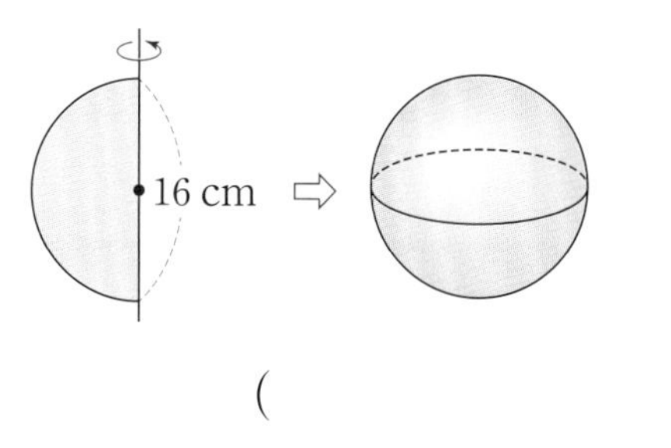

( )

6

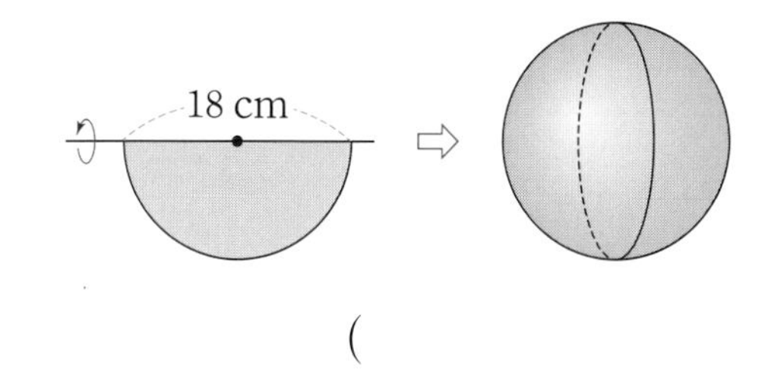

( )

7

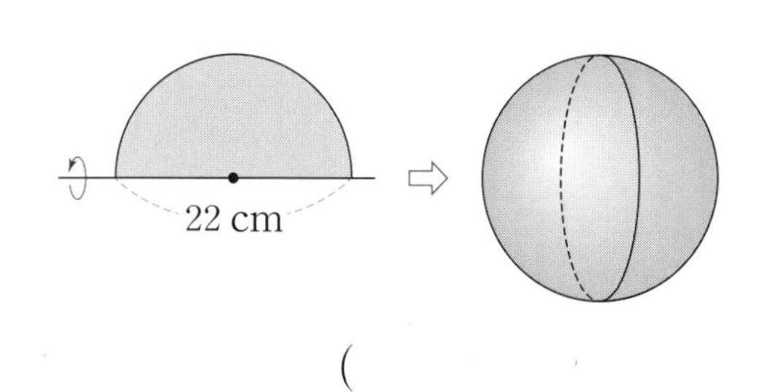

( )

8

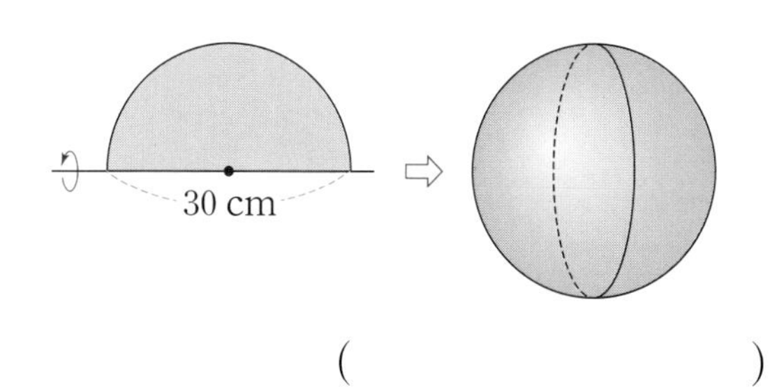

( )

9

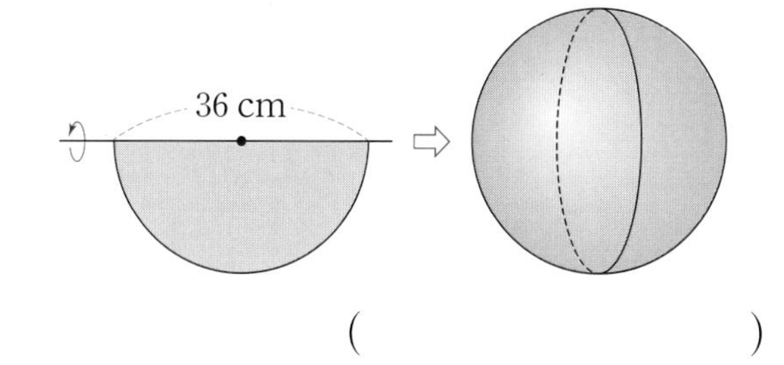

( )

6 원기둥, 원뿔, 구

1 입체도형의 이름을 쓰시오.

(1) (2) (3)

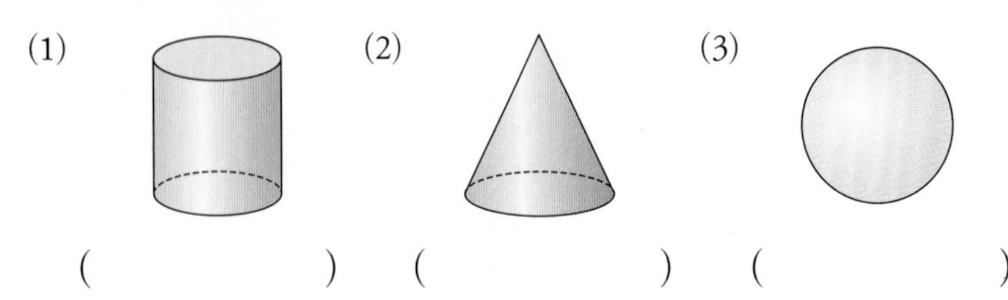

(　　　　) (　　　　) (　　　　)

• 원기둥, 원뿔, 구에 대해 알아 봅니다.

2 입체도형의 밑면에 색칠하시오.

(1)

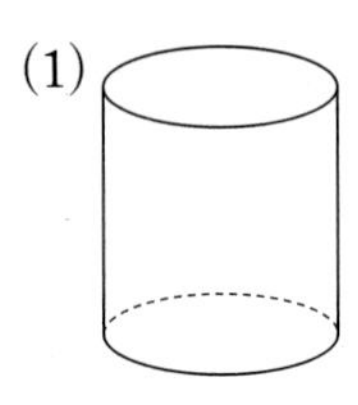

(2)

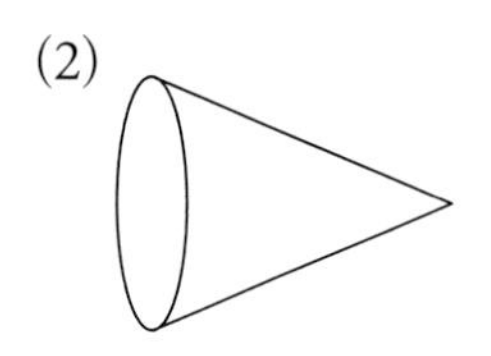

• 원기둥과 원뿔의 밑면을 찾아 봅니다.

3 오른쪽 원뿔에서 모선의 길이와 높이의 차를 구하시오.

8 cm, 10 cm, 6 cm

(　　　　)

원뿔에서 원뿔의 꼭짓점과 밑면인 원의 둘레의 한 점을 이은 선분을 모선, 원뿔의 꼭짓점에서 밑면에 수직인 선분의 길이를 높이라고 해.

4 빈칸에 알맞은 말이나 수를 써넣으시오.

입체도형	밑면의 모양	밑면의 수	옆면의 수
원기둥			
원뿔			

• 원기둥과 원뿔의 밑면은 원 모양입니다.

5 원기둥과 원기둥의 전개도를 보고 □ 안에 알맞은 수를 써넣으시오.

(원주율: 3)

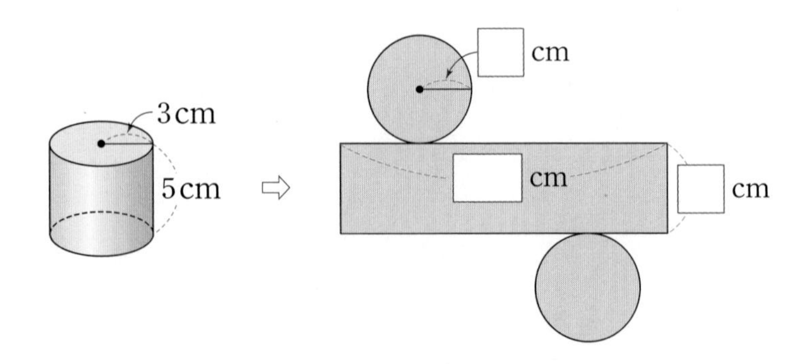

• 옆면의 가로의 길이는 밑면의 둘레와 같습니다.

6 원기둥에서 밑면의 반지름과 높이를 구하시오.

• 두 밑면에 수직인 선분의 길이가 높이입니다.

(1)

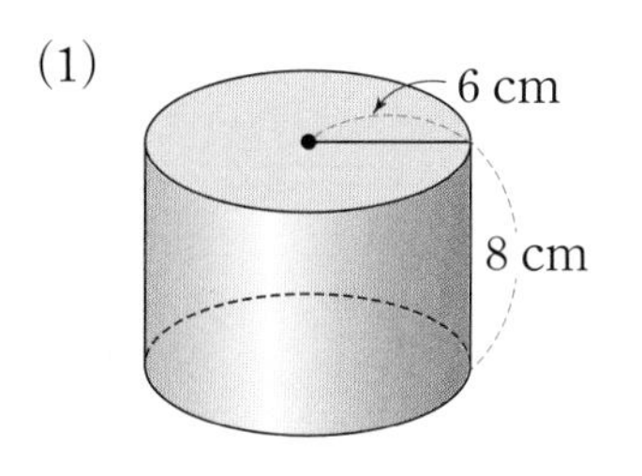

밑면의 반지름 (　　　　　　)

높이 (　　　　　　)

(2)

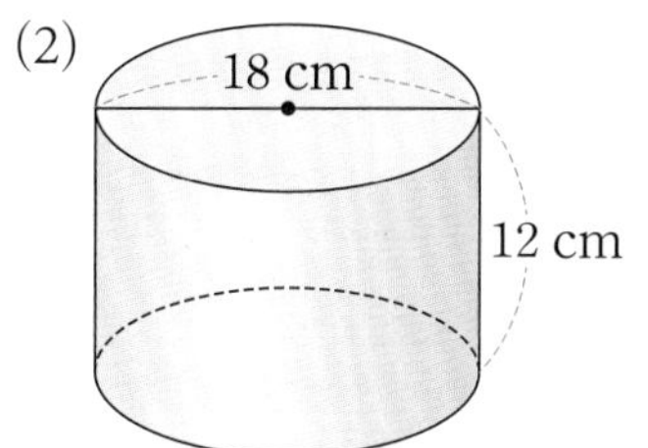

밑면의 반지름 (　　　　　　)

높이 (　　　　　　)

7 원기둥의 전개도로 알맞은 것에 ○표 하시오.

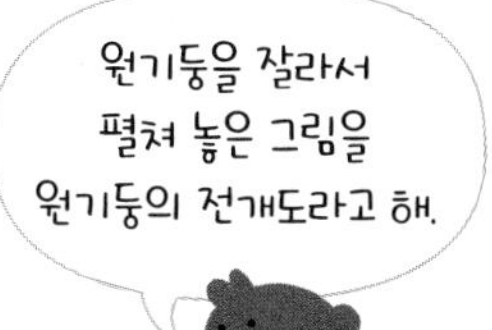

원기둥을 잘라서
펼쳐 놓은 그림을
원기둥의 전개도라고 해.

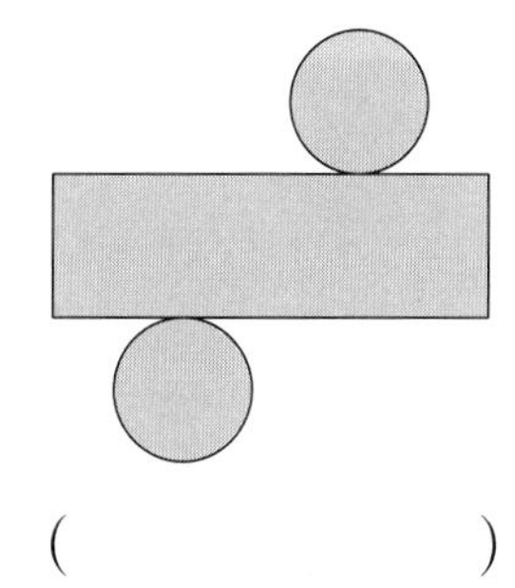
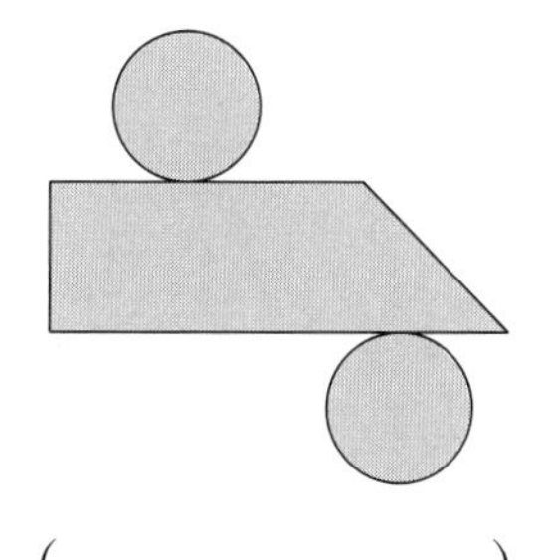
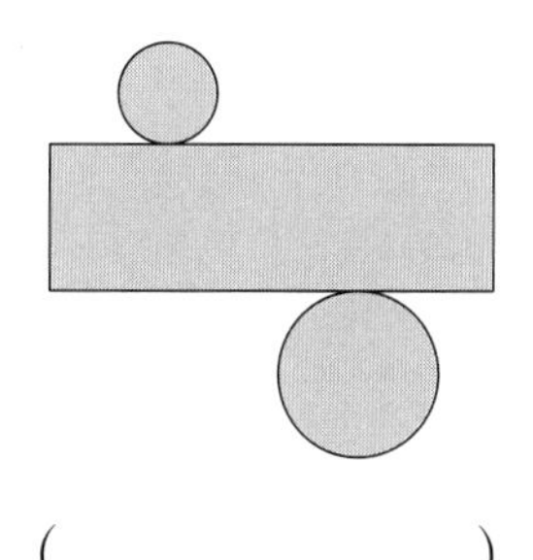

(　　　　　) (　　　　　) (　　　　　)

8 원기둥의 전개도를 그리고 밑면의 반지름과 옆면의 가로, 세로의 길이를 나타내어 보시오. (원주율: 3)

• 옆면의 세로의 길이는 원기둥의 높이와 같습니다.

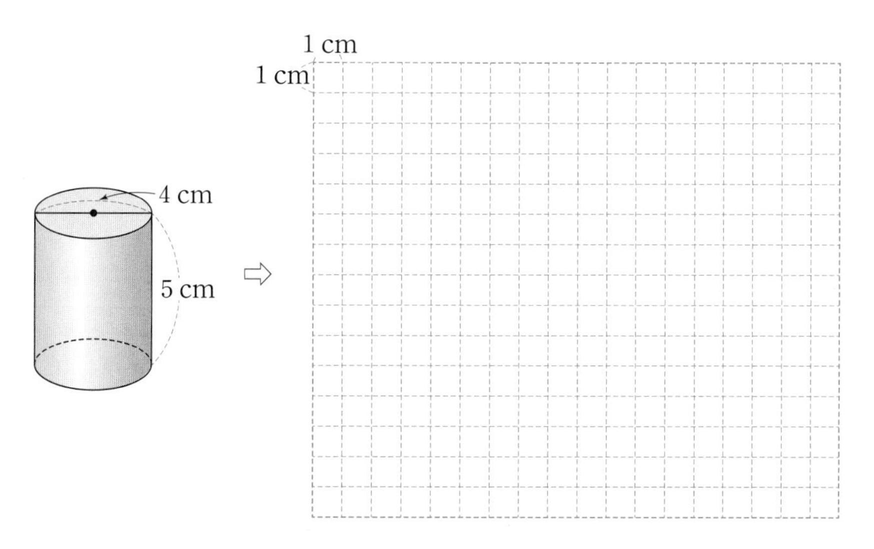

QR 코드를 찍어 보세요.

문제 생성기 새로운 문제를 계속 풀 수 있어요.

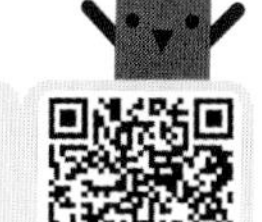

6 원기둥, 원뿔, 구

우사인 볼트보다 빠른 소금쟁이

표면 장력의 대표 선수, 소금쟁이!

이런 소금쟁이가 물 위에서는 우사인 볼트보다 200배나 더 빠르다고 해요. 그게 어떻게 가능하냐고요?

소금쟁이가 다리로 물을 밀면서 생기는 물결의 반작용으로 물 위를 걷는다고 생각할 수도 있지만, 사실 그렇지 않아요. 과학자들이 초고속 카메라로 소금쟁이를 촬영한 결과, 놀라운 사실을 발견했어요. 소금쟁이의 뒤로 소용돌이가 생겼던 거예요. 소금쟁이의 추진력은 소용돌이였고, 물결은 단지 그 뒤에 생기는 것이었지요. 물고기나 새는 꼬리와 날개로 만든 소용돌이로 움직이는데, 수면을 이동하는 소금쟁이도 비슷했던 거예요.

다리가 긴 사람들이 빨리 달리는 것처럼 소금쟁이도 다리가 길수록 표면 장력을 크게 받고, 소용돌이를 크게 만들 수 있기 때문에 속도가 더 빨라져요. 그렇다면 소금쟁이의 다리는 얼마만큼 길어지는 게 가능할까요? 과학자들의 계산에 따르면, 가능한 롱다리 소금쟁이는 무게 10 g, 다리 길이는 25 cm, 그 이상이 되면 물속으로 꼬르륵 가라앉겠지요?

「월간 우등생과학 2018년 9월호」에서 발췌

최강 단원별 연산

계산박사

POWER

정답지

계산박사 단계별 교육 과정		
1학년	1학기	1단계
	2학기	2단계
2학년	1학기	3단계
	2학기	4단계
3학년	1학기	5단계
	2학기	6단계
4학년	1학기	7단계
	2학기	8단계
5학년	1학기	9단계
	2학기	10단계
6학년	1학기	11단계
	2학기	12단계

12 단계

최강 단원별 연산

계산박사

POWER

정답지

12단계

천재교육

1 분수의 나눗셈

6~7쪽
1. 6 2. 4 3. 15 4. 9
5. 4 6. 7 7. 7 8. 14
9. 24 10. 33 11. 11 12. 22
13. 16

1. $\frac{1}{16}$ 2. $\frac{1}{5}$ 3. $\frac{1}{8}$
4. $\frac{3}{4}$ 5. $\frac{2}{7}$ 6. 7
7. $6\frac{1}{3}$ 8. $15\frac{1}{3}$ 9. $30\frac{3}{5}$

1. $\frac{5}{8}$ 2. $\frac{5}{6}$ 3. $\frac{6}{7}$
4. $\frac{8}{11}$ 5. $\frac{9}{14}$ 6. $\frac{8}{3}$, $2\frac{2}{3}$
7. $\frac{17}{5}$, $3\frac{2}{5}$ 8. $\frac{23}{16}$, $1\frac{7}{16}$
9. $\frac{5}{9}$ 10. $\frac{12}{13}$ 11. $\frac{19}{22}$
12. $1\frac{7}{11}$ 13. $3\frac{1}{3}$ 14. $4\frac{1}{2}$

1. 3, $\frac{2}{15}$ 2. 5, $\frac{4}{35}$
3. 5, 5, 3, $\frac{5}{6}$ 4. 15, 15, 6, 15, 5
5. $\frac{5}{24}$ 6. $\frac{7}{108}$ 7. $\frac{7}{48}$
8. $\frac{17}{21}$ 9. $\frac{35}{36}$ 10. $\frac{9}{10}$

8쪽
1. 2, 1, 2 2. 3, 1, 3 3. 5, 1, 5
4. 6, 1, 6 5. 5, 1, 5 6. 8, 1, 8
7. 3 8. 5 9. 10 10. 9
11. 14 12. 11 13. 17 14. 19
15. 19 16. 23 17. 27 18. 31

9쪽
1. 6, 2, 3 2. 8, 2, 4 3. 4, 2, 2
4. 6, 3, 2 5. 8, 4, 2 6. 14, 2, 7
7. 3 8. 5 9. 3 10. 2
11. 6 12. 3 13. 5 14. 4
15. 13 16. 3 17. 6 18. 18

10쪽
1. 3, 2, $\frac{3}{2}$, $1\frac{1}{2}$ 2. 5, 2, $\frac{5}{2}$, $2\frac{1}{2}$
3. 7, 3, $\frac{7}{3}$, $2\frac{1}{3}$ 4. 9, 4, $\frac{9}{4}$, $2\frac{1}{4}$
5. 10, 3, $\frac{10}{3}$, $3\frac{1}{3}$
6. 11, 5, $\frac{11}{5}$, $2\frac{1}{5}$
7. $1\frac{2}{3}$ 8. $2\frac{1}{3}$ 9. $1\frac{3}{5}$
10. $1\frac{2}{7}$ 11. $1\frac{3}{7}$ 12. $2\frac{1}{6}$
13. $2\frac{2}{5}$ 14. $3\frac{3}{4}$ 15. $2\frac{2}{7}$
16. $5\frac{1}{4}$ 17. $6\frac{1}{4}$ 18. $2\frac{5}{12}$

11쪽
1. 6, 3, 6, 3, 2 2. 3, 1, 3, 1, 3
3. 8, 1, 8, 1, 8 4. 12, 2, 12, 2, 6
5. 12, 6, 12, 6, 2 6. 14, 2, 14, 2, 7
7. 9 8. 4 9. 3
10. 3 11. 15 12. 4
13. 2 14. 3 15. 2
16. 6 17. 4 18. 2

12쪽
1. 9, 8, 9, 8, $\frac{9}{8}$, $1\frac{1}{8}$
2. 5, 2, 5, 2, $\frac{5}{2}$, $2\frac{1}{2}$
3. 21, 20, 21, 20, $\frac{21}{20}$, $1\frac{1}{20}$
4. 10, 9, 10, 9, $\frac{10}{9}$, $1\frac{1}{9}$
5. 12, 7, 12, 7, $\frac{12}{7}$, $1\frac{5}{7}$
6. 25, 16, 25, 16, $\frac{25}{16}$, $1\frac{9}{16}$
7. $2\frac{2}{27}$ 8. $\frac{35}{36}$ 9. $1\frac{3}{4}$
10. $1\frac{17}{28}$ 11. $\frac{14}{15}$ 12. $3\frac{1}{5}$
13. $1\frac{11}{70}$ 14. $2\frac{3}{8}$ 15. $1\frac{1}{15}$
16. $1\frac{11}{28}$ 17. $1\frac{19}{35}$ 18. $1\frac{19}{25}$

13쪽

1. 3, 5, 5 2. 3, 4, 8
3. 4, 5, 15 4. 2, 3, 12
5. 6, 7, 14 6. 7, 9, 18
7. 3 8. 7 9. 8
10. 11 11. 14 12. 22
13. 26 14. 34 15. 18
16. 24 17. 33 18. 39

14쪽

1. 5, 5 2. 12, 96
3. $\frac{4}{3}$, 12 4. $\frac{4}{3}$, $\frac{8}{3}$, $2\frac{2}{3}$
5. $\frac{12}{7}$, $\frac{96}{7}$, $13\frac{5}{7}$
6. $\frac{14}{9}$, 28, $9\frac{1}{3}$
7. 4 8. 8 9. 7
10. 20 11. $11\frac{1}{4}$ 12. $16\frac{1}{2}$
13. $16\frac{1}{4}$ 14. $9\frac{9}{16}$ 15. $8\frac{1}{6}$
16. $10\frac{5}{13}$ 17. $8\frac{5}{9}$ 18. $20\frac{2}{5}$

15쪽

1. $\frac{5}{7}$, $\frac{10}{7}$, $1\frac{3}{7}$ 2. $\frac{7}{12}$, 14, $4\frac{2}{3}$
3. $\frac{3}{4}$, 3, $1\frac{1}{2}$ 4. $\frac{5}{8}$, $\frac{15}{8}$, $1\frac{7}{8}$
5. $\frac{5}{7}$, 5 6. $\frac{9}{11}$, $\frac{90}{11}$, $8\frac{2}{11}$
7. $1\frac{1}{4}$ 8. $1\frac{5}{7}$ 9. $2\frac{2}{9}$
10. $3\frac{1}{2}$ 11. 5 12. 7
13. 11 14. 9 15. $2\frac{4}{5}$
16. $4\frac{2}{3}$ 17. $8\frac{8}{9}$ 18. $13\frac{3}{17}$

16쪽

1. 5, 5, $\frac{4}{5}$ 2. 10, 10, $\frac{9}{10}$
3. 16, 16, 3
4. 29, 29, $\frac{32}{29}$, $1\frac{3}{29}$
5. 52, 52, 27, $1\frac{1}{26}$
6. 98, 98, 45
7. $\frac{16}{17}$ 8. $\frac{25}{27}$ 9. $\frac{36}{41}$
10. $\frac{28}{29}$ 11. $1\frac{1}{5}$ 12. $1\frac{13}{43}$
13. $1\frac{26}{55}$ 14. $1\frac{31}{89}$ 15. $\frac{24}{29}$
16. 2 17. $1\frac{1}{119}$ 18. $1\frac{13}{113}$

17쪽

1. 7, 14, $1\frac{5}{9}$ 2. $\frac{3}{2}$, 5, $1\frac{1}{4}$
3. $\frac{7}{6}$, 7 4. $\frac{5}{4}$, 7
5. $\frac{6}{5}$, 11, $1\frac{1}{10}$ 6. $\frac{10}{9}$, 2
7. 6 8. $6\frac{1}{2}$ 9. $\frac{7}{18}$
10. $\frac{16}{39}$ 11. $\frac{7}{8}$ 12. $\frac{7}{12}$
13. $1\frac{1}{3}$ 14. $1\frac{17}{18}$ 15. $1\frac{2}{25}$
16. $1\frac{1}{6}$ 17. $1\frac{1}{35}$ 18. $1\frac{13}{23}$

18쪽

1. $\frac{4}{9}$, $\frac{32}{81}$ 2. $\frac{7}{9}$, $\frac{14}{27}$ 3. $\frac{5}{9}$, 7
4. $\frac{3}{5}$, 1 5. $\frac{7}{10}$, 28 6. $\frac{6}{11}$, 21
7. $\frac{5}{24}$ 8. $\frac{7}{40}$ 9. $\frac{10}{21}$
10. $\frac{3}{7}$ 11. $\frac{35}{108}$ 12. $\frac{15}{28}$
13. $\frac{27}{40}$ 14. $\frac{1}{14}$ 15. $\frac{7}{30}$
16. $\frac{3}{16}$ 17. $\frac{1}{6}$ 18. $\frac{14}{45}$

19쪽

1. 7, 7, $\frac{5}{21}$ 2. 7, 7, 2
3. 30, 30, 135 4. 18, 18, 7
5. 11, 11, 22 6. 17, 17, 34
7. $\frac{9}{40}$ 8. $\frac{15}{64}$ 9. $\frac{25}{108}$
10. $\frac{8}{17}$ 11. $\frac{9}{70}$ 12. $\frac{2}{23}$
13. $\frac{35}{144}$ 14. $\frac{9}{20}$ 15. $\frac{7}{144}$
16. $\frac{16}{189}$ 17. $\frac{4}{55}$ 18. $\frac{49}{338}$

20쪽

1. $\frac{6}{5}$, 4 2. 8, 32, $4\frac{4}{7}$
3. 5, 35, $17\frac{1}{2}$ 4. 9, $\frac{63}{20}$, $3\frac{3}{20}$
5. 6, 14, $2\frac{4}{5}$ 6. 15, 35, $8\frac{3}{4}$
7. $2\frac{2}{5}$ 8. 30 9. 6
10. $2\frac{4}{15}$ 11. $4\frac{1}{2}$ 12. $4\frac{4}{7}$
13. $12\frac{1}{2}$ 14. $4\frac{2}{3}$ 15. $7\frac{1}{8}$
16. 4 17. $2\frac{1}{2}$ 18. $1\frac{1}{2}$

21쪽

1. 5, $\frac{15}{4}$, $3\frac{3}{4}$ 2. 8, 6, $1\frac{1}{5}$
3. 15, 42, $3\frac{9}{11}$ 4. 10, 18, $2\frac{4}{7}$
5. $\frac{5}{12}$, 20, $2\frac{2}{9}$ 6. $\frac{7}{15}$, 35, $1\frac{11}{24}$
7. $1\frac{19}{21}$ 8. $1\frac{5}{6}$ 9. $3\frac{4}{15}$
10. $4\frac{31}{35}$ 11. $\frac{9}{10}$ 12. $2\frac{1}{7}$
13. $1\frac{3}{14}$ 14. $2\frac{13}{16}$ 15. $\frac{9}{14}$
16. $1\frac{1}{15}$ 17. $1\frac{1}{15}$ 18. $1\frac{1}{3}$

22쪽

1. 18, 18, $\frac{7}{5}$, $1\frac{2}{5}$ 2. 21, 21, 7
3. 17, 17, 17 4. 18, 18, 14
5. 17, 17, 17 6. $\frac{22}{5}$, $\frac{5}{22}$, 16
7. $4\frac{1}{2}$ 8. $1\frac{9}{25}$ 9. $\frac{9}{16}$
10. $1\frac{1}{13}$ 11. $\frac{16}{45}$ 12. $2\frac{4}{5}$
13. $\frac{25}{42}$ 14. $\frac{5}{27}$

23쪽

1. 9, 9, 3, $\frac{15}{2}$, $7\frac{1}{2}$
2. 18, 18, 6, 21, $4\frac{1}{5}$
3. 6, 6, 2, 9, $1\frac{4}{5}$
4. 20, 20, 5, 25, $3\frac{4}{7}$
5. 8, 8, $\frac{11}{8}$, 11, $3\frac{2}{3}$
6. 21, 21, $\frac{15}{14}$, 9, $4\frac{1}{2}$
7. $6\frac{2}{3}$ 8. $3\frac{2}{3}$ 9. $4\frac{4}{5}$
10. $13\frac{3}{4}$ 11. $4\frac{2}{7}$ 12. $8\frac{1}{4}$
13. $8\frac{11}{20}$ 14. $24\frac{3}{10}$

24쪽

1. 5, 5, 4, $\frac{4}{3}$, $1\frac{1}{3}$
2. 24, 24, 7, 42, $1\frac{17}{25}$
3. 27, 27, 9, 15, $2\frac{1}{7}$
4. 21, 21, 6, 35, $4\frac{3}{8}$
5. 40, 40, $\frac{3}{10}$, 4, $1\frac{1}{3}$
6. 36, 36, $\frac{8}{9}$, 32, $4\frac{4}{7}$
7. $2\frac{11}{12}$ 8. $2\frac{4}{5}$ 9. $2\frac{1}{7}$
10. $1\frac{23}{42}$ 11. $3\frac{8}{9}$ 12. $2\frac{1}{2}$
13. $1\frac{17}{28}$ 14. $2\frac{11}{12}$

25쪽

1. 15, 5, 15, 5, $\frac{9}{4}$, $2\frac{1}{4}$
2. 25, 15, 25, 15, 35, $1\frac{17}{18}$
3. 35, 7, 35, 7, 15, $1\frac{7}{8}$
4. 45, 9, 45, 9, 25, $3\frac{4}{7}$
5. $1\frac{1}{4}$ 6. $1\frac{3}{5}$ 7. 2
8. $1\frac{5}{7}$ 9. $1\frac{1}{5}$ 10. $1\frac{13}{27}$
11. $1\frac{7}{9}$ 12. $2\frac{22}{45}$

26쪽

1. $\frac{3}{5}\div\frac{1}{3}=1\frac{4}{5}$; $1\frac{4}{5}$배
2. $\frac{2}{9}\div\frac{2}{3}=\frac{1}{3}$; $\frac{1}{3}$ kg
3. $11\frac{1}{4}\div\frac{5}{8}=18$; 18개

4. $8\frac{1}{6} \div \frac{7}{9} = 10\frac{1}{2}$; $10\frac{1}{2}$ km

5. $12000 \div \frac{3}{5} = 20000$; 20000원

27쪽
1. $1\frac{1}{6}$ m 2. $\frac{2}{3}$ m
3. $\frac{2}{7}$ m 4. $3\frac{3}{7}$ m

28~29쪽
1. 4, 2, 2 2. ④
3. (1) $1\frac{1}{8}$ (2) $11\frac{3}{7}$
4. $1\frac{1}{5}$ 5. $1\frac{1}{3}$
6. ㉡, ㉢, ㉠ 7. $\frac{2}{3}$
8. $8\frac{2}{5}$, $7\frac{1}{5}$
9. $\frac{8}{11} \div \frac{5}{11} = 1\frac{3}{5}$; $1\frac{3}{5}$배
10. $1\frac{5}{7}$ kg

2 소수의 나눗셈

32~33쪽
1. (위부터) 12, 6, 7.2 2. 36.4
3. 28.8 4. 54.4 5. 22.2
6. 5.6 7. 14.4 8. 13.8
9. 15.2 10. 7.5 11. 21.6

1. (위부터) 123, $\frac{1}{10}$, 12.3, $\frac{1}{100}$, 1.23
2. (위부터) 213, $\frac{1}{10}$, 21.3, $\frac{1}{100}$, 2.13
3. (왼쪽부터) $\frac{1}{10}$, 341, 34.1
4. (왼쪽부터) $\frac{1}{100}$, 121, 1.21

1. 18, 18, 9, 0.9
2. 35, 35, 7, 0.7
3. 21, 21, 3, 0.3
4. 102, 102, 17, 1.7
5. 34, 34, 2, 0.02
6. 276, 276, 12, 0.12

1. (위부터)1.4, 3, 12, 12
2. 1.7 3. 2.8 4. 3.1
5. 7.2 6. 4.6 7. 0.49
8. 0.38 9. 6.25

34쪽
1. 318, 318, 318, 318, 53, 53
2. 288, 288, 288, 288, 72, 72
3. 912, 24, 912, 24, 912, 912, 38, 38
4. 833, 17, 833, 17, 17, 17, 49, 49

35쪽
1. 10, 10 / 27, 9, 3 / 3
2. 10, 10 / 51, 3, 17 / 17
3. 10, 10 / 56, 14, 4 / 4
4. 10, 10 / 434, 7, 62 / 62
5. 10, 10 / 345, 23, 15 / 15
6. 10, 56, 7, 8
7. 10, 84, 12, 7
8. 10, 10, 64, 16, 4
9. 10, 10, 195, 15, 13
10. 10, 10, 495, 45, 11
11. 10, 10, 418, 38, 11
12. 10, 10, 192, 8, 24

36쪽
1. 432, 432, 432, 432, 108, 108
2. 651, 651, 651, 651, 21, 21
3. 585, 45, 585, 45, 585, 585, 13, 13
4. 2496, 78, 2496, 78, 78, 78, 32, 32

37쪽
1. 100, 100 / 216, 24, 9 / 9
2. 100, 100 / 856, 107, 8 / 8
3. 100, 100 / 498, 6, 83 / 83
4. 100, 100 / 175, 5, 35 / 35
5. 100, 100 / 3744, 312, 12 / 12
6. 100, 212, 53, 4
7. 100, 72, 12, 6
8. 100, 100, 588, 28, 21
9. 100, 100, 1152, 3, 384
10. 100, 100, 987, 47, 21
11. 100, 100, 1547, 119, 13
12. 100, 100, 2565, 513, 5

38쪽

1. 15, 3, 15, 3, 5
2. 18, 2, 18, 2, 9
3. 24, 4, 24, 4, 6
4. 45, $\frac{3}{10}$, 45, 3, 15
5. 56, $\frac{14}{10}$, 56, 14, 4
6. $\frac{165}{10}$, 11, 165, 11, 15
7. $\frac{224}{10}$, 32, 224, 32, 7
8. $\frac{68}{10}$, $\frac{4}{10}$, 68, 4, 17
9. $\frac{168}{10}$, $\frac{56}{10}$, 168, 56, 3
10. $\frac{495}{10}$, $\frac{45}{10}$, 495, 45, 11
11. $\frac{384}{10}$, $\frac{48}{10}$, 384, 48, 8
12. $\frac{272}{10}$, $\frac{8}{10}$, 272, 8, 34

39쪽

1. 5　2. 9　3. 4
4. 4　5. 6　6. 9
7. 21　8. 2　9. 12
10. 29　11. 31　12. 8
13. 13　14. 4　15. 12
16. 17　17. 9

40쪽

1. $<$　2. $<$　3. $>$
4. $<$　5. $<$　6. $>$
7. $<$　8. $<$　9. $>$
10. $<$　11. $>$　12. $>$
13. $<$　14. $<$

41쪽

1. 216, 12, 216, 12, 18
2. 112, 56, 112, 56, 2
3. 322, 23, 322, 23, 14
4. 976, $\frac{61}{100}$, 976, 61, 16
5. 651, $\frac{31}{100}$, 651, 31, 21
6. $\frac{432}{100}$, 108, 432, 108, 4
7. $\frac{2496}{100}$, 78, 2496, 78, 32
8. $\frac{3429}{100}$, $\frac{127}{100}$, 3429, 127, 27
9. $\frac{987}{100}$, $\frac{47}{100}$, 987, 47, 21
10. $\frac{1547}{100}$, $\frac{119}{100}$, 1547, 119, 13
11. $\frac{637}{100}$, $\frac{91}{100}$, 637, 91, 7
12. $\frac{324}{100}$, $\frac{54}{100}$, 324, 54, 6

42쪽

1. 18　2. 12　3. 11
4. 12　5. 21　6. 16
7. 13　8. 14　9. 13
10. 27　11. 28　12. 24
13. 36　14. 28

43쪽

1. $<$　2. $>$　3. $<$
4. $<$　5. $>$　6. $>$
7. $>$　8. $>$　9. $<$
10. $>$　11. $>$　12. $<$
13. $<$　14. $>$

44쪽

1. (왼쪽부터) 100, 1.5, 100, 1.5
2. (왼쪽부터) 100, 1.8, 100, 1.8
3. (왼쪽부터) 100, 0.9, 100, 0.9
4. (왼쪽부터) 100, 2.2, 100, 2.2
5. (왼쪽부터) 100, 2.9, 100, 2.9
6. 2.9　7. 1.3　8. 4.6
9. 1.5　10. 3.1

45쪽

1. (왼쪽부터) 10, 6.4, 10, 6.4
2. (왼쪽부터) 10, 5.2, 10, 5.2
3. (왼쪽부터) 10, 8.6, 10, 8.6
4. (왼쪽부터) 10, 6.7, 10, 6.7
5. (왼쪽부터) 10, 6.8, 10, 6.8
6. 6.8　7. 9.3　8. 8.3
9. 6.4　10. 5.4

46쪽
1. 2.6, 2 2. 1.4, 7 3. 9.2, 23
4. 2.2, 11 5. 0.4, 2 6. 2.6, 2
7. 3.4, 2 8. 1.8, 3 9. 1.8, 2
10. 1.2, 3 11. 3.3, 3 12. 2.5, 5

47쪽
1. $>$ 2. $<$ 3. $<$
4. $<$ 5. $>$ 6. $<$
7. $<$ 8. $<$ 9. $>$
10. $>$ 11. $>$ 12. $>$
13. $<$ 14. $>$

48쪽
1. 270, 54, 270, 54, 5
2. 70, 14, 70, 14, 5
3. 300, 75, 300, 75, 4
4. 470, 94, 470, 94, 5
5. 170, 34, 170, 34, 5
6. 140, 35, 140, 35, 4
7. 390, 65, 390, 65, 6
8. 760, $\frac{95}{10}$, 760, 95, 8
9. 630, $\frac{42}{10}$, 630, 42, 15
10. 1420, $\frac{284}{10}$, 1420, 284, 5
11. 1290, $\frac{86}{10}$, 1290, 86, 15
12. $\frac{1080}{10}$, 72, 1080, 72, 15

49쪽
1. 5 2. 5 3. 4
4. 5 5. 6 6. 6
7. 5 8. 8 9. 5
10. 15 11. 15 12. 26
13. 35 14. 15

50쪽
1. $>$ 2. $>$ 3. $<$
4. $>$ 5. $>$ 6. $<$
7. $>$ 8. $<$ 9. $<$
10. $>$ 11. $>$ 12. $>$
13. $<$ 14. $<$

51쪽
1. 900, 225, 900, 225, 4
2. 100, 25, 100, 25, 4
3. 1000, 125, 1000, 125, 8
4. 1300, 325, 1300, 325, 4
5. 5400, 216, 5400, 216, 25
6. 2700, 45, 2700, 45, 60
7. 4800, 64, 4800, 64, 75
8. 3200, $\frac{128}{100}$, 3200, 128, 25
9. 1800, $\frac{75}{100}$, 1800, 75, 24
10. 5600, $\frac{7}{100}$, 5600, 7, 800
11. 3100, $\frac{62}{100}$, 3100, 62, 50
12. $\frac{3300}{100}$, 165, 3300, 165, 20

52쪽
1. 4 2. 25 3. 75
4. 16 5. 25 6. 25
7. 25 8. 50 9. 25
10. 28 11. 24 12. 25
13. 8 14. 50

53쪽
1. $<$ 2. $<$ 3. $<$
4. $<$ 5. $>$ 6. $>$
7. $>$ 8. $>$ 9. $<$
10. $>$ 11. $=$ 12. $>$
13. $=$ 14. $<$

54쪽
1. 5, 50, 500 2. 4, 40, 400
3. 4, 40, 400 4. 6, 60, 600
5. 8, 80, 800 6. 12, 120, 1200
7. 15, 150, 1500
8. 3, 30, 300
9. 4, 40, 400 10. 5, 50, 500

55쪽
1. 16, 160, 1600
2. 24, 240, 2400

3. 4, 40, 400
4. 3, 30, 300
5. 6, 60, 600
6. 35, 350, 3500
7. 21, 210, 2100
8. 17, 170, 1700
9. 24, 240, 2400
10. 48, 480, 4800

56쪽 1. 5 2. 5 3. 2 4. 4
5. 4 6. 9 7. 10 8. 15
9. 6 10. 5 11. 11

57쪽 1. 1.7 2. 4.3 3. 9.3
4. 35.7 5. 0.4 6. 1.4
7. 4.8 8. 7.6 9. 3.3
10. 28.2 11. 5.1

58쪽 1. 2.29 2. 5.17 3. 24.67
4. 2.67 5. 2.32 6. 1.42
7. 1.99 8. 1.32

59쪽 1. 5개, 0.5 m 2. 3병, 0.8 L
3. 4명, 1.8 m 4. 9개, 0.1 g
5. 4봉지, 1.8 kg 6. 9명, 1.4 kg

60쪽 1. 1.4÷0.2=7 ; 7개
2. 148.5÷2.7=55 ; 55배
3. 215.46÷3.42=63 ; 63 kg
4. 463.5÷1.5=309 ; 309 km
5. 54÷4.5=12 ; 12개

61쪽 1. 47.85÷14.5=3.3 ; 3.3 cm
2. 40.16÷5.02=8 ; 8 cm
3. 11÷2.75=4 ; 4 cm
4. 2.72÷0.4=6.8 ; 6.8 m

62~63쪽 1. (1) 210, 42, 210, 42, 5
(2) 700, 175, 700, 175, 4
2. (1) 8 (2) 12
3. (1) 37 (2) 370 (3) 3700
4. 147.8÷3.1, 14.78÷0.31에 ○표
5. 2, 0.52 / 2, 0.52
6. (1) 13 (2) 15
7. (1) < (2) <
8. 3모둠, 1.7 L
9. 예 (어머니의 몸무게)÷(지선이의 몸무게)
=59.3÷36.2=1.638……
⇨ 1.64입니다. ; 1.64배

3 공간과 입체

66~67쪽 1. 6개 2. 6개 3. 8개
4. 8개 5. 7개 6. 10개

1. ( )( )(○)
2. ( )(○)( )
3. ( )( )(○)
4. (○)( )( )

1. 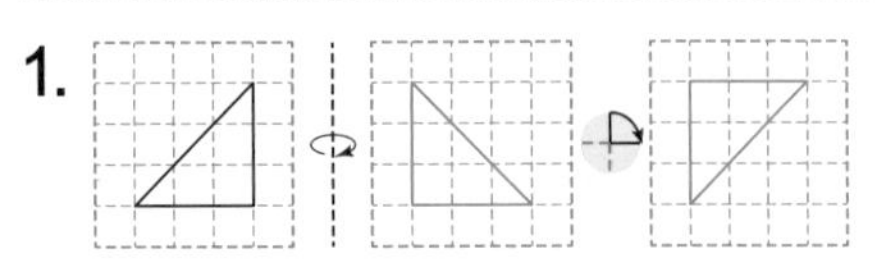

2. 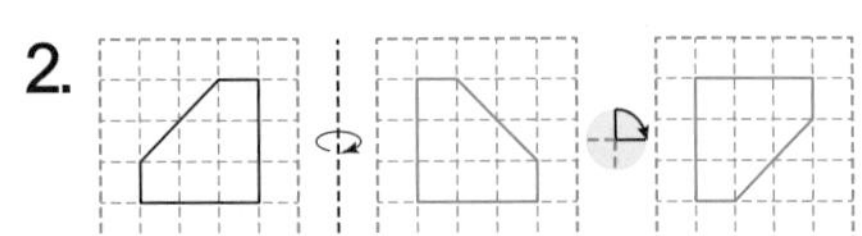

3. 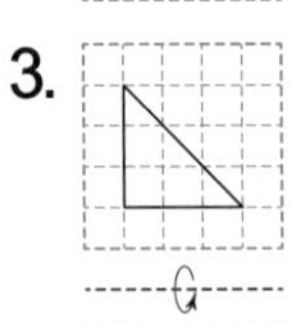
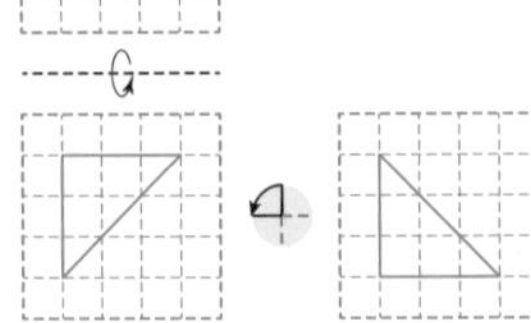

4. 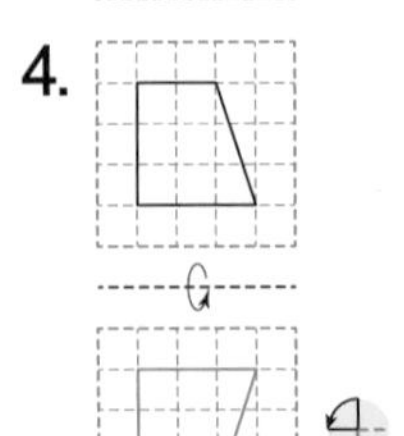
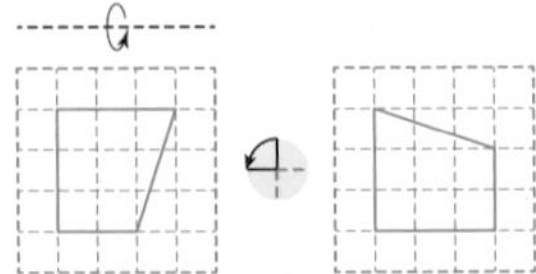

1. 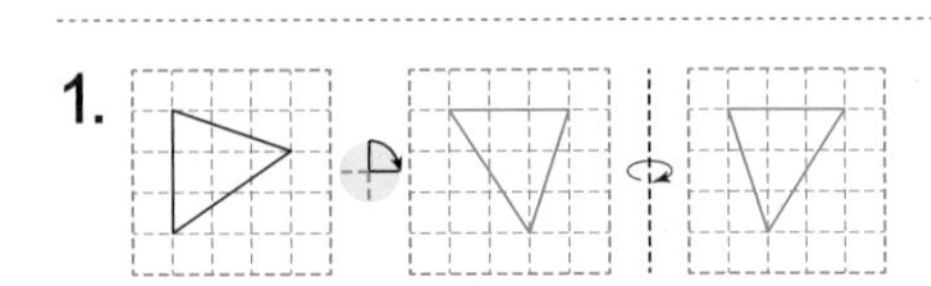

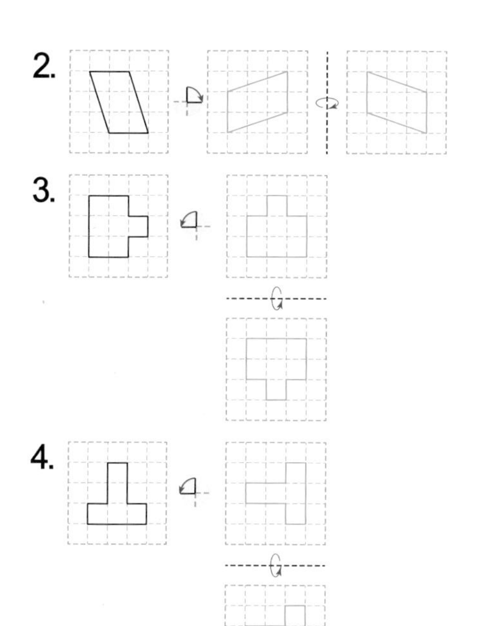

68쪽

1. 11개 2. 10개 3. 13개
4. 11개 5. 12개 6. 12개
7. 11개

69쪽

1. 앞 옆
2. 앞 옆
3. 앞 옆

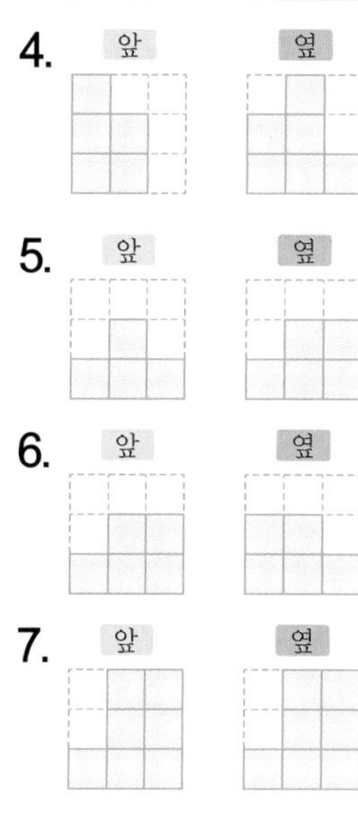

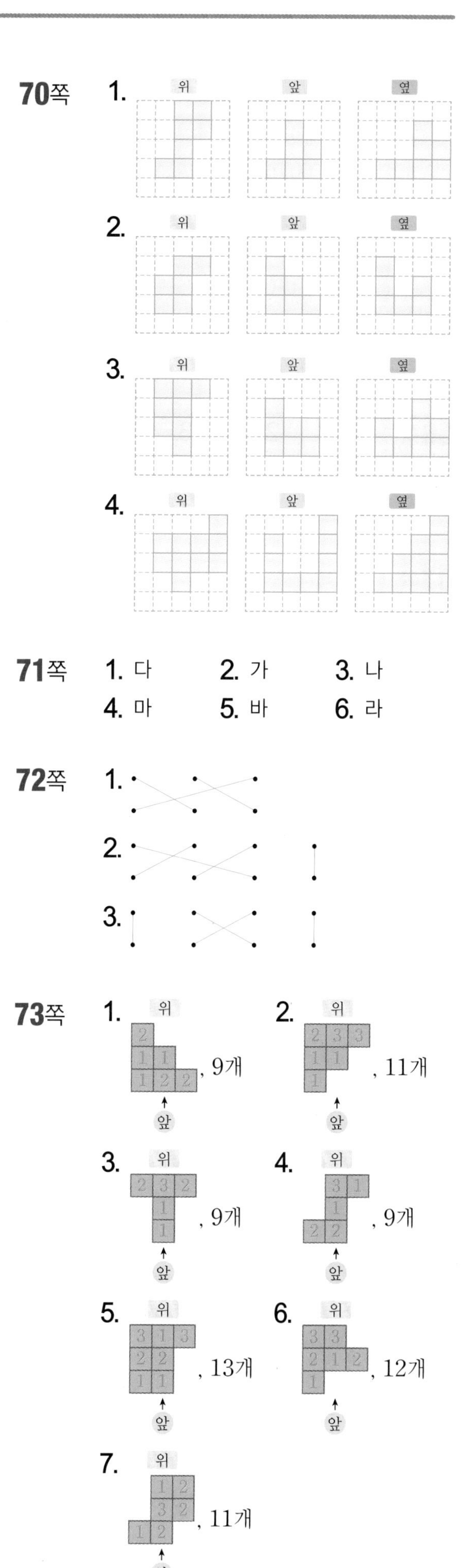

71쪽

1. 다 2. 가 3. 나
4. 마 5. 바 6. 라

74쪽

1. 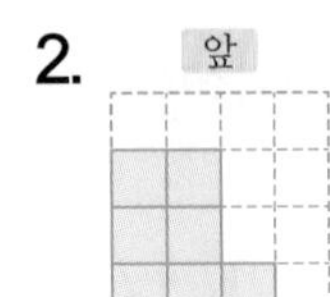

2.

3. 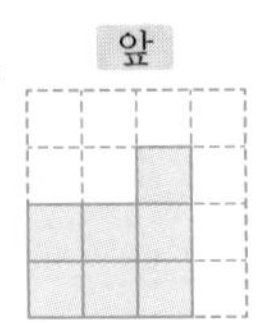

4. 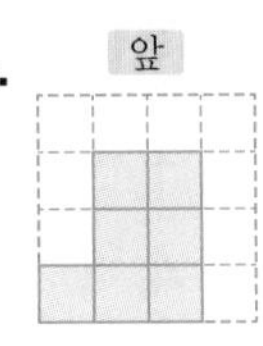

5. 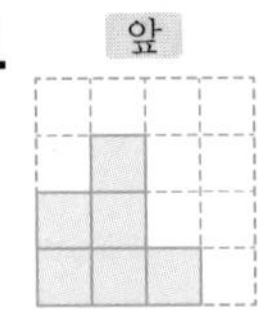

6. 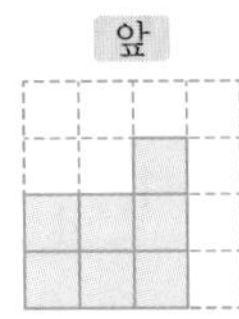

7. 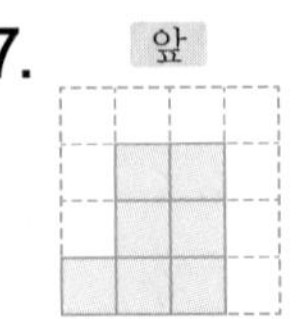

8. 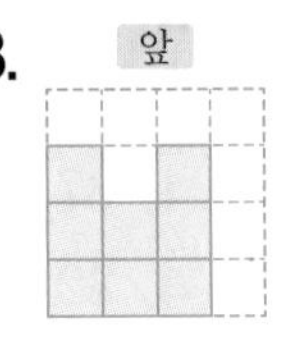

9. 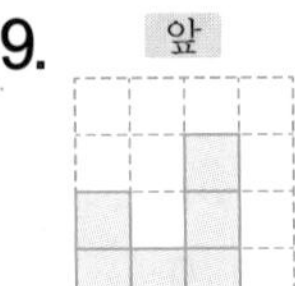

75쪽

1. 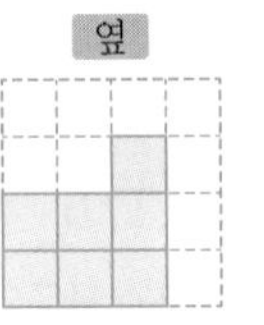

2. 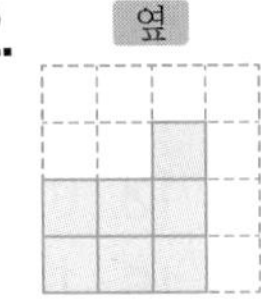

3. 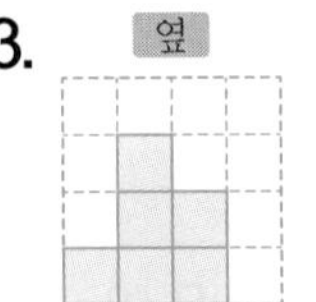

4. 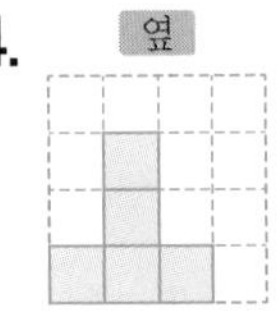

5. 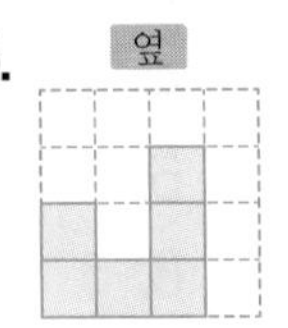

6. 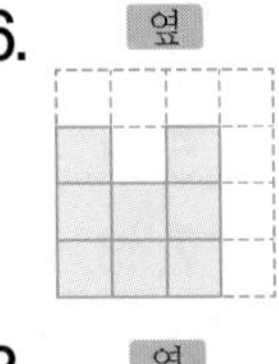

7. 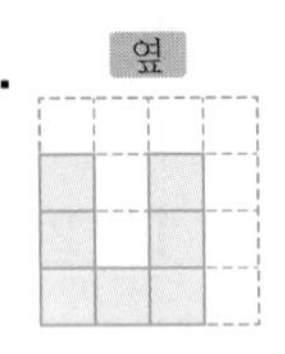

8. 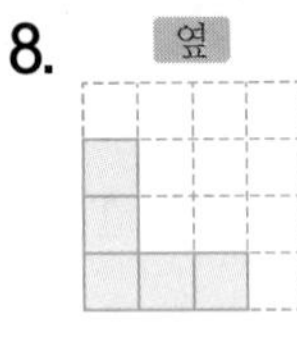

9. 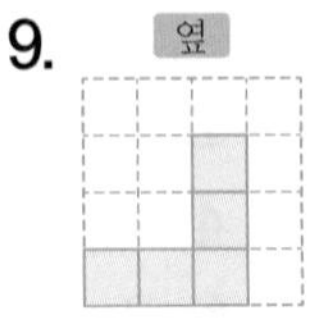

76쪽

1. 2개, 1개, 3개, 1개, 7개
2. 1개, 3개, 3개, 1개, 8개
3. 1개, 2개, 3개, 3개, 9개
4. 1개, 1개, 1개, 3개, 6개

77쪽

1. 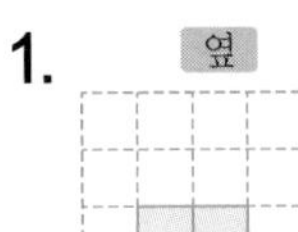

2. 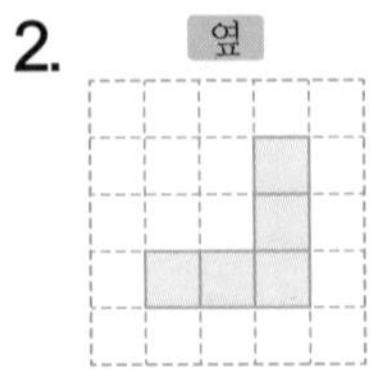

3. 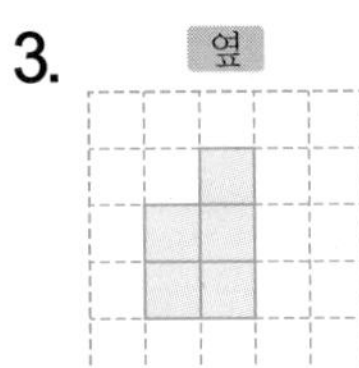

4. 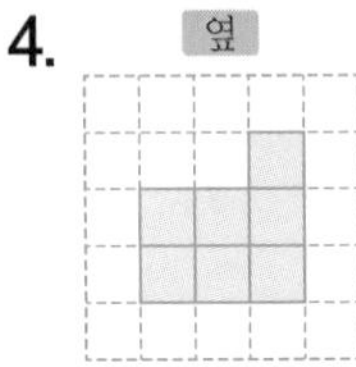

78쪽

1. 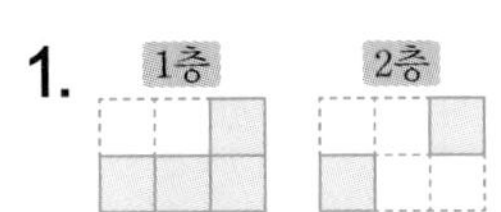

2. 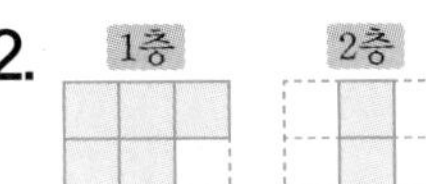

3. 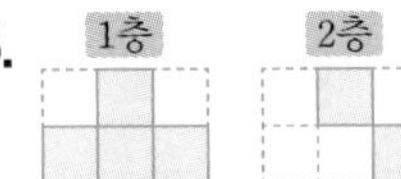

4. 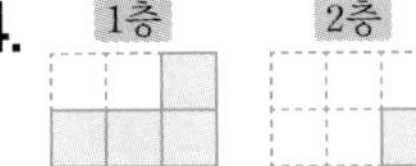

5. 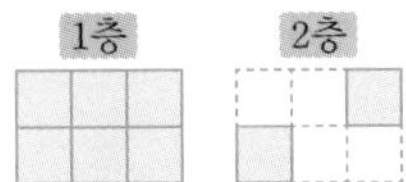

6. 

7. 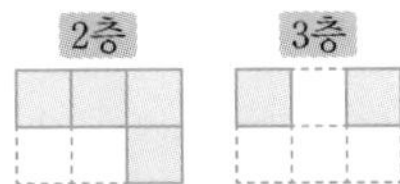

8. 

9. 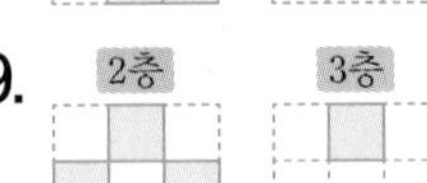

79쪽

1. 가에 ○표
2. 가에 ○표
3. 나에 ○표
4. 다에 ○표
5. 나에 ○표

80쪽

1. 9개
2. 12개
3. 11개
4. 11개
5. 10개
6. 12개
7. 11개
8. 10개
9. 12개

81쪽

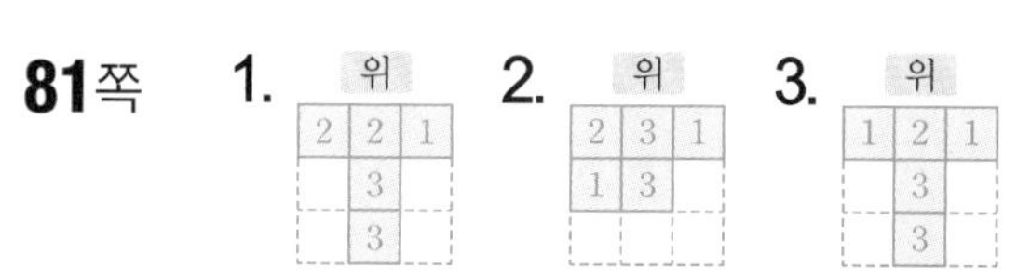

1. 위

2	2	1
	3	
	3	

2. 위

2	3	1
1	3	

3. 위

1	2	1
	3	
	3	

4. 위

2	2	1
	3	3
	1	

5. 위

1	1	2
2	3	2
		1

6. 위

3	3	
1	2	
	1	2

7. 위

1	2	3
1	2	
3	2	2

8. 위

3	3	3
2		1
		2

9. 위

1	2	3
2		3
1		1

82쪽

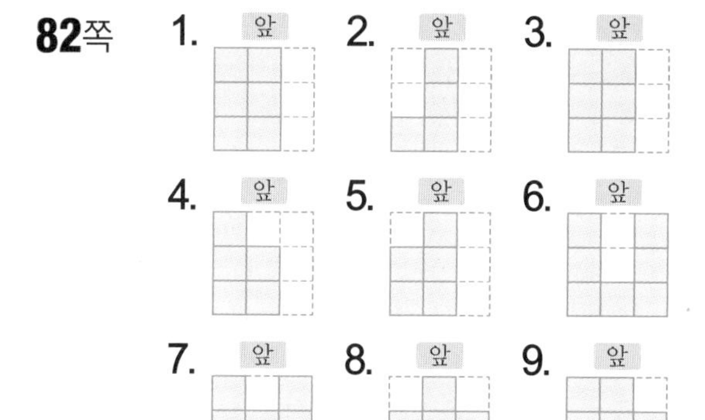

1. 앞 2. 앞 3. 앞 4. 앞 5. 앞 6. 앞 7. 앞 8. 앞 9. 앞

83쪽 1. 다 2. 라 3. 라 4. 나 5. 다

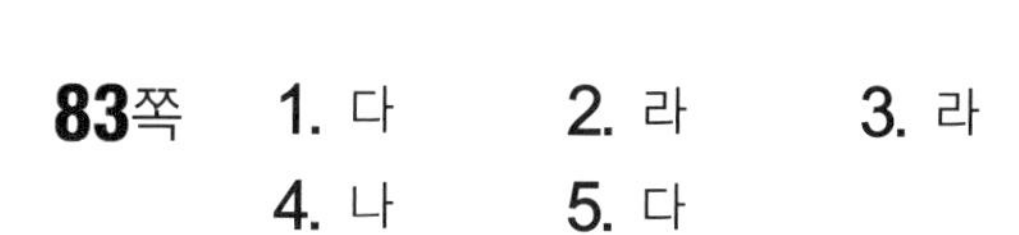

84~85쪽

1. 11개

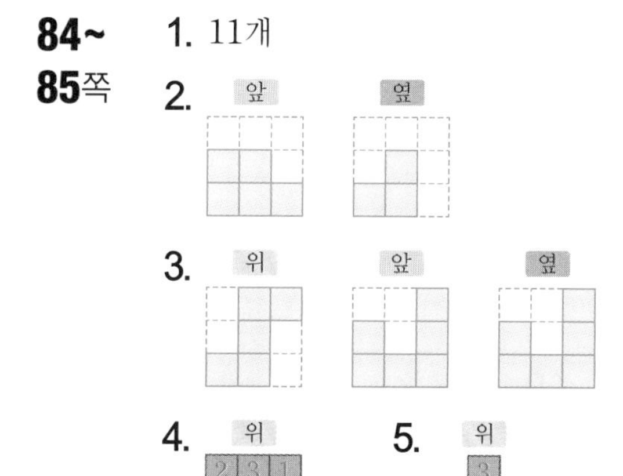

2. 앞 옆

3. 위 앞 옆

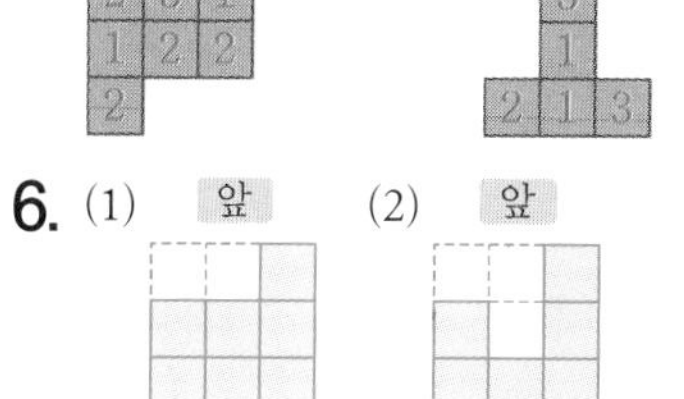

4. 위

2	3	1
1	2	2
2		

5. 위

	3	
	1	
2	1	3

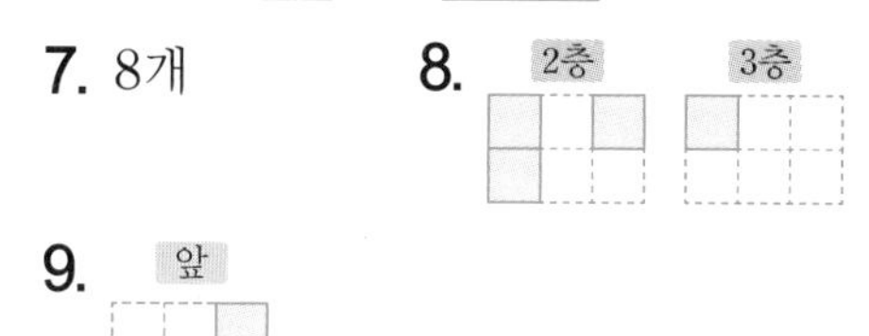

6. (1) 앞 (2) 앞

7. 8개

8. 2층 3층

9. 앞

4 비례식과 비례배분

88~89쪽

1. 4 / 4, 6　2. 7, 9 / 9, 7
3. 5, 11 / 11, 5　4. 11, 13 / 13, 11

1. 3 : 1　2. 3 : 4　3. 2 : 7
4. 8 : 3　5. 2 : 9　6. 4 : 7
7. 8 : 9　8. 3 : 5

1. $\frac{1}{4}$　2. $\frac{2}{3}$　3. $\frac{3}{7}$
4. $\frac{9}{10}$　5. $\frac{5}{4}\left(=1\frac{1}{4}\right)$

1. 37 %　2. 63 %　3. 49 %
4. 32 %　5. 36 %　6. 55 %

90쪽

1. 2, 3　2. 4, 5　3. 2, 9
4. 7, 9　5. 10, 9　6. 6, 11
7. 12, 11　8. 9, 4　9. 15, 8
10. 13, 17　11. 27, 16　12. 10, 17
13. 9, 11　14. 11, 6　15. 5, 12
16. 15, 34　17. 23, 47　18. 10, 21
19. 9, 10　20. 65, 21

91쪽

1. 2, 3　2. 2, 3
3. 3, 5　4. 4, 6
5. 3, 6　6. 4, 8
7. 3, 9　8. 5, 8
9. 16, 9, 32　10. 10, 21, 20
11. 10, 6, 20　12. 18, 12, 36
13. 10, 15, 20　14. 20, 18, 40

92쪽

1. 2, 4　2. 2, 4
3. 2, 4　4. 2, 3
5. 3, 15　6. 2, 4
7. 3, 4　8. 4, 8
9. 12, 6, 4　10. 10, 9, 2
11. 36, 8, 9　12. 15, 2, 5
13. 20, 6, 5　14. 12, 3, 2

93쪽
1. ( )(○)( )
2. ( )( )(○)( )
3. ( )( )( )(○)
4. (○)( )( )( )

94쪽
1. 예 4 : 1
2. 예 3 : 1
3. 예 3 : 4
4. 예 5 : 6
5. 예 7 : 9
6. 예 10 : 3
7. 예 4 : 11
8. 예 8 : 5
9. 예 3 : 5
10. 예 4 : 5
11. 예 2 : 3
12. 예 4 : 9
13. 예 5 : 3
14. 예 3 : 7
15. 예 6 : 11
16. 예 5 : 9
17. 예 5 : 6
18. 예 3 : 10
19. 예 4 : 7
20. 예 5 : 11
21. 예 5 : 4
22. 예 6 : 11
23. 예 2 : 9
24. 예 9 : 5

95쪽
1. 예 2 : 9
2. 예 2 : 3
3. 예 12 : 7
4. 예 1 : 3
5. 예 2 : 3
6. 예 1 : 2
7. 예 5 : 7
8. 예 23 : 47
9. 예 15 : 19
10. 예 7 : 4
11. 예 7 : 5
12. 예 3 : 7
13. 예 4 : 13
14. 예 6 : 7
15. 예 4 : 3
16. 예 3 : 8
17. 예 15 : 4
18. 예 7 : 8
19. 예 1 : 3
20. 예 52 : 101
21. 예 13 : 12
22. 예 2 : 1
23. 예 7 : 13
24. 예 80 : 27

96쪽
1. 예 3 : 2
2. 예 4 : 3
3. 예 3 : 4
4. 예 4 : 9
5. 예 15 : 14
6. 예 15 : 8
7. 예 3 : 4
8. 예 7 : 5
9. 예 3 : 2
10. 예 5 : 2
11. 예 3 : 2
12. 예 15 : 8
13. 예 14 : 3
14. 예 8 : 21
15. 예 4 : 3
16. 예 3 : 2
17. 예 65 : 21
18. 예 1 : 5
19. 예 9 : 10
20. 예 18 : 5
21. 예 55 : 32
22. 예 11 : 18
23. 예 16 : 15
24. 예 32 : 25

97쪽
1. 예 10 : 3
2. 예 30 : 1
3. 예 50 : 1
4. 예 20 : 1
5. 예 40 : 3
6. 예 100 : 7
7. 예 20 : 3
8. 예 20 : 7
9. 예 25 : 1
10. 예 40 : 1
11. 예 7 : 50
12. 예 1 : 30
13. 예 3 : 100
14. 예 2 : 15
15. 예 3 : 50
16. 예 13 : 20
17. 예 3 : 4
18. 예 21 : 10
19. 예 9 : 5
20. 예 3 : 40
21. 예 1 : 5
22. 예 30 : 7
23. 예 7 : 10
24. 예 20 : 9

98쪽
1. 예 6 : 1
2. 예 12 : 1
3. 예 16 : 1
4. 예 30 : 1
5. 예 32 : 1
6. 예 12 : 1
7. 예 8 : 1
8. 예 12 : 1
9. 예 1 : 12
10. 예 1 : 25
11. 예 1 : 24
12. 예 1 : 18
13. 예 1 : 15
14. 예 3 : 32
15. 예 1 : 16
16. 예 5 : 72
17. 예 4 : 9
18. 예 1 : 8
19. 예 1 : 7
20. 예 1 : 5
21. 예 3 : 5

99쪽

1. 예 8 : 15
2. 예 6 : 5
3. 예 3 : 4
4. 예 5 : 3
5. 예 4 : 5
6. 예 3 : 100
7. 예 3 : 1
8. 예 7 : 50
9. 예 1 : 2
10. 예 45 : 16
11. 예 2 : 3
12. 예 25 : 42
13. 예 15 : 8
14. 예 7 : 39
15. 예 25 : 21
16. 예 3 : 1
17. 예 16 : 15
18. 예 25 : 28
19. 예 7 : 12
20. 예 20 : 21
21. 예 84 : 55

100쪽

1. 6, 4
2. 10, 8
3. 10, 3
4. 18, 14
5. 6, 11
6. 15, 16 / 8, 30
7. 3, 25 / 5, 15
8. 27, 32 / 16, 54
9. 4, 28 / 7, 16
10. 3, 15 / 5, 9
11. 8, 6 / 3, 16
12. 2, 36 / 9, 8
13. 4, 14 / 7, 8
14. 5, 28 / 7, 20

101쪽

1. 예 2, 5, 10, 25
2. 예 3, 4, 6, 8
3. 예 4, 7, 16, 28
4. 예 5, 3, 15, 9
5. 예 6, 9, 24, 36
6. 예 3, 13, 12, 52
7. 예 9, 4, 63, 28
8. 예 40, 96, 5, 12
9. 예 7, 10, 21, 30
10. 예 8, 13, 24, 39
11. 예 6, 16, 15, 40

102쪽

1. $3\times8=24$, $4\times6=24$
2. $2\times10=20$, $5\times4=20$
3. $\frac{2}{5}\times\frac{3}{8}=\frac{3}{20}$, $\frac{3}{4}\times\frac{2}{10}=\frac{3}{20}$
4. $1.6\times3=4.8$, $1.2\times4=4.8$
5. $\frac{3}{4}\times\frac{5}{49}=\frac{15}{196}$, $\frac{5}{7}\times\frac{3}{28}=\frac{15}{196}$
6. $3\times15=45$, $5\times9=45$
7. $7\times8=56$, $4\times14=56$
8. $\frac{2}{3}\times\frac{5}{18}=\frac{5}{27}$, $\frac{5}{6}\times\frac{2}{9}=\frac{5}{27}$
9. $2.5\times7=17.5$, $3.5\times5=17.5$
10. $\frac{2}{3}\times9=6$, $\frac{6}{7}\times7=6$

103쪽

1. 5 : 6=15 : 18, 6 : 7=12 : 14에 ○표
2. 7 : 4=28 : 16, 18 : 30=3 : 5에 ○표
3. $\frac{1}{3}$: $\frac{5}{7}$=7 : 15, 0.4 : 0.6=2 : 3, 15 : 5=12 : 4에 ○표
4. 48 : 70=$\frac{4}{7}$: $\frac{5}{6}$, 4 : 9=12 : 27에 ○표
5. 3.5 : 5=14 : 20, 21 : 27=7 : 9, 20 : 16=1 : $\frac{4}{5}$에 ○표

104쪽

1. 4
2. 3
3. 4
4. 10
5. 25
6. 9
7. 11
8. 5
9. 3
10. 27
11. 4
12. 12
13. 9
14. 21
15. 18

105쪽

1. 4
2. 7
3. 9
4. 7
5. 20
6. 0.4
7. 3.2
8. 0.6
9. 1.6
10. 3.3
11. $\frac{2}{3}$
12. $\frac{1}{3}$
13. $1\frac{1}{3}$
14. $1\frac{1}{4}$
15. $\frac{4}{9}$

106쪽 1. 14 2. 15 3. 15
4. 27 5. 36 6. 6
7. 4 8. 3 9. 2
10. 42 11. 21 12. 5
13. 5 14. 21 15. 25

107쪽 1. 33 2. 16 3. 72
4. 60 5. 36 6. 4.7
7. 0.9 8. 0.45 9. 1.6
10. 3.3 11. $\frac{7}{16}$ 12. $\frac{3}{4}$
13. $\frac{5}{7}$ 14. $\frac{3}{5}$ 15. $\frac{7}{16}$

108쪽 1. 8살 2. 4 kg 3. 80 g
4. 800원 5. 0.48 L 6. 9컵

109쪽 1. 56바퀴 2. 250 m 3. 40만 원
4. 120분 5. 20개 6. 40초

110쪽 1. 3 2. 5 3. 4
4. 6 5. 8 6. 3
7. 20 8. 5 9. 17
10. 50 11. 7 12. 23
13. 17 14. 10 15. 2

111쪽 1. 30 cm 2. 75 cm 3. 49 cm
4. 72 cm 5. 63 cm 6. 32 cm

112쪽 1. 2, 1, $\frac{2}{3}$, 6 / 2, 1, $\frac{1}{3}$, 3
2. 2, $\frac{3}{5}$, 24 / 2, $\frac{2}{5}$, 16
3. 5, 8, $\frac{5}{13}$, 25 / 5, 8, $\frac{8}{13}$, 40
4. 7, 4, $\frac{7}{11}$, 49 / 7, 4, $\frac{4}{11}$, 28
5. 8, 13, $\frac{8}{21}$, 32 / 8, 13, $\frac{13}{21}$, 52
6. 2, 3, $\frac{2}{5}$, 60 / 2, 3, $\frac{3}{5}$, 90

113쪽 1. 2, 2, $\frac{1}{3}$, 100, 2, 2, $\frac{2}{3}$, 200
2. 5, 5, $\frac{2}{7}$, 160, 5, 5, $\frac{5}{7}$, 400
3. 7, 7, $\frac{2}{9}$, 100, 7, 7, $\frac{7}{9}$, 350
4. 3, 3, $\frac{2}{5}$, 200, 3, 3, $\frac{3}{5}$, 300
5. 4, 4, $\frac{3}{7}$, 360, 4, 4, $\frac{4}{7}$, 480

114쪽 1. 14시간 2. 20개 3. 14개
4. 35개 5. 5자루 6. 16일

115쪽 1. 민수, 8자루 2. 준영, 8장
3. 다현, 15개 4. 동진, 10개
5. 지원, 6개 6. 유정, 20개

116쪽 1. 15 cm 2. 8 cm 3. 24 cm
4. 30 cm 5. 32 cm 6. 33 cm

117쪽 1. 32개 2. 42 mL 3. 36개
4. 28kg 5. 44개 6. 54장

118~119쪽 1. ④
2. 예 2 : 9=26 : 117
3. (1) 7 (2) 21
4. (1) 예 1 : 3 (2) 예 4 : 9
5. 2 : 3 6. 54바퀴
7. 588 cm^2 8. 850 cm
9. 예 5 : 3
10. 예 $120\times\frac{5}{5+3}=75$; 75개

5 원의 넓이

122~123쪽
1. 5 cm 2. 6 cm 3. 7 cm
4. 9 cm 5. 10 cm 6. 12 cm
7. 11 cm 8. 14 cm 9. 8 cm

1. 8 cm 2. 10 cm 3. 18 cm
4. 24 cm 5. 30 cm 6. 14 cm
7. 22 cm 8. 26 cm 9. 34 cm

1. 7.5 2. 7.68 3. 101.92
4. 36.12 5. 3.06 6. 5.22
7. 1.28 8. 23.04 9. 80
10. 148.8 11. 40.23

1. 32 cm^2 2. 48 cm^2 3. 20 cm^2
4. 32 cm^2 5. 85 cm^2

124쪽
1. 30 cm 2. 15 cm
3. 21 cm 4. 27 cm
5. 36 cm 6. 12.4 cm
7. 24.8 cm 8. 34.1 cm
9. 46.5 cm 10. 55.8 cm
11. 18.84 cm 12. 43.96 cm
13. 50.24 cm 14. 62.8 cm
15. 69.08 cm

125쪽
1. 30 cm 2. 48 cm
3. 72 cm 4. 102 cm
5. 120 cm 6. 37.2 cm
7. 55.8 cm 8. 86.8 cm
9. 111.6 cm 10. 155 cm
11. 43.96 cm 12. 62.8 cm
13. 94.2 cm 14. 138.16 cm
15. 188.4 cm

126쪽
1. 4 cm 2. 11 cm 3. 16 cm
4. 21 cm 5. 5 cm 6. 12 cm
7. 18 cm 8. 25 cm 9. 8 cm
10. 15 cm 11. 20 cm 12. 30 cm

127쪽
1. 6 cm 2. 8 cm 3. 10 cm
4. 15 cm 5. 2 cm 6. 7 cm
7. 9 cm 8. 12 cm 9. 3 cm
10. 9 cm 11. 11 cm 12. 13 cm

128쪽
1. 240 m 2. 558 m
3. 43400 cm 4. 2637.6 m
5. 1099 m

129쪽
1. 50, 100, 50, 100
2. 12, 12, 72, 12, 12, 144, 72, 144
3. 276, 332
4. 10, 60, 15, 90, 60, 90

130쪽
1. 27 cm^2 2. 48 cm^2
3. 300 cm^2 4. 507 cm^2
5. 972 cm^2 6. 77.5 cm^2
7. 111.6 cm^2 8. 446.4 cm^2
9. 697.5 cm^2 10. 1240 cm^2
11. 153.86 cm^2 12. 200.96 cm^2
13. 615.44 cm^2 14. 1017.36 cm^2
15. 1962.5 cm^2

131쪽
1. 12 cm^2 2. 108 cm^2
3. 192 cm^2 4. 363 cm^2
5. 588 cm^2 6. 27.9 cm^2
7. 49.6 cm^2 8. 251.1 cm^2
9. 446.4 cm^2 10. 697.5 cm^2
11. 78.5 cm^2 12. 153.86 cm^2
13. 314 cm^2 14. 530.66 cm^2
15. 907.46 cm^2

132쪽
1. 12 cm^2 2. 75 cm^2
3. 243 cm^2 4. 507 cm^2
5. 27.9 cm^2 6. 151.9 cm^2
7. 198.4 cm^2 8. 375.1 cm^2
9. 50.24 cm^2 10. 113.04 cm^2
11. 314 cm^2 12. 452.16 cm^2

133쪽 1. 5 cm 2. 8 cm 3. 13 cm 4. 14 cm 5. 4 cm 6. 7 cm 7. 12 cm 8. 11 cm 9. 3 cm 10. 5 cm 11. 10 cm 12. 15 cm

134쪽 1. 8 cm 2. 12 cm 3. 18 cm 4. 26 cm 5. 6 cm 6. 14 cm 7. 20 cm 8. 24 cm 9. 10 cm 10. 16 cm 11. 30 cm 12. 40 cm

135쪽 1. 12 cm 2. 30 cm 3. 54 cm 4. 90 cm 5. 18.6 cm 6. 43.4 cm 7. 62 cm 8. 86.8 cm 9. 25.12 cm 10. 50.24 cm 11. 75.36 cm 12. 100.48 cm

136쪽 1. 254.34 cm^2 2. 44.1 cm^2 3. 172 cm^2 4. 150.72 cm^2 5. 682 cm^2 6. 170.5 cm^2 7. 216 cm^2 8. 81 cm^2

137쪽 1. 314 cm^2 2. 22.5 cm^2 3. 324 cm^2 4. 600 cm^2 5. 303.8 cm^2 6. 200.96 cm^2 7. 90 cm^2 8. 200 cm^2

138~139쪽 1. 원주, 원주율, 원주, 지름, 반지름 2. 7 3. 18 4. 523.9 cm^2 5. 375.1 cm^2 6. 12 cm 7. 37.2 cm, 111.6 cm^2 8. 351.68 m 9. 100.48 cm^2 10. 123.84 cm^2

6 원기둥, 원뿔, 구

142~143쪽 1. 삼각기둥 2. 사각기둥 3. 오각기둥 4. 육각기둥 5. 팔각기둥

1. 삼각뿔 2. 사각뿔 3. 오각뿔 4. 육각뿔 5. 팔각뿔

(위부터)
1. 밑면, 높이, 옆면
2. 꼭짓점, 모서리
3. 옆면, 높이, 밑면
4. 각뿔의 꼭짓점, 모서리, 꼭짓점

1. 48 cm^2 2. 77.5 cm^2 3. 153.86 cm^2 4. 310 cm^2 5. 706.5 cm^2

144쪽 1. ○ 2. × 3. ○ 4. ○ 5. × 6. 옆면 7. 밑면 8. 높이 9. 2개

145쪽 1. 5 cm, 12 cm 2. 7 cm, 8 cm 3. 4 cm, 9 cm 4. 8 cm, 20 cm 5. 6 cm, 16 cm 6. 6 cm, 12 cm 7. 12 cm, 10 cm 8. 12 cm, 20 cm 9. 18 cm 10. 14 cm 11. 16 cm

146쪽 1. 4 cm 2. 8 cm 3. 10 cm 4. 6 cm 5. 14 cm 6. 5 cm 7. 4 cm 8. 8 cm 9. 9 cm 10. 4 cm

147쪽
1. ( )(○)( )
2. ( )(○)( )
3. ( )( )(○)
4. (○)( )( )
5. ( )( )(○)

148쪽 (위부터)

1. 4, 25.12, 9　2. 6, 37.68, 8
3. 3, 18.84, 12　4. 5, 31.4, 10
5. 7, 43.96, 9　6. 8, 9, 50.24
7. 10, 62.8, 11　8. 5, 31.4, 8
9. 8, 50.24, 14

149쪽 (위부터)

1. 4, 24, 9　2. 5, 5, 30
3. 8, 4, 48　4. 6, 36, 8
5. 2, 10, 12

(왼쪽부터)

6. 3, 7, 18　7. 7, 4, 42
8. 5, 30, 18　9. 8, 8, 48

150쪽

1. 예

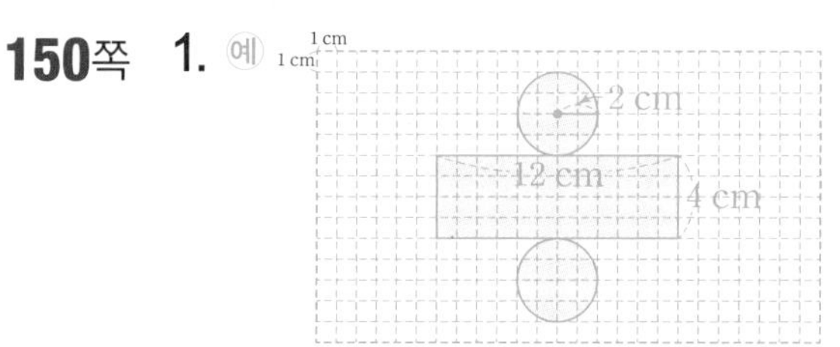

2. 예

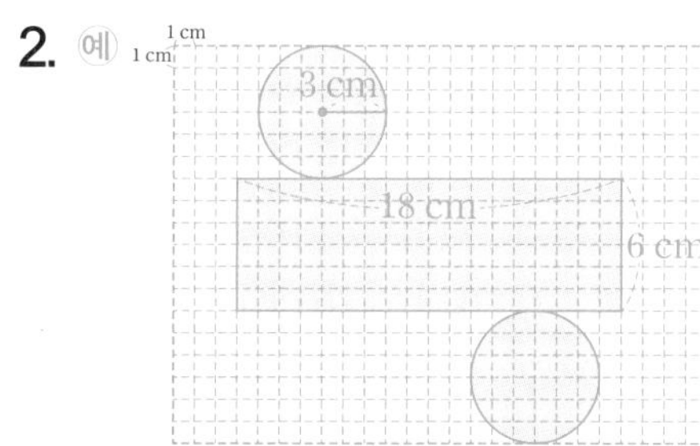

3. 예

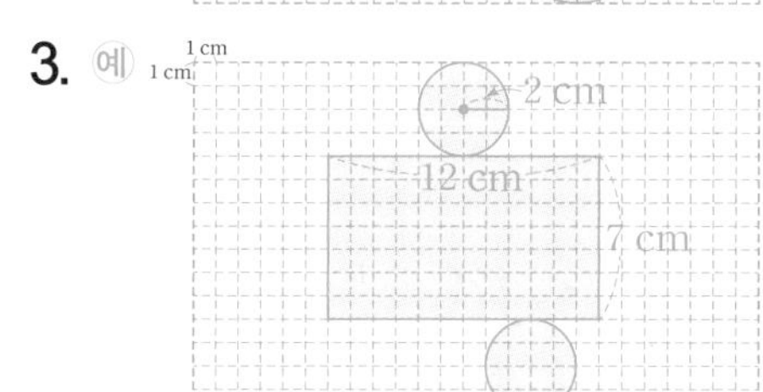

151쪽

1. 4 cm　2. 6 cm　3. 5 cm
4. 7 cm　5. 10 cm　6. 12 cm

152쪽

1. ○　2. ×　3. ×
4. ○　5. ×　6. 꼭짓점
7. 밑면　8. 모선　9. 옆면
10. 높이

153쪽

1. 3 cm, 4 cm, 5 cm
2. 6 cm, 8 cm, 10 cm
3. 5 cm, 12 cm, 13 cm
4. 8 cm, 15 cm, 17 cm
5. 6 cm, 8 cm, 10 cm
6. (1) 높이　(2) 모선의 길이

154쪽

1. 4 cm　2. 12 cm　3. 8 cm
4. 6 cm　5. 10 cm　6. 6 cm
7. 8 cm　8. 4 cm　9. 10 cm
10. 12 cm

155쪽

1. ○　2. ×　3. ×　4. ×
5. ○　6. ×　7. ○　8. ×
9. 중심　10. 반지름

156쪽

1. 4 cm　2. 7 cm　3. 12 cm
4. 13 cm　5. 15 cm　6. 8 cm
7. 9 cm　8. 12 cm　9. 15 cm
10. 10 cm　11. 13 cm　12. 18 cm
13. 17 cm　14. 20 cm

157쪽

1. 2 cm　2. 3 cm　3. 4 cm
4. 6 cm　5. 8 cm　6. 9 cm
7. 11 cm　8. 15 cm　9. 18 cm

158~159쪽

1. (1) 원기둥　(2) 원뿔　(3) 구
2. (1)

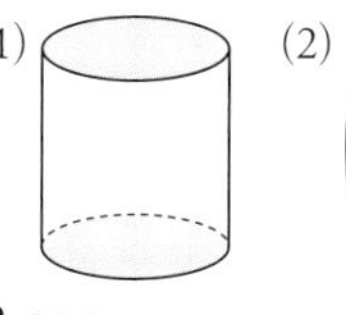

(2)

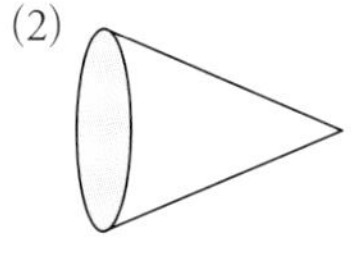

3. 2 cm
4. (위부터) 원, 2, 1, 원, 1, 1
5. (위부터) 3, 18, 5
6. (1) 6 cm, 8 cm　(2) 9 cm, 12 cm
7. (○)(　)(　)
8. 예 (1 cm, 1 cm, 2 cm, 12 cm, 5 cm)